Théâtre de Hro

Religieuse allemande du dixième siecie, traduit

pour la première fois en français avec le texte

latin revu sur le manuscrit de Munich

Hrotsvitha

(Translator: Charles Magnin)

Alpha Editions

This edition published in 2023

ISBN : 9789357956475

Design and Setting By
Alpha Editions
www.alphaedis.com
Email - info@alphaedis.com

I.

Un recueil de drames portant la date du Xe siècle et signé, comme celui-ci, d'un nom de femme, et, qui plus est, de religieuse, est un phénomène des plus remarquables et qui intéresse à la fois les mœurs, les lettres et la discipline de l'Église. Toutefois ce livre, quelque singulier qu'il paraisse, n'est point une œuvre exceptionnelle, sans antécédents et sans analogues. Le théâtre de Hrotsvitha confirme, au contraire, tout un ensemble de faits récemment étudiés et mis en lumière.

On avait cru jusqu'ici trop légèrement qu'entre le VIe et le XIIe siècle de notre ère toute représentation scénique avait été abolie, et qu'il fallait désespérer de rien trouver de ce genre en Europe, pendant toute la durée du moyen âge. Dans une série de leçons présentées, il y a dix ans, à la Faculté des lettres de Paris, j'ai essayé d'établir la vérité contraire, en produisant un grand nombre de textes et de monuments jusque-là négligés ou inconnus. Chaque siècle ainsi patiemment interrogé est venu déposer de l'incessante activité du génie scénique. La période féodale elle-même, cet âge de concentration religieuse et de morcellement social, durant lequel il semble qu'il ne pût exister pour le drame ni poëte, ni scène, ni spectateurs, nous a fourni le plus inattendu et le plus riche contingent théâtral. C'est en pleine féodalité, au milieu de la moins lettrée des époques obscures, dans le Xe siècle, en un mot, à qui l'on refuse généralement toute science, toute poésie, tout sentiment du beau, toute délicatesse de pensée ou de langage, que s'est montré à nous le monument le plus considérable et le moins imparfait de ce théâtre intermédiaire, dont on avait jusqu'ici méconnu l'existence, parce qu'on s'obstinait à le chercher par habitude dans des lieux et sous des formes qui depuis longtemps n'existaient plus.

Éclairé par l'étude des origines de la tragédie grecque, que nous avons vue sortir demi-lyrique des hiérons de Bacchus et des processions dionysiaques[1], nous avons pensé que du VIe au XIIe siècle le drame chrétien devait se montrer dans les parvis ou sous les arceaux mêmes de nos plus anciennes cathédrales. En effet, depuis la chute du polythéisme, et surtout depuis l'établissement des conquérants barbares dans les provinces romaines, les théâtres antiques avaient cessé peu à peu de recevoir la foule déshabituée des spectacles sanglants ou obscènes qui charmaient la corruption payenne. La plupart de ces édifices avaient été successivement transformés en citadelles contre les invasions des Goths, des Francs, des Sarrasins et des Normands. Plus tard, avec les pierres tirées de leurs ruines, la société chrétienne et barbare éleva les seules constructions dont elle eût besoin, à savoir, des donjons sur la crête des collines, pour l'aristocratie militaire; dans la plaine et dans les villes, des cathédrales et des abbayes pour l'aristocratie intellectuelle et cléricale. A la place des cirques et des amphithéâtres, qui avaient autrefois réuni d'immenses populations dans une même idée comme dans une même enceinte, on vit s'élever les églises aux larges nefs, véritables lieux d'assemblée, ainsi que leur nom l'indique, qui recevaient, aux jours solennels, et réunissaient, sans les confondre, les fidèles de tous les états, les barons et les clercs, les hommes d'armes et les artisans, les manants des cités et les serfs de la glèbe, et présentaient ainsi, malgré la séparation profonde de toutes les classes, la chose dont le drame a besoin par-dessus toute autre, je veux dire, un grand auditoire prêt à s'unir dans une pensée sympathique et à palpiter sous une émotion commune.

[1] Voyez *Les origines du théâtre moderne*, t. Ier, Introduction.

Il en fut de même et mieux encore dans l'enceinte des monastères, ces asiles privilégiés, qui s'ouvraient pourtant à toutes les conditions, et, à de certains jours, conviaient les séculiers à leurs fêtes. A l'abri de ces sanctuaires de la science, de la piété et des beaux-arts, le drame au moyen âge put se développer plus hardi, plus poétique, plus affranchi de l'inflexibilité des rites. Que l'on compare les pièces de Hrotsvitha aux drames si sévèrement liturgiques qui, à cette époque et même un peu plus tard, étaient offerts par le clergé à la dévotion populaire; que l'on rapproche, par exemple, *Gallicanus* ou *Callimaque*, ces œuvres presque laïques et à demi mondaines, du rigide et court Mystère *des Vierges sages et des Vierges folles*, espèce de *séquence* dialoguée qu'a publiée M. Raynouard[2], et qu'on nous dise si ce dernier morceau n'a pas, dans sa concision toute hiératique, un caractère de roideur ou, si l'on veut, de gravité sacerdotale, qui le distingue, de la manière la plus tranchée, des six drames que nous publions. Dans ceux-ci, on sent, à chaque scène, un auteur non-seulement nourri de l'Écriture, des Pères et des agiographes, mais familier avec les vers de Plaute et de Térence, d'Horace et de Virgile; on sent un auteur qui écrit non pour être psalmodié du haut d'un jubé, mais pour être joué avec apparat dans la grande salle d'un noble Chapitre. En effet, nous savons, à n'en pas douter, que c'est dans une illustre abbaye saxonne que furent représentés les drames de Hrotsvitha, probablement en présence de l'évêque diocésain[3] et de son clergé, devant plusieurs nobles dames de la maison ducale de Saxe et quelques hauts dignitaires de la cour impériale, sans compter, au fond de l'auditoire, la foule émerveillée des manants du voisinage et (qui sait même?) plus loin, sur les marches du grand escalier, quelques serfs ou gens mainmortables de la riche et puissante abbaye[4].

[2] Voy. *Choix de poésies des troubadours*, t. II, p. 139–143.

[3] L'abbaye de Gandersheim était placée sous la juridiction de l'évêque d'Hildesheim.

[4] Pour les serfs de Gandersheim (*mancipii utriusque sexus*), voyez une charte de 973 donnée à cette abbaye par Othon Ier, et publiée par Leibnitz (*Scriptor. rer. Brunsv.*, t. II, p. 375).

C'est une chose étrange à dire, et pourtant aussi vraie que singulière: l'abbaye de Gandersheim est au Xe siècle, comme la royale maison de Saint-Cyr au XVIIe, un sujet obligé d'étude pour tout historien sérieux du théâtre. Ce célèbre monastère a été pour l'Allemagne une sorte d'oasis intellectuelle, jetée au milieu des steppes de la barbarie. Là fleurirent mieux qu'en aucun autre endroit du nord de l'Europe, la piété, les arts, la civilisation et la poésie. Cette sainte demeure, recommandable à tant de titres, a un droit particulier à la vénération des amis des lettres. Je n'hésite pas, quant à moi, à la saluer, sinon comme le plus ancien, du moins comme un des plus glorieux berceaux de l'art des Lope de Vega, des Calderon et des Corneille.

II.

L'abbaye de Gandersheim ou de Gandesheim, de l'ordre de saint Benoît, a été fondée ou plutôt restaurée en 852[5], par un des arrière-petits-neveux de Witikind, Ludolfe, d'abord comte, puis duc de Saxe, lequel entreprit cette œuvre pieuse à la prière de sa femme Oda, princesse de race franque[6]. Le premier siége de ce monastère fut à Brunshusen, ou Brunshausen; mais, dès 856, l'emplacement ayant paru insuffisant, Ludolfe résolut de transférer cette sainte maison, à laquelle il avait confié cinq de ses filles[7], sur les bords d'une rivière voisine, nommée *Ganda*, au milieu de bruyères et de forêts, devenues peu à peu la ville de Gandersheim. Ludolfe, mort en 859[8], ne put achever cette entreprise, qui ne reçut son entière exécution qu'en 881, par les soins et les libéralités de sa veuve. Celle-ci, âgée alors de soixante-trois ans, se retira dans cet asile, et y vécut, après la mort de presque tous les siens, jusqu'à l'âge de cent sept ans. Ce monastère ne compte guère dans la liste de ses abbesses que des princesses du sang impérial ou ducal. Les trois premières, Hathumoda, Gerberge et Christine, étaient toutes trois filles des fondateurs, et administrèrent l'illustre abbaye du vivant et d'après les conseils de leur mère. Il y a, si je ne me trompe, un rapport frappant, et qui n'est peut-être pas fortuit, entre cette vénérable centenaire, qui vit disparaître presque tous les siens et ensevelit de ses mains affaiblies quatre de ses filles mortes au service du Christ, et un des drames que l'on va lire. Je veux parler de la dernière pièce du recueil, intitulée *Sapience*, où nous voyons une mère, courbée par les ans, creuser la tombe de ses trois filles, mortes pour la gloire de Jésus-Christ, et exhaler ensuite pieusement son âme dans une fervente prière.

----

[5] Voy. *Annal. Quedlinburg.*, ap. Pertz., *Monumenta Germaniæ*, t. V, p. 46.—A toutes les autorités originales que j'allègue pour l'histoire du monastère de Gandersheim et de ses abbesses, il faut ajouter le livre de J. Chr. Harenberg, intitulé *Historia ecclesiæ Gandersheim. diplomatica*, Hannoveræ, 1734, qui les résume et les discute, malheureusement avec plus de prolixité que de jugement et de critique. Cet ouvrage de 1758 pages in-folio est destiné à former le supplément des *Scriptores rer. Brunsv.* de Leibnitz.

[6] Voy. Agii *Vit. Hathum.*, ap. Pertz., *Monum. German.*, t. VI, p. 167, et Hrotsvith. *Carm. de primord. et construct. cœnob. Gandesheim.*, v. 22.

[7] Voy. Agii *Dialog.*, v. 553, ap. Pertz., *ibid.*, t. VI, p. 186.

[8] Le savant M. Pertz assigne (*ibid.*, t. VI, p. 165 et 311), d'après les *Annal. Xantenses*, publiées par lui (ibid., t. II, p. 231), l'année 866 à la mort de Ludolfe, contrairement à plusieurs témoignages réunis par Leuckfeld dans ses *Antiquitates Gandesheimenses*, p. 20, lesquels fixent la mort du duc à l'année 859.

Lorsqu'en 874 (année funeste, signalée par la peste et par la famine), la première abbesse de Gandersheim, Hathumoda, fut rappelée à Dieu, à l'âge de trente-trois ans, il se passa dans l'intérieur de cette pieuse maison, un spectacle dont le souvenir doit occuper une place notable dans l'histoire littéraire. C'était alors l'usage aux obsèques des abbés et des abbesses, de réciter et souvent même d'improviser, sur leurs tombes, des dialogues funèbres, espèces de *nénies* dramatiques, dont il nous est parvenu plus d'un curieux exemple. A la mort de Hathumoda, Wichbert, d'abord moine au couvent de Corbie en Saxe, puis religieux dans l'abbaye de Lampspring[9], et, enfin, évêque d'Hildesheim, Wichbert qui, en cette qualité, devait bientôt (en 881) faire la dédicace des nouvelles constructions de Gandersheim, et qui paraît avoir été allié par le sang à la maison de Saxe[10], vint à Brunshusen présider aux funérailles de la jeune abbesse et échangea avec les religieuses éplorées des gémissements et des consolations pieuses. Nous possédons encore le dialogue, sorte de drame funéraire, où Wichbert remplit le principal rôle, sous le nom d'Agius, traduction grecque de son nom théotisque[11].

[9] Voyez Pertz, *Monum. German.*, t. VI, p. 165.

[10] M. Pertz soutient même (*ibidem*) que Wichbert devait être fils de Ludolfe et d'Oda, et par conséquent frère de Hathumoda. Cette assertion est purement conjecturale.

[11] C'est l'opinion d'Eccard, qui a publié le premier ce poëme (*Veterum monument. Quaternio*, p. 27), opinion que combat Bernard Pez. Voyez Agii *Dialog.*, in *Thesaur. anecdot. noviss.*, t. I, pars IIIᵉ, p. LXXXIII et 311, et Pertz., *Monument. Germ.*, t. VI, p. 165, seqq.—Ce dialogue et le prologue en prose qui le précède contiennent plusieurs détails intéressants sur le monastère de Gandersheim et sur la famille ducale de Saxe.

Cependant Gerberge succéda à sa sœur Hathumoda; mais la vocation de cette princesse eut à soutenir de bien pénibles épreuves. Elle était mariée au comte Bernhard, quand elle prit la résolution de se retirer à Gandersheim, sous l'aile de sa sainte mère. Le rude Saxon vint l'y réclamer et menaçait d'employer la violence. Forcé de partir pour une expédition militaire, il jura qu'à son retour il saurait bien contraindre sa femme à rentrer dans le manoir commun et à partager le lit conjugal; mais il fut tué avant la fin de la campagne. Dans cette aventure, racontée avec complaisance par Hrotsvitha dans un de ses ouvrages[12], il est difficile de ne pas reconnaître ce qui lui a inspiré le choix de sa première pièce de théâtre. Il est vrai que, bien différent du comte Bernhard, Gallicanus renonce volontairement à la possession de sa fiancée; mais il n'en existe pas moins entre la délicate situation de Constance et celle de Gerberge, une frappante analogie, qui ne pouvait manquer de doubler, pour les chastes habitantes de Gandersheim, l'intérêt qu'offrait déjà par elle-même l'histoire de Constance et de Gallicanus.

[12] *Carmen de primord. et construct. cœnobii Gandesh.*, v. 320, seqq.

Après vingt-deux ans de fonctions abbatiales, l'an 896, Gerberge alla rejoindre Hathumoda[13]. Alors Christine, la plus jeune des filles de la duchesse Oda, alors âgée de cent-un ans, lui succéda. Six années après, en 903[14], les descendantes directes des fondateurs venant à manquer, une savante religieuse du monastère, nommée Hrotsvitha[15], fut élue quatrième abbesse. On a souvent confondu cette première Hrotsvitha avec la simple nonne du même couvent, qui, soixante ans plus tard, rendit ce nom si célèbre. Suivant les uns, Hrotsvitha l'abbesse sortait de la seconde branche de la famille ducale de Saxe, et était fille du duc Othon l'Illustre, second fils de Ludolfe et père de l'empereur Henri l'Oiseleur[16]. Selon d'autres, Hrotsvitha était fille d'un roi de Grèce[17]; origine romanesque, et d'autant moins vraisemblable, que les filles allemandes étaient seules admises dans le couvent de Gandersheim. Au reste, quelle que fût sa naissance, cette première Hrotsvitha était digne par ses talents de gouverner la noble abbaye. Elle excellait en plusieurs sciences, notamment dans la logique et la rhétorique. Elle avait même composé un traité de logique fort estimé, qui ne nous est pas parvenu[18]. Il serait possible que les Vies en prose de saint Willibald et de saint Wunibald attribuées par Casimir Oudin à l'illustre nonne Hrotsvitha[19], mais qui sont d'une main certainement plus ancienne, comme Oudin l'a reconnu ailleurs[20], fussent l'ouvrage de la première Hrotsvitha. Elle mourut en 906[21], d'autres disent en 926.

[13] Un ancien catalogue abbatial cité par Leuckfeld (*Antiquit. Gandesh.*, p. 213) fait mourir Gerberge l'an 881, ne lui attribuant que sept années de gouvernement. D'autres historiens placent sa mort à l'an 883 ou 884. La date que j'ai adoptée a pour autorité Hrotsvith. *Carm. de Constr. cœn. Gandesh.*, v. 480, et Thangmar. *Vit. Bernw. episc. Hildesh.*, ap. Pertz., *Monum. German.*, t. VI, p. 763.

[14] Voy. *Chron. episc. Hild. et abb. S. Mich.* ap. Leibn., *Script. rer. Brunsv.*, t. II, p. 786.—M. Pertz assigne la date de 913 au lieu de 903 à la mort de la duchesse Oda, et celle de 919 à la mort de Christine (*Carm. de*

Constr. cœnob. Gandesh. v. 530). Les auteurs qu'il a suivis (*Annal.
Quedlinburg.*, *ibid.*, t. V, p. 45 et Thangmar. *Vit. Bernward. episc. Hild.*,
ibid., t. VI, p. 763) attribuent à Christine vingt-deux ans
d'administration, comme à sa sœur Gerberge. Christine, suivant moi,
mourut en 903, la même année que sa mère et ne lui survécut que de
sept mois et non sept ans, comme le dit Thangmar.—Leuckfeld
(*Antiq. Gand.*, p. 20) fait mourir Oda en 898.—Cf. Leuckfeld, *ibid.*, p.
216 et 217, et Gasp. Brusch. *Chronolog. monast. German.*, p. 233, 499.

[15] Son nom se trouve écrit *Ruitsuinda*, *Rotsuinda*, *Rothsmuda* et de
plusieurs autres manières plus ou moins fautives.

[16] Voy. *Chronic. episcop. Hildesh. et abbat. S. Mich.*, ap. Leibn. *Script. rer.
Brunsv.*, t. II, p. 786. L'histoire ne donne au duc Othon l'Illustre
qu'une fille nommée Adélaïde, morte abbesse de Quedlinbourg.
D'autres chroniqueurs attribuent la même extraction à Luitgarde, qui
succéda, comme abbesse, à Hrotsvitha.

[17] Selneccer, *Pædagogia*, part. I, titul. I, *de usuris*, cité par Leuckfeld,
ibid., p. 217.

[18] Meibomius, *Vita Roswithæ* Panegyrico Oddonum præfixa, inter
Script. rerum German., t. I, p. 706.

[19] *Supplem. de scriptor. ecclesiast. a Bellarmino omissis*, ad ann. 890.—Ces
Vies ont été plusieurs fois imprimées. Voy. Mabillon, *Sæcul. III.
Sanctor. S. Bened.*, t. II, p. 176.

[20] *Comment. de scriptor. ecclesiast.*, t. II, p. 508.

[21] Voy. *Chron. episc. Hildesh. et abbat. monast. S. Mich.* ap. Leibn., t. II,
p. 786.—M. Pertz a adopté la date de 927 (*Monum. Germ.*, t. VI, p.
302), d'après les *Annal. Hild.*, publiées par lui (*ibid.*, t. V, p. 54), date
que je crois fautive, quoiqu'elle ait des autorités.

Comme l'histoire de ces époques est rarement exempte de légendes
superstitieuses, on a raconté que cette savante abbesse eut le pouvoir
d'arracher au démon un pacte ou cédule qu'un jeune imprudent avait souscrit
de son sang[22]. Cette tradition, glorieuse pour Gandersheim et pour la
mémoire de son abbesse, me paraît avoir pu engager notre Hrotsvitha à traiter
deux fois indirectement ce sujet fantastique dans ses légendes en vers.

[22] Selneccer, *Pædagogia*, pars I°, titul. I, *de Usuris*, ut supra.

L'abbaye de Gandersheim, dont l'abbesse avait le titre de *Fürstäbtin* et
siégeait à la diète, a été sécularisée au commencement de ce siècle. Cependant,
sa magnifique église, ainsi que les bâtiments du monastère et leurs
dépendances, sont encore debout. Il serait bien désirable que la gravure se

hâtât de reproduire, pendant qu'il en est temps, tous les détails de construction et de disposition tant intérieures qu'extérieures de cette vénérable abbaye, à laquelle se rattachent tant et de si précieux souvenirs. Leuckfeld et Harenberg ont joint à leurs volumineux ouvrages sur Gandersheim quelques planches (vues, sceaux, cartes, etc.) qui, bien qu'insuffisantes, ne sont pourtant point sans intérêt.—Passons maintenant à Hrotsvitha.

III.

Nous ne possédons guère sur la vie de cette femme illustre d'autres renseignements que ceux qu'elle nous fournit elle-même dans ses ouvrages, et notamment dans ses préfaces et ses épîtres dédicatoires, dont elle est, par bonheur, assez prodigue. Cette merveille de l'Allemagne a été pour la plupart de ses biographes une occasion d'erreurs d'autant plus graves, que ses écrits, source à peu près unique où il soit possible de puiser avec certitude, ont été plus longtemps moins étudiés et moins bien connus.

On ne s'accorde même pas sur son nom; les variantes sont nombreuses. Cependant, en plusieurs endroits du beau manuscrit de Munich, le seul qui nous reste, et qui paraît de la fin du Xe siècle ou du commencement du XIe siècle, c'est-à-dire, à peu près contemporain, elle se nomme elle-même *Hrotsvith*[23]. Henri Bodo, moine de Cluse, un des plus anciens historiens qui l'ait citée, l'appelle *Hrosvita*[24], en élidant le *t* médial. Il n'est donc pas douteux que tel ait été son nom ou son surnom; je dis surnom, car elle-même traduit, avec une certaine jactance poétique, cette sonore appellation de *Hrotsvitha* par *clamor validus*: «Ego clamor validus Gandesheimensis;» *moi la voix forte, la voix retentissante de Gandersheim*. Tel paraît être, en effet, le sens du vieux mot *Hruodsuind*, d'où sont venus *Hrothsuit* et *Hrotsuitha*. Cette interprétation fournie par elle-même, et que confirme Jacques Grimm[25], détruit l'explication plus gracieuse, et moins solide, de J.-Chr. Gottsched, qui avait proposé de traduire le nom de Hrotsvitha par *Rose blanche*[26], et renverse, du même coup, une autre hypothèse, encore moins admissible du conseiller Martin Frédéric Seidel[27], qui prétend, d'après Knesebeck (mais sans faire connaître l'ouvrage où ce paradoxe est consigné), que l'H initial de Hrotsvitha n'est pas le signe d'aspiration ajouté si fréquemment, au moyen âge, devant certains noms germaniques, tels que Hrabanus, Hrodolphus, Hcarolus, mais l'abréviation de *Helena*. Sur cette supposition, Seidel a soutenu que le nom de Hrotsvitha cachait celui de *Helena a Rossow*, rattachant ainsi notre auteur, à une ancienne famille saxonne mentionnée dans la chronique d'Enzelt, mais que Gottsched ne croit pas remonter, à beaucoup près, au Xe siècle. Ce qu'il y a de plus étrange, c'est qu'une aussi chimérique conjecture ait été reçue sans difficulté dans un grand nombre d'histoires littéraires estimées, notamment dans celles de Saxius[28] et de Wachler[29].

[23] Voy. la note *d*[92] de la page 8 du présent volume.

[24] Henr. Bodo, *Syntagm. de eccles. Gandeshian.*, ap. Leib., inter *Scriptor. rer. Brunsv.*, t. III, p. 712.

[25] *Lateinische Gedichte des X und XI Jh.*, 1838, p. IX.

[26] Voy. *Nöthiger Vorrath zur Gesch. der deutschen dramatischen Dichtkunst*, t. II, p. 13.—Les Bollandistes ont accepté, en partie, cette étymologie: «Vixit Rosvitha sive Hroswitha, formato ab equis pascendis vel rubro alboque coloribus nomine... (*Acta Sanct.*, Jun. t. V, p. 205).»— Harenberg en indique encore une autre. Voy. *Hist. eccles. Gandersh. diplomatic.*, p. 589.

[27] *Icones et elogia virorum aliquot præstantium*, etc., 1670, in-fol.

[28] *Onomast. litter.*, t. II, p. 157.

[29] *Handb. der Gesch. d. Litter.*, nouv. édit., t. II, p. 254.

On s'est trompé d'une manière moins excusable sur le temps où elle a vécu. D'abord, il faut citer comme un mémorable exemple d'infatuation nationale, l'opinion de l'Anglais Laurent Humphrey, qui jaloux de conquérir cette muse à sa patrie, n'a rien trouvé de mieux que de la confondre avec la poëtesse anglaise Hilda Heresvida, qui vécut au VIIe siècle[30]. Il ne servirait de rien à ce critique trop patriote, de prouver, comme il s'efforce en vain d'y parvenir, que Hilda vivait au IXe siècle[31], puisque Hrotsvitha ne vécut pas plus au IXe siècle, comme le dit Trithème[32], qu'au XIIe, comme on pourrait l'induire de l'*index scriptorum mediæ et infimæ Latinitatis* de notre illustre du Cange.

[30] Martin Fréd. Seidel et les autres écrivains qui ont réfuté cette extravagante prétention de Laurent Humphrey, ont négligé de nous faire connaître dans quel ouvrage de l'auteur elle est émise.

[31] Voy. pour Hilda, Beda, *Histor. ecclesiast.*, lib. III, cap. 33.

[32] Trithème (*Liber de script. ecclesiast.*, in-4°, 1512, p. 89) fait, ainsi que H. Bodo, Hrotsvitha contemporaine de Johannes Anglicus, «*quæ doctrina sua papatum meruit*,» c'est-à-dire, contemporaine de la prétendue papesse Jeanne; ce qui revient à faire vivre Hrotsvitha vers l'an 854. Trithème a évité cette faute dans deux autres ouvrages: *De viris illustr. German.*, p. 129, Francf., et *Annal. Hirsaugiens.*, t. I, p. 113.

Il résulte, avec la dernière évidence, d'un poëme de Hrotsvitha (*Historia sive panegyris Oddonum*), qu'elle écrivait dans la dernière moitié du Xe siècle. Il est plus difficile de déterminer exactement la date de sa naissance et celle de sa mort. Hrotsvitha nous apprend elle-même[33] qu'elle vint au monde longtemps après la mort d'Othon l'Illustre, duc de Saxe, père de Henri l'Oiseleur, arrivée le 30 novembre 912. Ailleurs (préface de ses légendes en vers), elle se dit un peu plus âgée que la fille de Henri, duc de Bavière, Gerberge II, sacrée abbesse de Gandersheim l'an 959[34], et née, suivant toutes les apparences, vers l'an 940[35]. Il résulte de ces deux indices combinés, que Hrotsvitha a dû naître entre les années 912 et 940, et beaucoup plus près de la seconde date que de la première, par conséquent, vers 930 ou 935[36]. La date de sa mort est encore plus incertaine. Un seul point est hors de doute, c'est qu'elle poussa sa carrière fort au delà de l'an 968, puisque le fragment qui nous reste du *Panégyrique des Othons* comprend les événements de cette année[37], et que postérieurement à ce poëme, Hrotsvitha en composa un autre sur la fondation du monastère de Gandersheim[38]. Casimir Oudin dit qu'elle mourut l'an 1001[39]; elle aurait eu soixante-sept ans, si nous ne nous sommes pas trompés dans nos précédents calculs. Oudin fonde son opinion sur ce que Hrotsvitha a célébré les trois premiers Othons. Il est vrai que le premier livre du poëme, le seul qui subsiste, finit à la mort d'Othon Ier; mais le titre même de l'ouvrage (*Panegyris Oddonum*), prouve que nous n'en possédons que la première partie. La seconde dédicace adressée à Othon, roi des Romains, qui devint bientôt Othon II[40], formait probablement le préambule du second livre, consacré aux actions de ce prince. Ajoutons qu'on lit dans une chronique des évêques d'Hildesheim[41], que Hrotsvitha a célébré *les trois Othons*. De ce dernier fait, s'il était bien établi, il résulterait que notre auteur aurait vécu au delà de l'an 1002, ce qui n'aurait, d'ailleurs, rien que de très-vraisemblable.

---

[33] *Carm. de primord. et construct. cœnob. Gandesh.*, v. 562, seqq.

[34] Voy. *Annal. Hildesh.*, ap. Pertz., *Monum. German.*; t. V, p. 92.—Cf. Leuckfeld, *Antiq. Gandersh.*, p. 220.

[35] Le mariage du duc Henri, père de Gerberge II, est de 938.

[36] Cette opinion que j'ai émise dans la *Revue des Deux-Mondes* du 15 novembre 1839, se trouve en partie confirmée par M. Pertz dans ses *Monument. German.*, t. VI, p. 302.

[37] Dans la préface qui précède la première partie de ce poëme, Hrotsvitha s'en remet au jugement de l'archevêque de Mayence, Wilhelmus, fils d'Othon Ier, lequel mourut l'an 968.

[38] Il est certain que le *Carmen de primordiis et construct. cœnobii Gandesheimensis* est postérieur au *Panégyrique des Othons*, puisque Hrotsvitha y fait allusion à ce dernier poëme. Voyez v. 80 et 81.

[39] *Comment. de script ecclesiast.*, t. II, p. 506.—Hrotsvitha serait morte la même année que l'abbesse Gerberge II. Voy. *Annal. Hildesh.*, ap. Pertz., *Monum. German.*, t. V, p. 92.

[40] M. Pertz dans le titre de cette dédicace, qualifie ce prince d'Othon II, empereur, prématurément, je crois. Voy. *Monument. German.*, t. VI, p. 318.

[41] *Chron. episc. Hildesh. et abb. monast. S. Mich.*, ap. Leibn., inter *Scriptor. rer. Brunsv.*, t. II, p. 787 et 788.

La vie de cette femme illustre avant son entrée à Gandersheim nous est absolument inconnue. Cependant, elle montre dans ses écrits trop de connaissance du monde et des passions, pour que nous puissions supposer qu'elle leur soit demeurée entièrement étrangère. Quant à sa vie monastique, elle-même nous en révèle quelques particularités fort simples, mais qui sont intéressantes dans leur simplicité. Elle entra au monastère de Gandersheim un peu après Gerberge, c'est-à-dire, avant 959, à l'âge d'environ vingt-trois ans. Elle y perfectionna son éducation religieuse et littéraire. En effet, dans cette pieuse et docte maison, comme dans presque toutes celles de l'ordre de saint Benoît, on mêlait à l'étude des Livres Saints la lecture des chefs-d'œuvres de l'antiquité. Plusieurs écrivains assurent que Hrotsvitha était versée dans les lettres grecques[42], ce dont il nous semble permis de douter. Elle parle avec une modestie naïve de ses premiers essais poétiques. Dans la préface en prose placée à la tête de ses légendes, composées vers l'an 960, elle sollicite l'indulgence pour les fautes qu'elle a pu commettre contre la prosodie, et la grammaire, alléguant pour excuse la solitude du cloître, la faiblesse de son sexe et *son âge encore éloigné de la maturité*. Elle devait avoir à peu près vingt-cinq ans. «Elle ne s'est proposé, dit-elle, d'autre but en écrivant ses vers, que d'empêcher le faible génie que lui a départi le ciel de croupir dans son sein et de se rouiller par sa négligence; elle a voulu le forcer à rendre, sous le marteau de la dévotion, un faible son à la louange de Dieu.» Dans une invocation en vers élégiaques qui précède le premier de ses récits en vers (*l'Histoire de la nativité de la Sainte Vierge*), elle demande à la mère de Dieu de lui délier la langue, et rappelle humblement, à cette occasion, l'exemple de l'ânesse de l'Ancien Testament, à laquelle Dieu daigna accorder la parole.

[42] Ces écrivains sont Henr. Bodo (*Syntagma de eccles. Gandesh.*, ap. Leibn., *Script. rer. Brunsv.*, t. III, p. 712); Trithème (*Liber de script. ecclesiast.*, p. 89), Gesner (*Bibliothec. univers.*) et autres.—Ce qui m'empêche d'admettre leur opinion, c'est que Hrotsvitha, qui travaille sans cesse sur des agiographes, emploie exclusivement des légendes latines ou traduites du grec en latin.

Hrotsvitha mentionne avec reconnaissance ses deux principales maîtresses[43]. La première fut une religieuse de Gandersheim, nommée Rikkarde; la seconde, la jeune abbesse Gerberge II, elle-même, qui, quoique moins âgée que son élève, avait cependant sur elle la supériorité d'éducation qui convenait à une princesse du sang impérial. Hrotsvitha lui a dédié respectueusement plusieurs de ses ouvrages; mais bientôt l'écolière surpassa ses maîtresses et même ses maîtres; car, si elle gémit dans la préface de son premier recueil poétique d'être privée des conseils des hommes habiles, on verra dans l'épître qui précède ses comédies (*Epistola ad quosdam sapientes*), que l'attention et les suffrages des hommes les plus éminents ne lui manquèrent pas longtemps, et qu'elle reçut bientôt, de toutes parts, des encouragements et des éloges.

[43] Dans les couvents de l'ordre de saint Benoît, un frère, sous le titre de *Scholasticus* ou *d'Écolâtre*, présidait à l'instruction des moines. Il paraît que cet article de la règle s'appliquait aux couvents de femmes, aussi bien qu'aux couvents d'hommes.

A tous les mérites qui placent Hrotsvitha au premier rang des femmes célèbres du moyen âge, quelques écrivains ont voulu joindre un talent d'un autre genre. On lit dans une *Encyclopédie musicale*, dirigée par M. le docteur Gust. Schilling[44], un article, d'ailleurs très-incomplet, où l'on range Hrotsvitha parmi les musiciens compositeurs de l'Allemagne. L'auteur de cette notice prétend que son illustre compatriote a mis en musique le *Panégyrique des Othons*, ainsi que plusieurs récits héroïques, et il ajoute: «On a encore d'elle le martyre d'une sainte mis en vers et en musique.» Comme il n'existe, à ma connaissance, aucune trace de notation musicale dans le manuscrit de Hrotsvitha, il est fort à craindre que cette assertion dénuée de toutes preuves, ne soit le résultat d'une méprise. Hrotsvitha emploie fréquemment, en parlant de ses poésies, les expressions *modulari, componere*. Il est probable que le biographe dont nous parlons aura été induit en erreur par ces mots d'une signification fort complexe, et leur aura attribué le sens précis et technique qu'ils n'ont point dans l'occasion présente. Hrotsvitha a bien assez de sa gloire réelle, sans qu'il soit besoin de lui en créer une imaginaire.

[44] *Universal-Lexicon der Tunkunst*, Stuttg., 1834–1839; 6 vol. in-8°.

Martin Frédéric Seidel, celui-là même qui, dans ses *Icones et elogia virorum aliquot præstantium*, a si malheureusement transformé le nom de Hrotsvitha en celui de Helena a Rossow, a joint à la notice de cette femme illustre un portrait dont il ne fait pas connaître l'origine. Cette image, qui se retrouve dans Leuckfeld, dans Schurzfleisch[45], dans le *Diarium theologicum*[46] et même dans le *Mercure allemand* de Wieland[47], n'en est pas pour cela plus authentique. Il nous a paru sans intérêt de la reproduire, et nous avons de beaucoup préféré emprunter la belle gravure sur bois qui se trouve à la tête de la première édition de Hrotsvitha, donnée par Conrad Celtes, et qui représente l'illustre nonne dans l'habit de son ordre, offrant à genoux ses poésies au vieil empereur Othon Ier. La ressemblance n'est probablement pas fort exacte; mais la scène a de l'intérêt et les traits du moins offrent, à un degré remarquable, le caractère ascétique et passionné, qui convient si bien au temps et à la personne[48].

[45] A la tête de son édition des œuvres de Hrotsvitha, in-4°, 1717, dont nous parlerons plus loin.

[46] *Fortgesetzte sammlung von alt. und neuen theolog. Sachen*, Leips., 1732, p. 678.

[47] *Der neue deutsche Merkur*, Weimar, april 1803, t. I, p. 258.

[48] On a attribué cette gravure et les six autres qui ornent l'édition de 1501, à Albert Durer ou à Cranach. Ces planches ne portent ni signature ni monograme, et rien n'indique leur auteur avec certitude. Nous les avons fait réduire, pour les insérer dans notre édition.

IV.

Tous les ouvrages de Hrotsvitha (je pourrais me dispenser de le dire) sont écrits en latin, seule langue usitée au Xe siècle en Occident, pour les compositions littéraires. Il existe deux éditions de ses œuvres, qui toutes deux sont incomplètes. La première a été imprimée en 1501 à Nuremberg, en un volume petit in-folio, par les soins de Conrad Celtes (Meissel), littérateur érudit[49] et poëte lauréat de l'empereur Maximilien, le même à qui l'on doit, dit-on, la découverte des fables de Phèdre et celle de la carte dite de Peutinger. La seconde édition donnée par Schurzfleisch, n'est que la réimpression de celle de Conrad Celtes, augmentée de quelques éclaircissements biographiques et philologiques. Elle parut in-quarto, à Wittenberg, en 1717, et non en 1707, comme porte le titre.

[49] Je dis *Celtes*, pour me conformer à l'usage; mais lui-même signait *Conradus Celtis*. Le mot *Celtis*, traduction du nom allemand *Meissel*, qui signifie *burin*, est, avec ce sens, d'une latinité très-douteuse.

Celtes a reproduit assez fidèlement un beau manuscrit de la fin du Xe siècle ou du commencement du XIe, qu'il découvrit et copia dans un monastère de l'ordre de saint Benoît. Ce manuscrit a passé du couvent de Saint-Emméran de Ratisbonne, dans la bibliothèque royale de Munich, où il est aujourd'hui. Personne n'en a fait usage depuis Celtes, qui l'a publié en entier, jusqu'à M. Pertz, qui s'en est servi pour sa nouvelle édition du *Panegyris Oddonum*[50]. M. Gust. Freytag, qui a donné en 1839 une notice sur Hrotsvitha et une réimpression de la comédie d'*Abraham*, a regretté d'en avoir perdu la trace[51].

[50] Voy. *Monument. German.*, t. VI, p. 317.

[51] *De Hrosvitha poetria*, Vratislaviæ, 1839, in-8°, p. 5.

Ce précieux manuscrit est divisé en trois livres ou parties. Le premier livre renferme huit poëmes ou légendes; le second contient nos six comédies en prose rimée. Puis vient un poëme ou long fragment de poëme, intitulé *Panégyrique des Othons.* Celtes, qui a reproduit ce manuscrit avec assez d'exactitude, a eu pourtant le tort d'en changer sans motif la disposition, qui nous paraît offrir l'ordre véritable et chronologique, dans lequel les productions de Hrotsvitha ont été composées. En effet, l'auteur montre dans la préface du *Panégyrique,* qui termine le recueil, moins de timidité et de défiance en ses talents que dans la préface de ses drames, et beaucoup moins surtout que dans la préface de ses histoires en vers. Nous allons faire connaître en détail le contenu des trois parties.

LE PREMIER LIVRE, *Opera carmine conscripta,* se compose de huit récits, savoir: 1º *L'Histoire de la nativité de l'immaculée Vierge Marie, mère de Dieu,* tirée du protévangile de saint Jacques, frère de Jésus[52]; 859 vers hexamètres léonins, comme le sont tous les hexamètres de Hrotsvitha; 2º *L'Histoire de l'ascension de Notre-Seigneur,* pièce de 150 vers hexamètres, composée sur un récit traduit du grec en latin par Jean l'Évêque; 3º *La passion de saint Gandolfe, martyr,* 564 vers élégiaques. L'auteur a employé dans cette pièce un mètre moins grave que dans celles qui précèdent et qui suivent, sans doute parce que le sujet est plutôt comique qu'héroïque. Gandolfe, qui vivait au milieu du VIIIᵉ siècle, sortait de la tige royale des Burgondes. La sainteté du jeune prince était si grande, qu'il reçut le don des miracles. Il épousa une fort belle femme, que Hrotsvitha nomme *Ganea,* probablement par allusion à ses mœurs dissolues. Elle s'abandonna bientôt à un clerc de la maison de son mari. L'adultère fut prouvé par l'épreuve de l'eau: Ganea se brûla la main et le bras, en les plongeant dans une cuve d'eau tiède. Au lieu d'accepter le pardon que lui offrait généreusement son mari, elle le fit assassiner à Varennes en Bourgogne. Plusieurs miracles opérés sur le tombeau de saint Gandolfe furent racontés à cette méchante femme, qui s'en moqua en des termes fort immodestes: «*Miracula,* dit la légende, *non secus ut ventris crepitum existimavit.*» Elle fut aussitôt punie de cet impur blasphème par un châtiment digne de sa faute: «*in pœnæ perfidiam* (in pœnam perfidiæ) *venter illi quoad viveret perpetuo crepabat.*» Ce sujet de poésie singulier, surtout dans un couvent de femmes, prouve que le badinage et une gaieté, même assez grossière, n'étaient pas entièrement bannis de ces pieux asiles[53]; 4º *Le martyre de saint Pélage à Cordoue.* Ce poëme, composé de 404 hexamètres, est le récit d'une aventure que Hrotsvitha a mise en vers, d'après une relation orale qu'elle tenait d'un Espagnol, témoin de l'événement. Cette circonstance dénote des rapports remarquables, au Xᵉ siècle, entre l'Allemagne et les royaumes d'Espagne[54]. Aussi rencontre-t-on dans cette pièce quelques *hispanismes* singuliers, entre autres, le mot *rostrum* employé pour *facies.* Le fait s'est passé du temps d'Abdalrahman, ou, comme nous disons, d'Abderame III. Lors de l'expédition de ce prince contre les peuples de la *Galice*[55], entre les années

940 et 943, le père de Pélage ayant été fait prisonnier par les Maures, ce jeune homme obtint d'être emmené captif à Cordoue, à la place de son père; sa beauté l'exposa aux outrages des Sarrasins. Ayant refusé de servir aux plaisirs infâmes de leur chef, il fut précipité du haut des remparts dans le fleuve. Recueilli vivant par des pêcheurs, il fut achevé par les soldats d'Abderame. Le poëme de Hrotsvitha obtint une si grande célébrité, qu'il a été cité par plusieurs agiographes, notamment par ceux d'Espagne et de Portugal[56]; il a été inséré en entier dans le recueil des Bollandistes, sous la date du 4 février[57]; 5° *La chute et la conversion de Théophile, vidame ou archidiacre d'Adona en Cilicie*, et non *en Sicile*, comme le disent à tort les deux éditions de Celtes et de Schurzfleisch. Cette légende est l'histoire d'un clerc qui, vers l'an 538, ayant été nommé très-jeune aux fonctions de vidame de l'église d'Antioche et révoqué peu après, se voua au diable par dépit et par ambition. Cette aventure fantastique a été, pendant le moyen âge, le texte de beaucoup d'ouvrages d'imagination: tout le monde connaît le *Miracle de Théophile*, drame du XIIIᵉ siècle, composé par le trouvère Rutbeuf[58]. Lors de la sécularisation des sciences au XVIᵉ siècle, le clerc Théophile est devenu le docteur Faust; 6° *L'Histoire de la conversion d'un jeune esclave exorcisé par saint Basile*. Dans ce poëme, composé de 249 vers, ce n'est pas par ambition, mais par amour, que l'esclave d'un habitant de Césarée se voue au diable. Éperdument amoureux de la fille de Proterius, que son père destinait au cloître, il parvint, avec l'aide de l'esprit malin, à se faire aimer d'elle, et l'épousa au grand déplaisir de sa famille. Cependant, la jeune femme, s'étant bientôt aperçue que son mari n'osait pas entrer dans l'église, devina la vérité. Elle sollicita aussitôt et obtint le divorce, et, suivant son premier dessein, embrassa la vie monastique. De son côté, le jeune homme, repentant de son crime, fut exorcisé par saint Basile, qui força le démon à rendre la cédule que l'imprudent avait souscrite. Cette histoire et la précédente devaient, comme on voit, rappeler agréablement aux pieuses habitantes de Gandersheim le miracle attribué à Hrotsvitha, leur quatrième abbesse; 7° *L'Histoire de la passion de saint Denis*; 266 vers hexamètres. Ce poëme est calqué sur la légende que l'on peut lire dans les Bollandistes, sous la date du 9 octobre. La scène principale, c'est-à-dire le voyage miraculeux du saint décapité, est peinte par Hrotsvitha en traits qui ne manquent ni de poésie ni de grandeur; 8° *L'Histoire de la passion de sainte Agnès, vierge et martyre*. Le sujet de cette pièce, composée de 459 vers et tirée d'un récit de saint Ambroise[59], est plus scabreux que celui d'aucun des poëmes précédents. Agnès, jeune Romaine d'une grande beauté, avait embrassé le christianisme et fait vœu de chasteté. Le fils du comte Simpronius, préfet de la ville, s'éprit de cette belle chrétienne et, n'ayant pu la gagner ni par ses prières, ni par ses présents, tomba dans une mélancolie, qui fit craindre pour ses jours. Les médecins, ayant découvert la cause de son mal, en informèrent Simpronius, qui commanda, avec emportement, à la jeune Agnès de céder aux désirs de son fils. Celle-ci étant restée inexorable, Sempronius la fit traîner au temple

de Vesta, pour y adorer le feu sacré. Sur le refus d'Agnès, il ordonna qu'on la dépouillât de ses vêtements et qu'on la conduisît dans un lieu de prostitution; mais au moment où on commençait à exécuter cet ordre, le ciel, pour garantir la pudeur d'Agnès, permit que ses cheveux grandissent, au point de tomber jusqu'à ses pieds, comme un voile. Le fils du préfet l'ayant poursuivie dans cette demeure infâme, n'eut pas plus tôt porté la main sur elle, qu'il tomba mort à ses pieds. Le père, au désespoir, accusa la jeune vierge de magie. Agnès, pour se disculper, demande au ciel et obtient la résurrection du jeune insensé. Le père et le fils se font chrétiens. Cependant, les prêtres païens poursuivent la condamnation d'Agnès. Celle-ci, qui consent au martyre, meurt sous l'épée du bourreau et va prendre place auprès de Jésus-Christ, dans le chœur immortel des vierges.

[52] Voy. J. Alb. Fabricius, *Codic. apocryph. Novi Testam.*, t. I, p. 40, seqq.

[53] Cette histoire est très-sérieusement rapportée par les Bollandistes. Voy. *Act. Sanctor.*, Maii t. II, p. 642, seqq.—Le Duchat croit que Rabelais a fait allusion à cette légende (*Pantagruel*, liv. II, chap. 7), et il se permet lui-même, à cette occasion, une note très-pantagruélique.

[54] Othon Ier entretint même des relations avec les califes de Cordoue. On peut lire dans Mabillon (*Act. Sanctor. ordin. S. Benedicti*, t. V, p. 404), le récit de l'ambassade de Jean, moine de Gorze, récit très-bien analysé par M. Ch. Romey dans le t. IV de son *Histoire d'Espagne*, p. 213 et suiv.

[55] C'est l'expression de Hrotsvitha, v. 81.—Abderame III n'a point fait d'expédition dans ce que nous appelons proprement *la Galice.*— L'argument qui précède ce poëme n'est point de Hrotsvitha; il est, je crois, comme tous les arguments des légendes, l'œuvre d'une main plus récente et ordinairement peu exacte.

[56] Voyez, entre autres, dans Ambrosius Morales (*Addit. ad divi Eulogii opera*, p. 112 seqq.), et surtout dans Jorge Cardoso (*Agiologio Lusitano*, t. III, in-folio, p. 829–832), la légende de Sam Payo, où l'auteur s'appuie de l'autorité de Hrotsvitha.

[57] *Acta Sanctor.*, februar. t. I, p. 480, seqq.

[58] Voy. l'édition des œuvres de ce poëte donnée par M. Achille Jubinal, t. II, p. 79 et 105.

[59] Voy. *Act. Sanct.*, Januar. t. II, p. 351, seqq.

Entre le premier livre et le second, on trouve dans le manuscrit un court morceau en prose, servant à la fois d'épilogue aux récits en vers, et de prologue aux drames. Cet avertissement, commun aux légendes et aux comédies, semble indiquer que ces deux recueils avaient été disposés pour la lecture par Hrotsvitha elle-même, et rangés par elle dans l'ordre où les présente le manuscrit.

Le SECOND LIVRE (*liber dramatica serie contextus*), celui qui fait la matière du présent volume, contient six comédies, toutes composées, comme l'auteur nous l'apprend dans sa préface, à l'imitation de Térence. Ces pièces sont: *Gallicanus, Dulcitius, Callimaque, Abraham, Paphnuce, Sapience ou Foi, Espérance et Charité*. Il est aisé de deviner, d'après le caractère des poésies qui précèdent, quelle doit être la couleur générale du théâtre de Hrotsvitha. Honorer et recommander la chasteté, tel est le but presque unique que s'est proposé la pieuse nonne. C'est à une aussi louable intention qu'il faut attribuer ce qu'il y a ordinairement d'un peu chatouilleux dans les sujets qu'elle s'impose. Elle-même explique ingénument sa pensée dans la préface des comédies: elle a voulu, dit-elle, substituer d'édifiantes histoires de vierges pudiques aux déportements des femmes païennes; elle s'est efforcée, dans la mesure de son faible génie, de célébrer les triomphes de la chasteté, particulièrement ceux où l'on voit la faiblesse des femmes l'emporter sur les passions brutales des hommes. Or, pour montrer ces victoires féminines dans tout leur éclat, il était nécessaire que ces vertus de femmes fussent exposées aux plus grands périls. De là un choix de légendes, toutes au fond très-édifiantes et très-morales, mais qui roulent la plupart sur des aventures propres à alarmer un peu la modestie. Il est juste d'ajouter que, si les sujets traités par Hrotsvitha sont pris ordinairement dans un ordre de faits et d'idées qui semblent inquiétants pour la pudeur, la plume de la discrète religieuse demeure toujours aussi chaste et aussi réservée que ses intentions sont candides et irréprochables.

La première de ces comédies, intitulée *Gallicanus*, est tirée de deux légendes[60] et forme deux pièces ou, du moins, une pièce en deux parties. M. Villemain, qui le premier a cité les productions de Hrotsvitha dans une chaire française[61], a fait remarquer que l'action de *Gallicanus* ne dure pas moins de vingt-cinq ans. «C'est une pièce libre, dit l'illustre critique, écrite dans une prose assez correcte, et où il y a un sentiment vrai de l'histoire[62].» Il a même fait à Hrotsvitha l'honneur de traduire une scène entière de *Gallicanus*, avec cette exactitude pleine d'élégance, dont il possède si bien le secret. Il s'agit, dans la première partie de la pièce, d'un général, homme consulaire, qui mérite par ses exploits la main de Constance, fille de l'empereur Constantin, et qui, devenu chrétien, renonce à la possession de cette princesse, pour pouvoir se consacrer, comme elle, au célibat. C'est la contre-partie de l'histoire du comte Bernhard et de l'abbesse de Gandersheim, Gerberge Ire. La seconde partie, qui ne se lie qu'assez indirectement à la première, nous fait assister au martyre de Jean et Paul, aumôniers de Constance, qui ont converti Gallicanus au christianisme, et sont mis à mort, par ordre de l'empereur Julien.

[60] Voy. note 20, à la fin du volume.

[61] A la Faculté des lettres, en 1829.—Un peu avant les grandes préoccupations politiques de 1789, l'attention littéraire longtemps dédaigneuse des origines, commença à s'occuper de Hrotsvitha. En 1785, *Paphnuce* était brièvement analysé dans un article du *Mercure*, que reproduisit l'*Esprit des Journaux*. En 1788, don Maugerard adressa au *Journal Encyclopédique* une notice sur Hrotsvitha, que répéta encore l'*Esprit des Journaux*, dans le cahier d'avril 1788.

[62] Voy. *Tableau de la littérature au moyen âge*, t. II, p. 252.

Dulcitius, qui vient ensuite, est le seul drame de Hrotsvitha qui, par la singularité plaisante de divers incidents, ait quelque rapport avec ce que nous appelons *comédie*. En effet, cet ouvrage, bien que composé, comme tous ceux du même écrivain, dans une pensée d'édification et de piété, remplit néanmoins la plus indispensable des conditions imposées à l'auteur comique, celle d'exciter le rire et la gaieté. On peut même dire qu'à cet égard *Dulcitius* dépasse quelque peu les bornes du genre. Cette pièce est plus qu'une comédie, c'est une farce religieuse, une bouffonnerie dévote, une parade sacrée, qui se déploie, chose étonnante! sans trop de disparate, à côté du martyre des trois héroïques sœurs, Agape, Chionie et Irène. Dans cette pièce, où les prestiges et le merveilleux dominent, les persécuteurs ne sont pas simplement représentés, selon l'usage, comme des bourreaux farouches et sanguinaires, mais comme des hommes ineptes, des niais en butte aux plus ridicules illusions et livrés aux mystifications d'une main cachée qui se joue d'eux. Certes, les burlesques déconvenues qui assaillent tour à tour Dulcitius et Sisinnius, n'ont pas dû moins divertir la grave assemblée réunie au monastère de Gandersheim, que les grotesques tribulations qui pleuvent sur Monsieur de Pourceaugnac n'ont diverti, au XVIIe siècle, la cour joyeuse de Chambord et de Saint-Germain.

Cette bouffonnerie, dont la valeur poétique et littéraire n'est assurément pas très-grande, ne nous en paraît pas moins un monument d'un intérêt considérable pour l'histoire du théâtre antérieur à la renaissance. Elle prouve jusqu'à l'évidence, que les pièces de Hrotsvitha n'étaient pas seulement destinées à être lues, comme l'ont avancé quelques critiques, notamment M. Price[63]; mais qu'elles ont dû être représentées. En effet, tout le mérite comique de ce petit drame consiste en une suite de jeux de théâtre qui s'adressent bien plus aux yeux qu'à l'esprit. Peut-on voir autre chose qu'une parade calculée pour divertir des *spectateurs*, dans la scène où le triste gouverneur de Thessalonique, noirci comme un Éthiopien par le contact des chaudrons et des lèchefrites, méconnu par ses propres gardes, repoussé et gourmé par les huissiers du palais, se demande avec une intrépidité de bonne opinion vraiment risible, ce qu'il manque à sa toilette et s'il n'est pas vêtu de ses habits les plus splendides? Certes, quand de futurs érudits viendront à lire, dans quelques mille ans, les canevas de nos pièces bouffonnes, *Le docteur barbouillé*, *Crispin médecin*, ou ces farces de la comédie italienne dans lesquelles Arlequin ne manque jamais de plonger son masque noir dans une jatte de crème, ils affirmeront, à coup sûr, que de pareils jeux de scène ont été arrangés pour les yeux et nullement pour la lecture. Eh bien! entre le comique de *Dulcitius* et celui de nos arlequinades ou de nos comédies-féeries, la ressemblance est complète.

[63] Voyez note 12, à la fin du volume, p. 457.

Le sujet de la troisième pièce, intitulée *Callimaque*, n'est pas moins singulier que celui du drame précédent; mais il est d'une nature entièrement différente. C'est de tous les ouvrages de Hrotsvitha celui qui, par la délicatesse passionnée des sentiments, l'exaltation du langage et le romanesque de la légende, se rapproche le plus du drame de nos jours. Poésie, mouvement, passion, couleur générale plus empreinte des idées germaniques, tels sont les caractères qui recommandent à notre examen cette originale et intéressante production.

On a dit souvent que l'amour est un sentiment moderne, né en Occident du mélange de la mysticité chrétienne et de l'enthousiasme naturel aux races du Nord. Toujours est-il bien remarquable que ce soit Hrotsvitha, une religieuse allemande, contemporaine des deux premiers Othons, qui nous ait légué la première et une des plus vives peintures de cette passion, peinture sur laquelle près de neuf cents ans ont passé et qu'on dirait d'hier, tant nous y trouvons déjà les subtilités, la mélancolie, le délire fébrile de l'âme et des sens, et jusqu'à cette fatale inclination au suicide et à l'adultère, attributs presque inséparables de l'amour au XIXe siècle. Aussi, ne voit-on dans *Callimaque* aucun de ces jeunes ou vieux débauchés des comédies de Plaute et de Térence, qui se disputent une belle esclave ou marchandent une courtisane; ce que peint Hrotsvitha dans *Callimaque*, c'est la passion effrénée, aveugle, furieuse d'un jeune homme encore païen, pour une jeune femme chrétienne et mariée, femme chaste, mais sensible, et qui craint sa propre faiblesse, au point de demander en grâce à Dieu de la faire mourir, pour la soustraire aux dangers d'une tentation trop vive. Et en même temps que la vertu élève de si délicats scrupules dans la conscience de Drusiana, l'amour bouillonne si violemment dans les veines de Callimaque, qu'après la mort de celle qu'il aime, il ose, comme Roméo, violer sa tombe à peine fermée et chercher les embrassements qu'elle lui a refusés vivante, dans la couche de pierre où gisent ses restes inanimés. En vérité, quand cet ouvrage n'aurait d'autre mérite que de nous montrer un échantillon des sentiments et des paroles qu'échangeaient, au Xe siècle, les amants dans leurs tête-à-tête, et de soulever ainsi un pan du voile qui nous a caché jusqu'ici la vie intime et passionnée de ces temps encore mal connus, ce drame, par cela seul, serait pour nous d'une valeur inappréciable. Toutefois, dans *Callimaque* la peinture des passions et des mœurs du temps est plutôt occasionnelle et fortuite, que volontaire et directe. L'action de la pièce n'est point contemporaine de l'écrivain. Drusiana est une habitante d'Éphèse, disciple de l'apôtre saint Jean et, par conséquent, elle est censée vivre à la fin du Ier siècle. C'est par un procédé constamment suivi par les dramatistes de tous les pays et de toutes les époques, que Hrotsvitha prête à ses personnages les idées et le langage qui avaient cours de son temps dans les relations plus ou moins intimes des classes les plus polies, langage qu'elle même avait dû parler, et certainement entendre bien des fois, si je ne me trompe, avant d'avoir été chercher le repos du cœur sous les paisibles voûtes de l'abbaye de Gandersheim.

J'ai rapproché involontairement Roméo et Callimaque. C'est qu'en effet il est impossible de n'être pas vivement frappé de plusieurs points de ressemblance qui existent entre cette première exquisse du drame passionné et le véritable chef-d'œuvre du genre, *Roméo et Juliette*. Un simple coup d'œil suffit pour faire apercevoir dans ces deux ouvrages des rapports, qui, pour être extérieurs et, en quelque sorte, matériels, n'en sont ni moins surprenants ni moins notables. Ainsi le denoûment des deux pièces présente aux yeux un tableau presque pareil. Dans l'un et l'autre, on voit un caveau sépulcral, une tombe de femme ouverte, une jeune morte, fraîche encore, dont le suaire a été écarté par la main égarée de son amant, un jeune homme étendu mort au pied d'un cercueil. Sur le lieu de cette scène douloureuse et tragique surviennent, dans l'un et l'autre drame, deux hommes navrés de douleur, mais qui sont maîtres de leurs passions: dans Shakespeare, le père de la jeune fille et le moine Laurence; dans *Callimaque*, le mari de la jeune défunte et l'apôtre saint Jean, qui, plus heureux que le franciscain, aura le double pouvoir de ressusciter Drusiana et Callimaque, et de rendre celui-ci à la sagesse, aussi bien qu'à la vie. Ce sont là, il faut l'avouer, des coïncidences de personnages et de situations incontestables, mais qui ne sont, après tout, peut-être que secondaires et accidentelles. Ce qui mérite d'être vraiment et sérieusement remarqué, c'est le ton de mysticité sophistique, qui donne aux plaintes amoureuses de Callimaque un air de si proche parenté avec celles de Roméo. Chose étrange! la langue de l'amour au Xe siècle est aussi raffinée, aussi quintessenciée, aussi *précieuse* qu'aux XVI et XVIIes siècles! Ouvrez les deux pièces: elles commencent l'une et l'autre par un entretien de l'amant mélancolique avec ses amis. Eh bien! dans ces deux scènes, l'affectation des idées et la recherche des expressions sont égales des deux parts. Seulement, dans le poëte de la cour d'Élisabeth, le jeune amoureux se perd en *concetti* à la mode italienne, tandis que, dans Hrotsvitha, il s'épuise, suivant le goût de l'époque, en arguties scolastiques et en distinctions tirées de la doctrine des *universaux*. On serait vraiment tenté de conclure de cette ressemblance que la subtilité de la pensée, aussi bien que le raffinement du langage sont dans la nature même de ce sentiment si tumultueux, si complexe, si indéfinissable, de ce sentiment qui ne serait plus l'amour, s'il cessait d'être une énigme de vie ou de mort pour le cœur sanglant et l'imagination bouleversée qui l'éprouvent. En résumé, *Callimaque* nous offre au plus haut degré ce qui constitue le caractère spécial et le charme particulier des comédies de cette femme illustre, le mélange piquant d'une culture demi-érudite et d'une langue à demi barbare.

Les deux pièces qui suivent, *Abraham* et *Paphnuce*, sont comme deux variantes d'une même histoire. L'auteur a su pourtant y introduire les nuances les plus délicates. Le sujet d'*Abraham* est tiré d'une légende écrite au IVe siècle, et qu'Arnauld d'Andilly a traduite dans ses *Vies des Pères des déserts*. Malgré la source respectable où a puisé l'auteur, l'action de ce drame pourra bien n'en pas paraître moins hasardée à quelques personnes, et choquera peut-être la pruderie de nos mœurs[64]. Un saint homme, un pieux solitaire qui quitte son ermitage, s'habille en cavalier, couvre sa tonsure d'un large chapeau militaire et se rend dans un lieu plus que suspect, afin d'en retirer sa nièce, jeune sainte déchue, qui s'est envolée un matin de sa cellule, pour mener la vie honteuse de courtisane; c'est là une étrange histoire! Et, cependant, cette pièce qui repose sur une donnée si voisine de la licence, a été écrite par une religieuse enthousiaste de la chasteté, jouée par des religieuses, en présence de graves prélats, et n'a sans doute pas moins édifié la noble assemblée réunie à Gandersheim, que les tragédies d'*Esther* et d'*Athalie* n'ont édifié le pieux auditoire réuni à Saint-Cyr, autour de Louis XIV et de madame de Maintenon.

[64] J'exprimais ce doute en 1835, dans le *Théâtre européen*; nous nous sommes bien aguerris depuis cette époque.

On reconnaîtra, si je ne m'abuse, dans la comédie d'*Abraham* un enchaînement de scènes bien liées, beaucoup de clarté dans l'action, un dialogue rapide et juste, un extrême naturel tant dans les sentiments que dans le langage, et, pour tout dire, beaucoup plus d'art que ne le suppose l'âge inculte où vivait l'écrivain. La tristesse que la jeune pécheresse éprouve au milieu de ses désordres, les larmes furtives qui lui échappent pendant le repas qu'elle devrait égayer, enfin la belle scène de la reconnaissance, au moment où, retiré dans un réduit secret et les portes bien closes, l'oncle jette à terre son chapeau de cavalier et montre à sa nièce foudroyée ses cheveux blanchis dans le jeûne et les veilles, les paroles compatissantes du saint ermite, la contrition profonde, les soupirs étouffés de la jeune pénitente, ce sont là des beautés de tous les lieux et de tous les temps. En vérité, on reste confondu, quand on songe qu'un dialogue si vrai et si touchant, sur un sujet si délicat et si mondain, a été écrit, il y a plus de huit cents ans, par une sainte fille, modeste habitante d'un couvent de la Basse-Saxe.

On verra dans *Paphnuce*, comme dans *Abraham*, un pieux ermite quitter sa solitude, pour aller, sous des habits séculiers, convertir une courtisane. Celle-ci, touchée de componction, jette dans un brasier toutes ses richesses mal acquises et pleure ses fautes pendant trois ans, au fond d'une étroite cellule. Ce qui rend peut-être ce drame moins pathétique que le précédent, c'est qu'il n'existe pas entre Thaïs et Paphnuce les mêmes liens d'affection et de parenté qu'entre Abraham et Marie; mais l'auteur a su compenser cette cause réelle d'infériorité par l'effusion la plus abondante des sentiments de la plus angélique charité. Je serais bien surpris que la mort de Thaïs ne parût pas à tous les lecteurs une scène à la fois des plus naturelles et des plus touchantes. Je ne fais nulle difficulté de convenir, en revanche, que dans aucune autre pièce, Hrotsvitha ne s'est montrée aussi pédante et n'a étalé un appareil d'érudition aussi formidable et aussi déplacé. Dans aucune autre occasion, non plus, elle n'a aussi bizarrement substitué les mœurs de son temps à celles de l'époque où l'action du drame est supposée avoir lieu; mais on me permettra de faire remarquer que certaines maladresses de composition et quelques anachronismes de costume, ne sont dans des œuvres aussi anciennes que celles de Hrotsvitha, ni moins piquantes ni moins instructives que ne le seraient des beautés.

Le sujet de ces deux pièces, tout étrange qu'il peut paraître, a été traité de plusieurs manières par les modernes, et, si je l'ose dire, avec bien moins de délicatesse et de goût que par Hrotsvitha. D'abord, dans la chaire, Barelette, le fameux prédicateur jacobin de la fin du XVe siècle, a fait usage, à sa façon, de la légende de saint Paphnuce[65]. Érasme, à son tour, a glissé dans ses *Colloques* une petite scène, demi-badine et demi-morale, intitulée *Adolescens et scortum*, laquelle roule sur le même texte. Enfin Decker, poëte anglais contemporain de Jacques Ier, a traité ce sujet sur le théâtre de Londres, sous le titre grossier de *The honest whore*. Dans cette pièce, comme dans celle d'*Abraham*, un père (mais un père véritable et selon la chair, et non pas seulement un père spirituel) franchit le seuil d'un lieu de débauche, pour en arracher sa fille tombée au dernier degré du vice et de l'abjection. S'il est vrai, comme on l'a dit souvent, que la comédie soit l'expression de la société, la comparaison que nous sommes à portée de faire entre les deux pièces de Hrotsvitha, le colloque d'Érasme et le drame de Decker, nous offrirait un moyen sûr et piquant d'apprécier la valeur morale des trois époques. Quant à moi, pour la pureté des sentiments, pour l'inspiration religieuse et la délicatesse du langage, les comédies d'*Abraham* et de *Paphnuce* me paraissent incontestablement supérieures au bel esprit libertin et médiocrement sérieux d'Érasme, aussi bien qu'au cynisme déclamatoire et aux prédications lourdement vertueuses du dramaturge anglais; de sorte que s'il nous fallait juger des Xe, XVIe et XVIIe siècles par ces ouvrages, tout l'avantage (je le dis à regret, mais je le dis sans hésiter) appartiendrait, suivant moi, au Xe siècle.

[65] Henri Étienne, dans son *Apologie pour Hérodote* (t. III, ch. 34, p. 120, éd. de Le Duchat), n'a pas manqué de signaler ce passage de Barlette, lequel est d'une édification fort équivoque.

La sixième et dernière comédie, intitulée *Sapience*, ou *Foi, Espérance et Charité*, m'avait semblé, au premier abord, offrir une sorte de création idéale, un drame allégorique, dans le genre de ceux qu'on a appelés plus tard *moralités*. Je me trompais; Hrotsvitha, dans cette pièce, ne s'est pas départie de sa méthode habituelle. Ici, comme toujours, la prudente nonne s'est bien gardée de rien inventer. Elle se contente de dramatiser les récits des légendaires des Ve et VIe siècles, comme les grands dramatistes de la fin du XVIe siècle ont dramatisé les chroniqueurs et les nouvellistes des XIVe et XVe siècles. Hrotsvitha conserve, comme eux, tout ce qu'elle a d'invention, pour l'employer dans l'ordonnance de ses pièces et le répandre dans les détails. Aussi, ce qu'il peut y avoir d'allégorique dans le martyre de Sapience et de ses filles, appartient-il à l'imagination des agiographes. Nous voyons dans ce drame trois vierges, Foi, Espérance et Charité, arriver de Grèce à Rome, avec Sapience leur mère, pour y propager le christianisme. L'empereur Hadrien essaie de ramener, par des flatteries et des menaces, ces femmes au culte des idoles, mais vainement: après avoir résisté aux séductions et aux tortures, les trois jeunes filles périssent par le fer. La mère rassemble leurs membres, et, aidée dans ce pieux office par des matrones chrétiennes, elle les enterre à trois milles de Rome. Alors, elle ne forme plus qu'un vœu, celui de mourir en Jésus-Christ, après avoir achevé sa prière. Elle élève donc son âme vers le ciel dans un hymne magnifique, et exhale sa vie dans cette sublime aspiration. Cette dernière scène, d'un effet religieux et grandiose, rappelle un peu, si j'ose le dire, le dénoûment d'*Œdipe à Colone*.

Ou je me trompe, ou le théâtre, dont nous venons de donner une idée sommaire, a droit d'occuper une place éminente dans la littérature du moyen âge. Ces six drames sont un dernier rayon de l'antiquité classique, une imitation préméditée et assez peu reconnaissable, j'en conviens, des comédies de Térence, sur lesquels le christianisme et la barbarie ont déposé leur double empreinte; mais c'est précisément par ce qu'ils ont de chrétien et même de barbare, c'est-à-dire, par ce que leur physionomie nous offre de moderne, que ces drames m'ont paru mériter d'être recueillis à part et traduits avec soin, pour prendre rang à la suite du théâtre ancien, et à la tête des collections théâtrales de toutes les nations de l'Europe. Nous recommandons seulement à ceux qui ne craindront pas de braver la lecture de ce singulier monument dramatique, de ne point oublier sa date. Pour être juste envers de pareilles œuvres, il faut les considérer avec l'affectueuse impartialité d'antiquaire, que nous apportons, surtout depuis quelques années, devant les peintures des Cimabue, des Lucas de Leyde ou devant les statues de Sabina de Steinbach.

La IIIe partie du manuscrit de Munich ne contient qu'un fragment de 837 vers, ayant pour titre *Panegyris sive historia Oddonum*. Ce poëme n'a été composé, comme le déclare l'auteur, sur aucun document écrit, mais d'après des rapports oraux et, pour ainsi dire, confidentiels. Ce sont, en quelque façon, des *mémoires* de la famille ducale et impériale de Saxe. Bien que les troubles excités dans l'Empire par la révolte de Henri, duc de Bavière, surnommé *Rixosus*, père de l'abbesse Gerberge II, contre son frère Othon Ier, aient été fort atténués par la plume officieuse de Hrotsvitha, cette chronique en vers n'en offre pas moins un tableau intéressant, et véridique à beaucoup d'égards, des intrigues intérieures qui, à la fin du Xe siècle, agitèrent l'Empire et la maison de Saxe[66].

[66] Le *Panégyrique des Othons* a été réimprimé plusieurs fois, depuis la première édition donnée par Celtes: 1° par Justus Ruberus dans ses *Script. rerum German.*; 2° par Henri Meibomius, avec les *Wittechindi Annales*, 1621, in-4°; 3° par H. Meibomius, neveu du précédent, dans les *Script. rerum German.*; 4° par M. Pertz dans les *Monumenta Germaniæ*, t. VI.

Outre ces divers ouvrages, contenus dans le manuscrit de Munich, et qu'ont reproduits les deux éditions de Hrotsvitha (celle de Celtes et celle de Schurzfleisch), on a imprimé d'après une copie plus récente, un poëme ou fragment de poëme, de 837 hexamètres, sur la fondation du monastère de Gandersheim (*Carmen de constructione sive de primordiis cœnobii Gandesheimensis*), chronique en vers, précieuse pour l'histoire littéraire et monastique des IXe et Xe siècles[67]. Hrotsvitha entre dans son sujet par un récit étendu de la vie de deux vénérables patrons du monastère, saint Innocent et saint Athanase. Quelques historiens, notamment Bodo, ont mentionné ce début du poëme, de manière à induire plusieurs critiques et, entre autres, Fabricius[68], à croire que Hrotsvitha avait composé une Vie en vers de ces deux saints pontifes, séparée de son poëme et aujourd'hui perdue[69]. Par une erreur du même genre, plusieurs biographes, sur la foi de Trithème[70], ont signalé comme un ouvrage à part de Hrotsvitha, un *livre* d'épigrammes qui, du moins sous cette forme, ne nous est pas parvenu. Il est très-vraisemblable, comme l'a soupçonné Fabricius, que ces épigrammes ne sont autre chose que les préfaces et les dédicaces en vers que Hrotsvitha a placées en tête de la plupart de ses ouvrages, et qu'un manuscrit, qui n'existe plus, avait peut-être rassemblées[71].

[67] Ce poëme, imprimé pour la première fois par Leuckfeld dans ses *Antiquit. Gandesheimenses*, l'a été, l'année d'après, par Leibnitz dans les *Scriptor. rer. Brunsv.*, t. II, p. 319, puis par J. Chr. Harenberg (*Histor. eccles. Gandesh.*, 1734, p. 469), et enfin par M. Pertz dans ses *Monumenta Germaniæ*, t. VI, p. 306.—Il est regrettable que Schurzfleisch n'ait pas

ajouté ce poëme à son édition des œuvres de Hrotsvitha, donnée à Wittemberg, en 1717 et non 1707, comme le titre le porte.

[68] Voy. *Biblioth. Latin, mediæ et infima ætatis*, t. II, p. 834.

[69] *Syntagma de eccles. Gandesh.*, ap. Leibn. *Script. rer. Brunsv.*, t. III, p. 712.

[70] Trithem., *Liber de viris illustrib. German.*, p. 129, et *Chronic. Hirsing.*, t. I, p. 113.

[71] Cette opinion que j'émettais en 1839 dans la *Revue des Deux-Mondes*, a été confirmée par M. Pertz. Voy. *Monumenta German.*, t. VI, p. 303, n. 17.

C'est par la même absence de critique, que Leuckfeld, l'historien allemand du monastère de Gandersheim, dans la liste des ouvrages en vers de Hrotsvitha, cite les huit légendes et le panégyrique des Othons, puis ajoute un dixième ouvrage purement imaginaire, qu'il intitule: *De la chasteté des nonnes*. Cette erreur, répétée par divers critiques, vient d'une phrase ambiguë et mal comprise de Henri Bodo[72]. On a pris l'énoncé du caractère des productions de Hrotsvitha pour le titre d'un de ses ouvrages particuliers. Il est trop certain, d'ailleurs, que Leuckfeld, compilateur laborieux, qui a donné judicieusement une large place à Hrotsvitha dans ses Antiquités de Gandersheim, n'avait lu que bien superficiellement les œuvres qu'il louait. Dans la liste des comédies de l'illustre nonne, il traduit le titre de la première, *Conversio Gallicani principis*, par *Histoire de la conversion d'un prince français*[73].

[72] *Syntagma de eccles. Gandesh.*, ap. Leibn., ut supra.

[73] *Antiquit. Gandesheim.*, p. 274.

Tels sont les écrits moins connus que vantés de cette femme extraordinaire. Ils sont de ceux qui honorent le plus son sexe, et qui, malgré quelques défauts inhérents à l'époque où elle a vécu, relèvent le mieux le Xe siècle de l'accusation de barbarie, qu'on lui a trop légèrement prodiguée. Un des anciens historiens de Gandersheim, que nous avons plusieurs fois cité, Henri Bodo, termine le chapitre qu'il consacre à Hrotsvitha, par ce trait: *Rara avis in Saxonia visa est*[74]. C'est trop peu dire. Cette dixième muse, cette Sapho chrétienne, comme la proclamaient à l'envi ses enthousiastes compatriotes du XVIe siècle, ne fut pas seulement une merveille pour la Saxe; elle est une gloire pour l'Europe entière: dans la nuit du moyen âge, on signalerait difficilement une étoile poëtique plus pure et plus éclatante.

[74] Voy. *Syntagm. de eccles. Gandesh.*, ap. Leibn., ut supra.

V.

Il ne me reste plus qu'à dire un mot de mon propre travail. En 1835, j'ignorais si le manuscrit, sur lequel Conrad Celtes a donné l'édition de 1501, existait encore. Ce savant éditeur avait négligé de faire connaître le nom du couvent de l'ordre de saint Benoît, où il avait découvert ce trésor. Jean Aventinus, dans la préface de sa *Vie d'Henri IV*, signala et répara cet oubli; il apprit au monde savant que ce précieux recueil était conservé au couvent de Saint-Emmeran à Ratisbonne. Guidés par cette indication, Mabillon[75] et ensuite Gottsched, purent voir et toucher ce manuscrit[76], dont ils ne firent d'ailleurs aucun usage. En 1835, M. Pol Nicard, le traducteur français du Manuel d'archéologie d'Otfried Müller, ayant fait un voyage en Allemagne, dans l'intention spéciale de visiter les musées et les bibliothèques, voulut bien, à ma prière, s'informer à Ratisbonne de ce qu'étaient devenus les livres et manuscrits de Saint-Emmeran. Il apprit qu'ils avaient été transportés, vers l'année 1803, dans la bibliothèque royale de Munich, et il m'envoya sur-le-champ une description exacte et détaillée du manuscrit de Hrotsvitha: il m'indiqua même un fait important, qui, si je ne me trompe, a été négligé par tous ceux qui ont examiné ce manuscrit; je veux parler de deux fragments, l'un de treize vers élégiaques[77], l'autre de trente-cinq vers hexamètres, qui sont jetés, je ne sais pourquoi, à la suite des comédies, le premier au verso du feuillet 129, le second au recto du feuillet 130. Ces vers sont encore inédits.

[75] Voy. *Ann. ordin. S. Benedicti*, t. III, p. 588.

[76] En 1740. Voy. *Nöthiger Vorrath zur Geschichte der deutschen dramatischen Dichtkunst*, t. II, p. 10.

[77] Il n'existe des cinq premiers vers que les lettres initiales.

Grâce aux démarches de M. Nicard, secondées de l'obligeante entremise de M. de Martius, j'obtins du bibliothécaire, M. Lichtenthaler, de pouvoir faire prendre une copie exacte, page pour page et ligne pour ligne, de la seconde partie de ce manuscrit, depuis le feuillet 78 jusqu'au feuillet 129, comprenant toutes les comédies. Cette copie presque figurative est la base du texte que je donne aujourd'hui.

La comparaison attentive que j'ai été obligé de faire du manuscrit et de l'édition de Celtes, m'a convaincu que ce savant homme a apporté à ce travail beaucoup de soins et de lumières. Je n'ai eu à insérer dans mon texte qu'un petit nombre de lectures préférables à celles de la première édition. Pour permettre au lecteur d'apprécier la valeur de ces restitutions, j'ai eu soin de donner toujours au bas des pages la leçon du premier éditeur.

L'orthographe du manuscrit est tellement inconstante et si habituellement fautive, qu'il était impossible de la reproduire sans modification. L'ancien copiste, par exemple, supprime presque constamment l'*h* dans les mots où les Latins l'admettent, et il l'ajoute où elle ne doit pas être; il écrit souvent les adverbes terminés en *e* par *æ* et par un *e* les génitifs de la première déclinaison, etc., etc. J'ai rétabli l'orthographe commune, avertissant, une fois pour toutes, de quelques incorrections constantes du manuscrit, mais signalant en note, d'une manière spéciale, certaines anomalies singulières. J'ai, d'ailleurs, accepté l'orthographe du manuscrit, toutes les fois qu'elle était admissible et surtout constante. Par exemple, le manuscrit porte, non pas une fois, mais toujours, *neglegentia, neglegere*; j'ai adopté cette forme, quoique moins bonne que *negligentia, negligere*, parce qu'elle est latine, et que tout porte à croire qu'elle a été celle de Hrotsvitha. Mais, quand le copiste n'a pas de règles fixes et qu'il écrit le même mot, tantôt d'une façon et tantôt d'une autre, je me suis cru autorisé à n'employer que la meilleure. J'ai suivi le même système pour la ponctuation et les capitales. Le manuscrit m'ayant paru ne présenter à cet égard aucune règle appréciable, j'ai dû me conformer à l'usage communément reçu.

Quant à la traduction, je me suis efforcé de la rendre aussi fidèle et aussi littérale qu'il était possible de le faire, en respectant le génie de notre langue; je serais heureux qu'elle pût reproduire quelque chose de la grâce et de la délicatesse de l'original. Elle aura toujours l'avantage d'être la première traduction complète de ce recueil théâtral. Gottsched n'a traduit que la première partie de *Gallicanus* en allemand. J'ai eu à surmonter dans ce travail, surtout pour le rétablissement du texte, d'assez graves et assez nombreuses difficultés. Si les juges compétents en cette matière, soit en France, soit à l'étranger, croient mes efforts dignes de quelques éloges, je dois en reporter la meilleure partie aux conseils que je n'ai cessé de recevoir de mon ami et collègue, M. Louis Dubeux, qui m'a prêté en cette occasion, comme en toutes, le secours de la sagacité philologique la plus sûre et du savoir le plus étendu.

4 juillet 1845.

THÉATRE DE HROTSVITHA.

HROTSUITHÆ
VIRGINIS ET MONIALIS GERMANICÆ,
GENTE SAXONICA ORTÆ,
INCIPIT
LIBER DRAMATICA SERIE CONTEXTUS [78].

———

Hujus omnem materiam, sicut et prioris, opusculi sumsi ab antiquis libris sub certis auctorum nominibus conscriptis, excepta superius scripta passione sancti Pelagii, cujus seriem martyrii quidam, ejusdem qua passus est indigena civitatis, mihi exposuit, qui ipsum pulcherrimum virorum se vidisse et exitum rei attestatus est veraciter agnovisse. Unde si quid in illis falsitatis dictando comprehendi, non ex meo fefelli, sed fallentes incaute imitata fui.

PRÆFATIO IN COMŒDIAS[79].→

Plures inveniuntur catholici, cujus nos penitus expurgare nequimus[80] facti, qui, pro cultioris facundia sermonis, gentilium vanitatem librorum utilitati præferunt sacrarum Scripturarum. Sunt etiam alii sacris inhærentes paginis, qui licet alia gentilium spernant, Terentii[81] tamen figmenta[82] frequentius lectitant, et, dum dulcedine sermonis delectantur, nefandarum notitia rerum maculantur. Unde ego, *Clamor validus Gandeshemensis*, non recusavi illum imitari dictando, dum[83] alii colunt legendo; quo, eodem dictationis genere, quo turpia lascivarum incesta feminarum recitabantur, laudabilis sacrarum castimonia virginum, juxta mei facultatem ingenioli, celebraretur. Hoc tamen facit non raro verecundari gravique rubore perfundi, quod, hujusmodi specie dictationis cogente, detestabilem inlicite[84] amantium dementiam et male dulcia colloquia eorum, quæ nec nostro auditui[85] permittuntur, accommodari dictando mente tractavi et stili officio designavi. Sed, si[86] hæc erubescendo neglegerem, nec proposito satisfacerem, nec innocentium laudem adeo plene juxta meum posse exponerem, quia quanto blanditiæ amantium[87] ad illiciendum promptiores, tanto et superni adjutoris gloria sublimior et triumphantium victoria probatur gloriosior, præsertim cum feminea fragilitas vinceret, et virile[88] robur confusioni subjaceret. Non enim dubito mihi ab aliquibus objici, quod hujus vilitas dictationis multo inferior, multo contractior, penitusque dissimilis ejus, quem proponebam imitari; sit, sententiis concedo[89]: ipsis tamen denuncio me in hoc jure reprehendi non posse, quasi his vellem abusive assimilari, qui mei inertiam longe præcesserunt in scientia sublimiori. Nec enim tantæ sum jactantiæ, ut vel extremis me præsumam conferre auctorum alumnis, sed hoc solum nitor, ut, licet nullatenus valeam apte, supplici tamen mentis devotione, acceptum in datorem retorqueam ingenium. Ideoque non sum adeo amatrix mei, ut pro vitanda reprehensione, Christi, qui in Sanctis operatur, virtutem (quocumque ipse dabit posse) cessem prædicare. Si enim alicui placet mea devotio, gaudebo; si autem, vel pro mei abjectione, vel pro vitiosi sermonis rusticitate nulli placet, memet ipsam tamen juvat quod feci; quia, dum proprii vilitatem laboris in aliis meæ inscientiæ opusculis heroico ligatam strophio, in hoc dramatica junctam serie colo[90], perniciosas gentilium delicias abstinendo devito.

[78] Legitur in codice (folio 77° verso): *Explicit liber primus, incipit secundus dramatica serie contextus.*

[79] Codex habet: *Hrosvithæ illustris mulieris Germanicæ gente Saxonica ortæ in sex comœdias suas præfatio incipit fæliciter.* Hic titulus scriptus est recentiore manu, quam Conradi Celtis esse putant Bibliothecæ Regiæ Monacensis custodes.

[80] Celtes et Schurzfleisch: *nequivimus.*

[81] Codex: *Terrentii.*—Celtes: *Therencii.*

[82] Codex: *Fingmenta.*

[83] Sic codex.—Celtes: *quem.*

[84] Celtes: *illicite.*

[85] Codex: *autitui.*

[86] Conjunctio conditionalis *si*, quæ in codice deest, ex Celte recepi postulante sensu.

[87] Codex: *amentium.*

[88] Codex et Celtes: *virilis.*—Schurzfleisch: *virile.*

[89] Celtes: *eorum concedo sententiis.*—Schurzfleisch: *concedo sententiis.* Nihil tamen mutandum.

EPISTOLA EJUSDEM AD
QUOSDAM SAPIENTES HUJUS LIBRI
FAUTORES [91].

Plene sciis et bene moratis, nec alieno profectui invidentibus, sed, ut decet vere sapientes, congratulantibus, Hrotsuitha[92] nesciola, nullaque probitate idonea, præsens valere et perpes gaudere. Vestræ igitur laudandæ humilitatis magnitudinem satis admirari nequeo, magnificæque, circa mei utilitatem, benignitatis atque dilectionis plenitudinem, condignarum recompensatione gratiarum remetiri non sufficio, quia, cum philosophicis adprime studiis enutriti et scientia longe excellentius sitis perfecti, mei opusculum vilis mulierculæ, vestra admiratione dignum duxistis, et largitorem in me operantis gratiæ fraterno affectu gratulantes laudastis, arbitrantes mihi inesse aliquantulum scientiam artium, quarum subtilitas longe præterit mei[93] muliebre ingenium. Denique rusticitatem meæ dictatiunculæ hactenus vix audebam paucis ac solummodo familiaribus meis ostendere; unde pene opera cessavit dictandi ultra aliquid hujusmodi, quia, sicut pauci fuere, qui me prodente perspicerent, ita non multi, qui, vel quid corrigendum inesset enuclearent, vel ad audendum[94] aliquid huic simile provocarent. At nunc, quia trium testimonium constat esse verum, vestris corroborata sententiis, fiducialius[95] præsumo et componendis operam dare, si quando Deus annuerit posse, et quorumcumque sapientium examen subire. Inter hæc diversis affectibus, gaudio videlicet et metu, in diversum trahor. Deum namque, cujus solummodo gratia sum id quod sum, in me laudari cordetenus gaudeo; sed major quam sim videri timeo, quia utrumque nefas esse non ambigo, et gratuitum Dei donum negare, et non acceptum accepisse simulare. Unde non denego præstante gratia Creatoris per dynamin me artes scire, quia sum animal capax disciplinæ, sed per energiam[96] fateor omnino nescire. Perspicax quoque ingenium divinitus mihi collatum esse agnosco, sed magistrorum cessante diligentia, incultum et propriæ pigritia inertiæ torpet neglectum. Quapropter, ne in me donum Dei annullaretur ob neglegentiam mei, si qua forte fila vel etiam floccos de panniculis a veste philosophiæ abruptis evellere quivi, præfato opusculo inserere curavi, quo vilitas meæ inscientiæ intermixtione nobilioris materiæ illustraretur, et largitor ingenii tanto amplius in me jure laudaretur[97], quanto muliebris sensus tardior esse creditur. Hæc mea in dictando intentio, hæc sola mei sudoris est causa, neque simulando me nescita scire jacto, sed quantum ad me tantum scio quod nescio. Quia enim attactu vestri favoris atque petitionis arundineo more inclinata libellum, quem tali intentione disposui, sed usque huc pro sui vilitate occultare quam in palam proferre malui, vobis perscrutandum tradidi, decet ut non minoris diligentia sollicitudinis eum emendando investigetis, quam proprii seriem laboris; et sic tandem ad normam rectitudinis reformatum mihi remittite, quo, vestri magisterio præmonstrante in quibus maxime peccassem possim agnoscere.

[90] Celtes: *in hac dragmatica junctura serie colo.*

[91] Celtes addit: *et emendatores priusquam libros suos ederet,* quod nescio unde invexit.

[92] Scripturam hujus nominis nostræ ex pluribus poetriæ locis dedimus. Ita enim in præfatione *Sanctæ Mariæ,* in fine *Ascentionis Domini,* in præfatione *Gangolphi,* in præfatione *Pelagii* et in præfatione *Proterii,* teste G. H. Pertzio (*Monumenta Germaniæ,* Scriptorum tom. IV, p. 302, n. 1). Hic tantum, ni fallor, HROTSVIT codex exhibet.

[93] Schurzfleisch: *meum,* nulla necessitate.

[94] Celtes: *audiendum,* male.

[95] Celtes: *fiducialibus,* absque sensu.

[96] Codex: *energian,* pro *energeian,* semigræce.

[97] Sic Celtes.—Codex habet *lauderetur.*

I.
GALLICANUS[98].

ARGUMENTUM IN GALLICANUM[99].→

Conversio Gallicani principis militiæ, qui iturus ad bellum contra Scythas, sacratissimam virginem Constantiam Constantini imperatoris filiam desponsavit, sed in conflictu prælii nimium coartatus, per Joannem et Paulum primicerios Constantiæ conversus, ad baptisma convolavit, cælibemque vitam elegit. Postea autem jubente Juliano apostata in exilium missus martyrio est coronatus. Sed et Joannes et Paulus eodem jubente clam occisi et in domo occulte sunt sepulti. Nec mora: percussoris filius a dæmonio arreptus, patris commissum et martyrum confitendo meritum juxta eorum sepulchra salvatus, una cum patre est baptizatus.

GALLICANUS.→

DRAMATIS PERSONÆ[100].

CONSTANTINUS   imperator.
GALLICANUS.
CONSTANTIA.
ARTEMIA.
ATTICA.
JOANNES.
PAULUS.
PRINCIPES.

SCENA PRIMA[101].→

CONSTANTINUS[102].→

Tædet me, Gallicane, morarum, quia gentem, quam scis
Scytharum Romanæ solam resistere paci nostrisque temere
præceptis reluctari, bello protrahis lacessere, cum pro tui strenuitate
id tibimet exercitii ad defensionem non ignores patriæ servari[103].

GALLICANUS[104].→

Tuis enim, o Auguste Constantine, obnixe manibus pedibusque
semper insistens obsequiis, tuæ Augustalis excellentiæ votis effectu
conabar respondere operis, nec umquam me subtraxi faciendis.

CONSTANTINUS.→

Si opus est monitu[105]? nam memoriæ fixum teneo. Unde monui hortando potius quam arguendo, morem ut geras.

GALLICANUS.→

Id ipsum etiam studebo nunc.

CONSTANTINUS.→

Gaudeo.

GALLICANUS.→

Nec amore vitæ abduci potero, quin peragam quæ jubes.

CONSTANTINUS.→

Placet, tuique in me benivolentiam laudo.

GALLICANUS.→

Sed summa implendæ intentio servitutis summam expetit recompensationem mercedis.

CONSTANTINUS.→

Nec injuria.

GALLICANUS.→

Difficultas enim cujuscumque laboris tolerabilius fertur, si haud[106] incerta accipiendæ spe mercedis relevatur.

CONSTANTINUS.→

Patet.

GALLICANUS.→

Unde ineundi præmium periculi mihi, quæso, proponas in præsenti, quo inpigre dimicans sudore non frangar certaminis, animatus spe retributionis.

CONSTANTINUS.→

Quod dignissimum omnique videbatur senatui gratissimum[107] numquam tibi negabam aut negabo præmium, scilicet nostræ adeptionem familiaritatis, præcipuæque inter palatinos dignitatis.

GALLICANUS.→

Fateor, sed id nunc haud molior.

CONSTANTINUS.→

Si aliud expetas, oportet proferas.

GALLICANUS.→

Immo aliud.

CONSTANTINUS.→

Quid?

GALLICANUS.→

Si præsumo dicere....

CONSTANTINUS.→

Et bene.

GALLICANUS.→

Irasceris.

CONSTANTINUS.→

Nullo modo.

GALLICANUS.→

Certe.

CONSTANTINUS.→

Non.

GALLICANUS.→

Moveberis indignatione.

CONSTANTINUS.→

Ne id vereare.

GALLICANUS.→

Dicam, jussisti; Constantiam tui natam amo.

CONSTANTINUS.→

Et merito. Decet enim[108] ut herilem filiam honorabiliter ames et amabiliter honores.

GALLICANUS.→

Interrumpis dicenda.

CONSTANTINUS.→

Non interrumpo.

GALLICANUS.→

Ipsamque, si tua annuerit pietas, desponsare gestio.

CONSTANTINUS.→

Non leve appetit præmium, sed summum vobisque, o principes, ante insolitum.

GALLICANUS.→

Eh[109] heu! dedignatur; præscivi. Instate, quæso, mecum precibus.

PRINCIPES.→

Decet tuam, imperator egregie, dignitatem, ut pro sui reverentia hoc illi non abnuas.

CONSTANTINUS.→

Si[110] abnuo quantum ad me; sed subtili primum inquisitione reor investigandum, an filia præbeat assensum.

PRINCIPES.→

Consequens est.

CONSTANTINUS.→

Ibo, ipsamque, si velis, Gallicane, pro hac re appellabo.

GALLICANUS.→

Ac libens.

SCENA SECUNDA.→

CONSTANTIA[111].→

Dominus imperator adit nos solito tristior. Quid velit vehementer admiror.

CONSTANTINUS.→

Huc ades, o filia Constantia, paucis te volo.

CONSTANTIA.→

Assum, domine mi; jube, quid velis.

CONSTANTINUS.→

Anxietate cordis fatigor, gravique tristitia afficior.

CONSTANTIA.→

Ut te venientem aspexi, tristitiam deprehendi, et licet causam ignorarem, conturbata pertimui.

CONSTANTINUS.→

Tui causa contristor.

CONSTANTIA.→

Mei?

CONSTANTINUS.→

Tui.

CONSTANTIA.→

Expaveo; quid est, domine mi?

CONSTANTINUS.→

Piget dicere, ne contristeris.

CONSTANTIA.→

Multo magis contristor, si non dixeris.

CONSTANTINUS.→

Gallicanus dux, cui frequens successus triumphorum primum inter principes dignitatis adquisivit gradum, cujusque ope sæpissime indigemus ad defensionem patriæ....

CONSTANTIA.→

Quid ille?

CONSTANTINUS.→

Desiderat te sponsam habitum ire.

CONSTANTIA.→

Me?

CONSTANTINUS.→

Te.

CONSTANTIA.→

Mallem[112] mori.

CONSTANTINUS.→

Præscivi.

CONSTANTIA.→

Nec mirum, quia tuo consensu, tuo permissu, servandam Deo virginitatem devovi.

CONSTANTINUS.→

Memini.

CONSTANTIA.→

Nullis enim suppliciis umquam potero compelli, quin inviolatum custodiam sacramentum propositi.

CONSTANTINUS.→

Convenit. Sed hinc coartor nimium, quia si, quod debet fieri paterno more, te in proposito permansum ire consensero, haud leve damnum patiar in publica re. Si autem, quod absit, renitor, æternis cruciandus pœnis subjacebo.

CONSTANTIA.→

Si enim divinum desperarem adesse auxilium, mihi quam maxime, mihi potissimum esset dolendum.

CONSTANTINUS.→

Verum.

CONSTANTIA.→

Nunc autem nullus relinquitur locus mœstitiæ, præsumenti de Domini pietate.

CONSTANTINUS.→

Quam bene dicis, mea Constantia!

CONSTANTIA.→

Si meum digneris captare consilium, præmonstrabo qualiter utrumque evadere possis damnum.

CONSTANTINUS.→

O utinam!

CONSTANTIA.→

Simula, prudenter peracta expeditione, ipsius votis te satisfacturum esse: et ut meum concordari credat velle, suade, quo suas interim filias Atticam ac Artemiam, velut pro solidandi pignore amoris, mecum mansum ire, meosque primicerios Joannem et Paulum secum faciat iter arreptum ire.

CONSTANTINUS.→

Et quid, si victor revertetur[113], mihi erit agendum?

CONSTANTIA.→

Reor Omnipatrem prius esse invocandum, quo ab hujusmodi intentione Gallicani revocet[114] animum.

CONSTANTINUS.→

O filia, filia, quantum dulcedine tuæ alloquutionis amaritudinem dulcorasti mœsti patris, adeo ut pro hac re nulla post hæc movear sollicitudine.

CONSTANTIA.→

Non est necesse.

CONSTANTINUS.→

Eam, et Gallicanum læta promissione circumveniam.

CONSTANTIA.→

Vade in pace, mi domine.

SCENA TERTIA.→

GALLICANUS.→

Curiositate frangar, o principes, antequam, quid mis[115] senior Augustus tamdiu cum herili filia agat, experiar.

PRINCIPES.→

Suadet illi velle quæ desideras.

GALLICANUS.→

O utinam prævaleret suasio!

PRINCIPES[116].→

Forsitan prævalebit.

GALLICANUS.→

Silete, quiescite, Augustus revertitur, non ut abiit obscuro, sed vultu admodum sereno.

PRINCIPES.→

Bona fortuna.

GALLICANUS.→

Si enim, ut dicitur, speculum mentis est facies, serenitas faciei, mansuetudinem forte designat ejus animi.

PRINCIPES.→

Ita.

SCENA QUARTA.→

CONSTANTINUS.→

Gallicane!

GALLICANUS.→

Quid dixit?

PRINCIPES.→

Procede, procede, vocat te.

GALLICANUS.→

Dii propitii, favete!

CONSTANTINUS.→

Perge securus, Gallicane, ad bellum. Reversurus enim accipies, quod desideras, præmium.

GALLICANUS.→

Illudisne me?

CONSTANTINUS.→

Si illudo?

GALLICANUS.→

Me felicem, si unum scirem.

CONSTANTINUS.→

Quid unum?

GALLICANUS.→

Ejus responsum.

CONSTANTINUS.→

Filiæ?

GALLICANUS.→

Ipsius.

CONSTANTINUS.→

Injusta satis ratio in hac re verecundæ virginis responsum quærere. Consequentia autem rerum monstrabit ejus assensum.

GALLICANUS.→

Si hunc scirem, responsum flocci facerem.

CONSTANTINUS.→

Licet, experiare.

GALLICANUS.→

Exopto.

CONSTANTINUS.→

Sui primicerios Joannem et Paulum tecum commoratum iri decrevit, usque in diem nuptiarum.

GALLICANUS.→

Quam ob causam?

CONSTANTINUS.→

Quo illorum ex confabulatione ipsius vitam, mores, consuetudinem, possis prænoscere.

GALLICANUS.→

Bonum consilium, mihique quam maxime placitum.

CONSTANTINUS.→

Scilicet tui filias secum versa vice desiderat interim mansum ire, quatinus illarum per sodalitatem tibi fiat morigera.

GALLICANUS.→

Euax, Euax! Omnia meis respondent votis.

CONSTANTINUS.→

Fac ut adducantur citius.

GALLICANUS[117].→

Statis, milites? Currite, abite, adducite filias ad obsequium sui dominæ.

SCENA QUINTA.→

MILITES.→

Assunt illustres Gallicani natæ, tuæ familiaritati, hera Constantia, pro sui pulchritudinis, sapientiæ, et probitatis perspicuitate satis aptæ.

CONSTANTIA.→

Placet. (Introducuntur[118] honorifice.)—Amator virginitatis et inspirator castitatis, Christe, qui me precibus martyris tuæ Agnetis a lepra pariter corporis et ab errore eripiens gentilitatis, invitasti ad virgineum tui Genitricis thalamum, in quo tu manifestus es verus Deus, retro exordium natus a Deo Patre, idemque[119] verus homo ex Matre natus in tempore, te veram et coæternam Patri sapientiam, per quam facta sunt omnia et cujus dispositione consistunt et moderantur universa, suppliciter exoro, ut Gallicanum, qui tui in me amorem surripiendo conatur extinguere, post te trahendo ab injusta intentione revocare, suique filias digneris tibi assignare sponsas, et instilla cogitationibus earum tui amoris dulcedinem, quatinus execrantes carnale consortium pervenire mereantur ad sacrarum societatem virginum.

ARTEMIA.→

Ave, Constantia, imperialis hera.

CONSTANTIA.→

Salvete, sorores, Attica et Artemia; state, state, ne procidatis, sed libate mihi osculum amoris.

ARTEMIA.→

Tuum ad obsequium, domina, alacri mente venimus, tuæ ditioni summa devotione nos subjecimus, tantum, ut tua nobis abundet gratia.

CONSTANTIA.→

Unum Dominum habemus in cœlis, cui debetur devotio nostræ servitutis, in cujus fide et dilectione condecet nos servata corporis integritate unanimiter perseverare, ut mereamur aulam cœlestis patriæ cum palma virginitatis introire.

ARTEMIA.→

In nullo reluctamur, sed testes in omnibus præceptis parere nitimur, præcipue in agnitione veritatis et servandæ proposito virginitatis.

CONSTANTIA.→

Congrua satis responsio, vestraque ingenuitate condigna, nec dubito, quin divinæ inspiratione gratiæ ad credendum estis perventæ[120].

ARTEMIA.→

Qui posset fieri, ut servientes idolis sanum saperemus, sine illustratione supernæ pietatis?

CONSTANTIA.→

Stabilitas vestræ fidei spem mihi excitat de credulitate Gallicani.

ARTEMIA.→

Admoneatur tantum; haud dubium quin credat[121].

CONSTANTIA.→

Advocentur Joannes et Paulus.

SCENA SEXTA.→

JOANNES.→

Præsto sumus, hera, quos[122] vocasti.

CONSTANTIA.→

Ite citi ad Gallicanum, et inhærentes ejus lateri suadete illi paulatim mysterium nostræ fidei, si forsan illum Deus dignetur per nos[123] lucrari[124].

PAULUS.→

Deus det proventum! Nos adhibemus frequentationes hortamentorum.

SCENA SEPTIMA.→

GALLICANUS.→

Opportune advenitis, Joannes et Paule; suspensis diu animis vestrum præstolabar adventum.

JOANNES.→

Ut vocem jubentis domnæ hausimus, tibi ad obsequendum convolavimus.

GALLICANUS.→

Multo magis vestro quam aliorum delector obsequio.

PAULUS.→

Non immerito, nam vulgo dicitur: *Qui dilectis obsequitur, et ipse fit dilectus*[125].

GALLICANUS.→

Verum.

JOANNES.→

Dilectio mittentis heræ reconciliatur nos familiaritati tuæ.

GALLICANUS.→

Non nego. Convenite, congregamini, tribuni et centuriones, omnesque mei juris milites. Assunt Joannes et Paulus, quorum detinebar absentia ne pergerem.

TRIBUNI.→

Præcede. (Collectim comitantur[126].)

GALLICANUS.→

Capitolium et templa primum nobis intranda, numinaque deorum placanda sunt ritu sacrificiorum, quo prosperentur exitus[127] pugnæ.

TRIBUNI.→

Necesse.

JOANNES.→

Subtrahamus nos interim.

PAULUS.→

Decet.

SCENA OCTAVA.→

JOANNES.→

En, dux egreditur; ascendamus equos, offeramus nos obviam.

PAULUS.→

Ac cito.

GALLICANUS.→

Unde venitis? Ubi fuistis?

JOANNES.→

Stravimus sarcinulas, præmisimus, quo expediti tuum iter possimus comitari.

GALLICANUS.→

Placet.

SCENA NONA.→

GALLICANUS.→

O tribuni, proh Juppiter! aspicio innumerabilis exercitus legiones, variis armorum instrumentis horribiles.

TRIBUNI.→

Hercle hostes!

GALLICANUS.→

Resistamus fortiter et congrediamur viriliter.

TRIBUNI.→

Si est utilis nostri congressio cum tantis?

GALLICANUS.→

Et quid mavultis?

TRIBUNI.→

Submittere colla.

GALLICANUS.→

Nolit hoc Apollo!

TRIBUNI.→

Ædepol faciendum. En, undiquesecus circumdamur, vulneramur, perimimur.

GALLICANUS.→

Eh heu! quid erit, cum tribuni me spernunt, se tradunt?

JOANNES.→

Fac votum Deo cœli te christianum fieri, et vinces.

GALLICANUS.→

Voveo, et opere implebo.

HOSTES[128].→

Heus! rex Bradan, sperandæ fortuna victoriæ alludit[129] nos. En, dextræ languescunt, vires fatiscunt[130]; sed et inconstantia pectoris cogit nos discedere ab armis.

BRADAN.→

Quid dicam ignoro; ipsa quam toleratis me urget passio. Restat ut nos duci tradamus.

HOSTES.→

Alias non evademus.

BRADAN.→

Dux Gallicane, noli in nostri perniciem sævire, sed parce et utere ut libet nostra servitute.

GALLICANUS.→

Ne trepidetis, ne formidetis; sed datis obsidibus facite vos tributarios imperatoris et vivite beate sub Romana pace.

BRADAN[131].→

Tuo arbitrio pendet quot qualesque accipere quantumque pondus solvendi census nobis velis imponere.

GALLICANUS.→

Solvite procinctum, mei milites; nemo lædatur, nemo perimatur; amplectamur fœderatos, quos publicos insectamur[132] inimicos.

JOANNES.→

Quanto magis valet intenta precatio, quam humana præsumptio!

GALLICANUS.→

Verum.

PAULUS.→

Quam efficax his aderit superna miseratio, quos Deo commendat humilis devotio!

GALLICANUS.→

Perspicuum.

JOANNES.→

Sed quod vovetur in perturbatione, solvendum est in tranquillitate.

GALLICANUS.→

Assentio; unde quantocius baptizari[133] gestio, ac reliquum vitæ in Dei obsequio vacare.

PAULUS.→

Justum.

SCENA DECIMA.→

GALLICANUS.→

Ecce, in introitu nostro proruunt Romani urbicolæ, insignia laudum ferentes ex more.

JOANNES.→

Consequens est.

GALLICANUS.→

Sed nec nostræ, nec deorum fortitudini titulus debetur triumphi.

PAULUS.→

Nullo modo, sed vero Deo.

GALLICANUS.→

Unde templa arbitror transeunda.

JOANNES.→

Recte arbitraris.

GALLICANUS.→

Et limina Apostolorum supplici confessione esse intranda.

PAULUS.→

O te tali opinione felicem! Nunc testaris te verum christicolam.

SCENA UNDECIMA.→

CONSTANTINUS.→

Admiror, o milites, cur Gallicanus tamdiu se subtrahat nostris conspectibus.

MILITES.→

Ut urbem intravit, gressum ad domum sancti Petri concite tetendit, terratenusque prostratus pro recepta victoria grates impendit Altithrono.

CONSTANTINUS.→

Gallicanus?

MILITES.→

Ipse.

CONSTANTINUS.→

Incredibile.

En, accedit; ipsum potes sciscitari.

SCENA DUODECIMA.→

CONSTANTINUS.→

Diu te, Gallicane, sustinui, ut modum exitumque experirer prælii.

GALLICANUS.→

Dicam digestim.

CONSTANTINUS.→

Hoc interim parvi pendo, quo edisseras quod magis exopto.

GALLICANUS.→

Quid est?

CONSTANTINUS.→

Cur iturus deorum templa et revertens intrares Apostolorum tecta.

GALLICANUS.→

Rogas?

CONSTANTINUS.→

Curiose.

GALLICANUS.→

Expono.

CONSTANTINUS.→

Exopto.

GALLICANUS.→

Fateor, sacratissime imperator, iturus, ut objecisti, sacella intravi, meque dæmoniis et diis supplex commisi.

CONSTANTINUS.→

Hoc Romanis antiquitus fuit in more.

GALLICANUS.→

Mala consuetudo.

CONSTANTINUS.→

Pessima.

GALLICANUS.→

Quo pacto tribuni cum suis legionibus advenere, meque euntem undiquesecus sepsere.

CONSTANTINUS.→

Pomposo admodum apparatu egrediebaris.

GALLICANUS.→

Promovimus, hostes impegimus, commisimus, victi sumus.

CONSTANTINUS.→

Romani victi!

GALLICANUS.→

Penitus.

CONSTANTINUS.→

O res dira omnibusque seclis inaudita!

GALLICANUS.→

Ego quidem nefanda sacrificia iteravi, nec aderant qui adjuvarent dii; sed invalescente congressione plurimi ex nostris interiere.

CONSTANTINUS.→

Confundor audiendo.

GALLICANUS.→

Tandem tribuni me spreverunt, se tradiderunt.

CONSTANTINUS.→

Hostibus?

GALLICANUS.→

Ipsis.

CONSTANTINUS.→

Ah! quid fecisti?

GALLICANUS.→

Quid possem facere, nisi fugam captare?

CONSTANTINUS.→

Non.

GALLICANUS.→

Etiam.

CONSTANTINUS.→

Quantis tunc angustiis urgebatur constantia tui pectoris!

GALLICANUS.→

Maximis.

CONSTANTINUS.→

Et quomodo evasisti?

GALLICANUS.→

Mis[134] familiares socii Joannes et Paulus suaserunt mihi votum fecisse Creatori.

CONSTANTINUS.→

Salubre.

GALLICANUS.→

Experiebar. Ut os ad vovendum aperui, cœleste juvamen sensi.

CONSTANTINUS.→

Quo pacto?

GALLICANUS.→

Apparuit mihi juvenis proceræ magnitudinis crucem ferens in humeris, et præcepit ut stricto mucrone illum sequerer.

CONSTANTINUS.→

Quisquis ille erat, cœlitus missus fuerat.

GALLICANUS.→

Comprobavi; nec mora, astiterunt mihi a dextra lævaque milites armati, quorum vultum minime agnovi, promittentes auxilium sui.

CONSTANTINUS.→

Cœlestis militia.

GALLICANUS.→

Non ambigo. At ubi sequens præcedentem securus[135] inter medias hostium ingrederer acies, perveni ad regem eorum, nomine Bradan, qui mox incredibili metu correptus, pedibusque meis provolutus, se cum suis subdidit, professus censum principi Romani orbis finetenus solvendum.

CONSTANTINUS.→

Grates prosperitatis auctori, qui in se sperantes non patitur confundi.

GALLICANUS.→

Experimento didici.

CONSTANTINUS.→

Vellem experiri quid deinde profugi actitarent tribuni.

GALLICANUS.→

Maturabant reconciliari.

CONSTANTINUS.→

Recepistin' gratis?

GALLICANUS.→

Ego illos[136] gratis, qui me periclis[137], qui se inimicis? haud ita.

CONSTANTINUS.→

Et qui?

GALLICANUS.→

Proposui promerendæ gratiæ pretium.

CONSTANTINUS.→

Quale?

GALLICANUS.→

Videlicet sectam christicolarum, quam qui elegerit[138], gratiam susciperet priorem honoremque ampliorem; qui vero spreverit[139], gratia simul privaretur et militia.

CONSTANTINUS.→

Recta propositio, tuaque auctoritate condigna.

GALLICANUS.→

Ego quidem, baptismate imbutus, totum me Deo subjugavi, in tantum, ut tuæ quam præ omnibus dilexi abrenunciarem filiæ, quo abstinens conjugii placerem Virginis proli.

CONSTANTINUS.→

Accede propius, ut irruam in tuos amplexus. Nunc quidem, nunc cogor tibi detegere quod ad tempus studebam velare.

GALLICANUS.→

Quid?

CONSTANTINUS.→

Id videlicet, quod mea tuæque natæ eidem quam elegisti student religioni.

GALLICANUS.→

Gaudeo.

CONSTANTINUS.→

Tantoque servandæ virginitatis flagrant amore, ut nec minis nec blandimentis revocari possint[140] ab intentione.

GALLICANUS.→

Perseverent, exopto.

CONSTANTINUS.→

Introeamus in palatium, ubi ipsæ commorantur.

GALLICANUS.→

Præcede, sequar.

CONSTANTINUS.→

Ecce, occurrunt cum Augusta Helena mei genitrice gloriosa, omnibusque lacrimæ fluunt præ gaudio.

SCENA TERTIA DECIMA.→

GALLICANUS.→

Vivite feliciter, o sanctæ virgines, perseverantes in Dei timore, decusque virginitatis inviolatum servate, quo dignæ inveniamini amplexibus Regis æterni.

CONSTANTIA.→

Eo liberius servabimus, quo te non contra luctari sentimus.

GALLICANUS.→

Non contra luctor, non renitor, non prohibeo; sed vestris in hoc votis libens concedo in tantum, ut nec te, o mea Constantia, quam haud segniter emi vitæ pretio, aliud quam cœpisti velle cogam[141].

CONSTANTIA.→

Hæc mutatio dextræ Excelsi.

GALLICANUS.→

Si in melius mutatus non essem, tuæ promissioni assensum non præberem.

CONSTANTIA.→

Amicus pudicitiæ virginalis et fautor totius bonæ voluntatis, qui te ab injusta cogitatione[142] revocavit, meamque virginitatem sibi signavit, dignetur nos pro corporali discidio quandoque associatum ire in æterno gaudio.

GALLICANUS.→

Fiat, fiat!

CONSTANTINUS.→

Cum vinculum Christi amoris in unius nos societate[143] conjungat religionis, decet ut, quasi gener Augustorum, honorifice nobiscum habites intra palatium.

GALLICANUS.→

Nulla magis est vitanda tentatio, quam oculorum concupiscentia.

CONSTANTINUS.→

Refragari nequeo.

GALLICANUS.→

Unde non expedit me frequentius virginem intueri, quam præ parentibus, præ vita, præ anima, a me scis amari.

CONSTANTINUS.→

Ut libet.

GALLICANUS.→

Ecce, habes quadruplicatum exercitum Christo favente et me laborante, patere ut[144] nunc militem Imperatori, cujus juvamine vici, et cui debeo quidquid feliciter vixi.

CONSTANTINUS.→

Ipsum decet laus et jubilatio, ipsi debet famulari omnis creatura.

GALLICANUS.→

Sed illi potissimum, quis in necessitate largius præstat auxilium.

CONSTANTINUS.→

Ut asseris.

GALLICANUS.→

Partem possessionis, quæ ad filias pertinet, excipio, partemque ad susceptionem peregrinorum mihi reservo. De reliquo[145] proprios servos libertate donatos ditari, pauperumque necessitates volo sustentari.

CONSTANTINUS.→

Prudenter possessa disponis, nec expers fies æternæ retributionis.

GALLICANUS.→

Me ipsum etiam sancto viro Hilariano in urbe Ostiensi[146] individuum sodalem ardeo associatum iri, quo ibidem reliquum vitæ in Dei laude pauperumque vacem susceptione.

CONSTANTINUS.→

Simplex Esse, cui semper est posse, sinat tui esse prosperis successionibus juxta sui velle vigere, et perducat te ad gaudia æternitatis, qui regnat et gloriatur in unitate Trinitatis.

GALLICANUS.→

Amen.

[98] Inscriptio hujus fabulæ, sicut et cæterarum, deest in codice.

[99] Hæc tria verba manu recentiore scripta sunt in codice.

[100] Hæc inscriptio nec in hac nec in cæteris Nostræ fabulis legitur.

[101] Scenarum partitio nusquam in codice notatur.

[102] Constantini nomen omittit codex.

[103] Celtes: *servare*.

[104] Codex: *G. resp.* id est, *Gallicanus respondit*. Litteræ *G. resp.* recentiore manu exaratæ sunt in codice, qui in scribendis personarum nominibus compendiis semper utitur.

[105] Sæpe apud Nostram conjunctio *si* vim habet interrogandi, dubitandi et etiam negandi.

[106] Codex et hic et ubique *haut*. Semel monemus nos *haud* daturos esse.

[107] Schurzfleisch: *gravissimum*, mendose.

[108] Verbum *enim* recentiore manu et pallidiori atramento scriptum est in codice.

[109] Ita sæpissime codex, et bene, ut puto.—Celtes: *Heu! heu!*

[110] Hic notandum *si* cum notione negandi.—Celtes: *non*.

[111] Nomen integrum exstat in codice.

[112] Codex: *Mallim*.

[113] Ita codex.—Celtes: *reverteretur*.

[114] Celtes: *revocaret*.

[115] Sic codex.—Celtes: *meus*, nulla utilitate.

[116] Codex: *P*, superscripto recentiore manu *Principes d*, id est, *Principes dicunt*.—Celtes: *Paulus*, male.

[117] Sic Celtes.—In codice legitur *C*. (id est *Constantinus*) pro *G*. (*Gallicanus*), librarii vitio.

[118] Sic codex.—Celtes: *introducantur*.—Hæc verba parenthesis nota inclusi, quia, ni fallor, ad sermonis seriem non pertinent, sed de iis quæ in scena aguntur nos monent.

[119] Codex: *idemque quæ*.

[120] Sic codex et Celtes.—Schurzfleisch: *perventuræ*.

[121] Codex: *credat quin*.

[122] Ita Celtes.—In codice legitur: *quod*.

[123] Sic codex.—Celtes nulla necessitate emendat *vos*.

[124] *Lucrari* est emendatio Celtis.—Codex habet *luctari*.

[125] Hæc verba *Qui dilectis*, etc., recepimus ex Celte.—Legitur in codice: *quod dilectis ocius et ipse sit dilectus*, sine sensu.

[126] Verba *collectim comitantur* parenthesi inclusa *didascaliam*, id est, quid sit ludentibus agendum in scena, indicant; ut supra, pagin. 42.

[127] Codex mendose: *exitum*, quod Celtes dedit.

[128] Plenam vocem exhibet codex.

[129] Sic codex.—Celtes: *illudit*.

[130] Codex et Celtes: *languescent et fatiscent*.

[131] Codex: *Hostes*.—A Celte recipimus *Bradan*.

[132] Celtes: *insectabamur*.

[133] Codex: *batizari*.

[134] Sic codex casco loquendi genere.—Celtes: *mei*.

[135] Sic codex.—Celtes: *secutus*, vitiosum sine dubio.

[136] Ita Celtes.—Codex: *illas*.

[137] Codex: *periclas*.—Celtes: *periculis*.

[138] Sic Celtes.—Codex: *eligerit*.

[139] Codex: *spreverint*.

[140] Codex: *possunt*.

[141] Sic codex.—Celtes: *cogor*, absque sensu.

[142] Celtes: *intentione*, quod verbum etiam in codice sua manu inscripsit.

[143] Codex: *sociate*.

[144] Sic codex.—Celtes omisit *ut* et addidit *me*.

[145] Sic Celtes.—Codex: *derelinquo*.

[146] Hunc locum Bollandi auxilio restitui. Cf. *Acta sanctorum*, junii tom. V, p. 38.—Codex: *ostensi*.—Celtes: *ostendi*.

GALLICANI
PARS SECUNDA[147].

DRAMATIS PERSONÆ.

JULIANUS, imperator.
CONSULES.
MILITES[148].

SCENA PRIMA.→

JULIANUS[149].→

Incommodum satis nostro probatur esse imperio, quod christiani libero utuntur arbitrio, et jactant se leges debere sequi, quas accipiebant temporibus Constantini.

CONSULES.→

Turpe, si pateris.

JULIANUS.→

Non patiar.

CONSULES.→

Decet.

JULIANUS.→

O milites, accingimini, et nudate christicolas possessionibus propriis, objiciendo sententiam Christi dicentis: Qui non renunciaverit omnibus quæ possidet, N. P. T. M. V. E. S. P. T[150].

MILITES.→

In nobis non erit mora.

SCENA SECUNDA.→

CONSULES.→

En, milites revertuntur.

JULIANUS.→

Secundusne est vester reditus?

MILITES.→

Secundus.

JULIANUS.→

Et cur tam citus?

MILITES.→

Dicemus: Castella, quæ Gallicanus sibi retinuit, decrevimus intrasse, tuæque servituti usurpasse; sed, si quis ex nostris pedem admovit, leprosus seu energumenus[151] est factus.

JULIANUS.→

Revertimini, ipsumque compellite vel patriam deserere, vel idolis sacrificare.

SCENA TERTIA.→

GALLICANUS.→

Ne fatigemini, o milites, inutilia suadendo, quia in æstimatione æternæ vitæ flocci facio quicquid habetur sub sole. Unde patriam desero et exul pro Christo Alexandriam peto, optans ibidem coronari martyrio.

SCENA QUARTA.→

MILITES.→

Gallicanus, ut jussisti, patria expulsus Alexandriam petiit, ibique a Rautiano[152] comite tentus gladio est peremptus.

JULIANUS.→

O bene factum!

MILITES.→

Sed Joannes et Paulus te fastidiunt.

JULIANUS.→

Quid agunt?

MILITES.→

Libere vagant[153], thesauros Constantiæ erogant.

JULIANUS.→

Advocentur.

MILITES.→

Assunt.

SCENA QUINTA.→

JULIANUS.→

Non nescio vos, Joannes et Paule, a cunabulis Augustorum[154] mancipatos fuisse obsequio.

JOANNES.→

Fuimus.

JULIANUS.→

Unde decet ut meo inhærentes lateri serviatis in palatio, in quo nutriti estis a puero.

PAULUS.→

Haud serviemus.

JULIANUS.→

Mihin' non servietis?

JOANNES.→

Diximus.

JULIANUS.→

Num non videor[155] Augustus?

PAULUS.→

Sed dissimilis prioribus.

JULIANUS.→

In quo?

JOANNES.→

Religione et merito.

JULIANUS.→

Vellem plenius audire.

PAULUS.→

Volumus dicere: Gloriosissimi et famosissimi imperatores Constantinus, Constans et Constantius, quorum famulabamus imperio, fuere viri christianissimi, et gloriabantur se servos esse Christi.

JULIANUS.→

Memini, sed non opto eos in hoc sequi.

PAULUS.→

Deteriora imitaris. Qui ecclesias frequentabant, et excusso diademate prostrati Jesum Christum adorabant.

JULIANUS.→

Ad hæc me non cogitis.

JOANNES.→

Ideo illis es dissimilis.

PAULUS.→

Nam quia adolebantur[156] Creatori, Augustalis apicem dignitatis ornabant et beatificabant insignibus suæ probitatis et sanctitatis, prosperisque ad vota successionibus pollebant.

JULIANUS.→

Certe ego.

JOANNES.→

Non simili modo, quia eos divina comitabatur gratia.

JULIANUS.→

Frivola. Ego quondam stultus talia exercui, et clericatum in Ecclesia obtinui.

JOANNES.→

Placetne tibi, o Paule, clericus?

PAULUS.→

Diaboli capellanus.

JULIANUS.→

At ubi nihil utilitatis inesse deprehendi, ad culturam deorum me inflexi[157], quorum pietas me provexit ad fastigium regni.

JOANNES.→

Abrupisti nostri orationem, ne audires justorum laudem.

JULIANUS.→

Quid ad me?

PAULUS.→

Nihil; sed subjungendum est quod ad te. Postquam enim mundus eis non erat dignus habendis, suscepti sunt inter angelos, tibique infelix respublica relinquebatur regenda.

JULIANUS.→

Cur infelix juxta id temporis?

JOANNES.→

Ex qualitate rectoris.

PAULUS.→

Reliquisti omnem religionem, et imitatus es idololatriæ[158] superstitionem. Pro hac iniquitate, et a tuis conspectibus et a tuorum societate nos subtraximus.

JULIANUS.→

Licet satis multis[159] a vobis dehonestatus sim, adhuc tamen parcens audaciæ cupio vos inter primos in palatio extollere.

JOANNES.→

Ne fatiga te, quia nec minis, nec blandimentis cogimur cedere.

JULIANUS.→

Decem dierum dabo inducias, quo tandem resipiscentes ultro maturetis reconciliari gratiæ nostræ dignitatis. Sin autem, quod faciendum est faciam, ne ultra[160] vobis ludibrio fiam.

PAULUS.→

Quod facturus eris hodie perfice, quia nec ad tui salutationem, nec ad palatium, nec ad culturam deorum nos poteris revocare.

JULIANUS.→

Abite, discedite, quæ monui perpetrate.

JOANNES.→

Acceptas non flocci faciamus inducias, sed facultates cœlo permittamus, nosque jejuniis et obsecrationibus Deo interim commendemus.

PAULUS.→

Consequens est.

SCENA SEXTA.→

JULIANUS.→

Vade, Terentiane[161], sumtis tecum militibus compelle Joannem et Paulum deo Jovi sacrificare. Si autem obstinato resisterint pectore, perimantur, non palam, sed nimium occulte, quia palatini fuere.

SCENA SEPTIMA.→

TERENTIANUS.→

Imperator Julianus cui servio misit vobis, Joannes et Paule, pro sui clementia aureum simulacrum Jovis, cui thura gratis imponere debetis. Quod si nolueritis, capitalem sententiam subibitis.

JOANNES.→

Si Julianus sit tuus dominus, habeto pacem cum illo, et utere ejus gratia. Nobis non est alius nisi Dominus[162] Jesus Christus, pro cujus amore desideramus mori, quo mereamur æternis gaudiis perfrui.

TERENTIANUS.→

Quid tardatis, milites? stringite ferrum, et interficite imperatoris deorumque rebelles; interfectos clam in domo sepelite, nullumque sanguinis vestigium relinquite.

MILITES.→

Et quid dicemus rogati?

TERENTIANUS.→

Simulate quasi exilio sint destinati.

JOANNES, PAULUS.→

Te, Christe, cum Patre et Sancto Spiritu regnantem, unum Deum, sub hoc periculo invocamus, te moriendo laudamus; tu suscipe animas, pro te de lutea habitatione eliminatas.

SCENA OCTAVA.→

TERENTIANUS.→

Eh heu, o christicolæ, quid patitur unicus filius meus?

CHRISTICOLÆ.→

Stridet dentibus, sputa jacit, torquet insana lumina; nam plenus est dæmonio[163].

TERENTIANUS.→

Væ patri! ubi agitatur?

CHRISTICOLÆ.→

Ante sepulchra[164] martyrum Joannis et Pauli humi provolvitur, seque ipsorum precibus torqueri fatetur.

TERENTIANUS.→

Mea culpa, meum facinus. Nam meo hortatu, meo jussu ipse infelix impias manus in sanctos martyres misit.

CHRISTICOLÆ.→

Si te hortante deliquit, te compatiente pœnas luit.

TERENTIANUS.→

Ego quidem parui jussis impiissimi imperatoris Juliani.

CHRISTICOLÆ.→

Ideo namque ipse divina perculsus est ultione.

TERENTIANUS.→

Scio, eoque magis expaveo, quo nullum hostem Dei servorum impunitum evasisse meminero.

CHRISTICOLÆ.→

Recte.

TERENTIANUS.→

Quid si curram et pœnitens sceleris sacris provolvar tumulis?

CHRISTICOLÆ.→

Veniam mereberis, si tamen baptismate mundaberis.

SCENA NONA.→

TERENTIANUS.→

Gloriosi testes Christi, Joannes et Paule, imitamini exemplum magistri eadem jubentis, et orate pro persecutorum delictis. Este compatientes orbati patris angustiis et misereamini furientis nati miseriis, quo ambo tincti fonte baptismatis perseveremus in fide Sanctæ Trinitatis.

CHRISTICOLÆ.→

Parce, Terentiane, lacrimis, et parce anxietati[165] cordis. En, filius tuus resipiscit et per martyrum suffragia sanum recepit.

TERENTIANUS.→

Gratias Regi æternitatis, qui suis militibus tantum præstitit honoris, ut non solum animæ gaudent in cælo, sed etiam mortua in tumulis ossa variis fulgent miraculorum titulis, in testimonium sui sanctitatis, præstante Domino Nostro Jesu Christo, qui vivit[166]....

---

[147] Hunc titulum addidi de meo.—Celtes et Schurzfleisch: *actus secundus*, quod pariter deest in codice.

[148] Codex exhibet tantum hæc personarum nomina, quibus Celtes et Schurzfleisch *Terentianum, Joannem* et *Christicolas* addiderunt.

[149] Celtes perperam legit *In incommodum*, etc., pro JU. *Incommodum* (id est JULIANUS. *Incommodum*), ut legimus.

[150] Hæc sigla non congruunt ex omni parte cum verbis sancti Lucæ. *Evang.*, XIV, 33.

[151] Codex: *inerguminus.*—Celtes: *energuminus.*—Schurzfleisch: *energumenos.*

[152] Sic codex.—Celtes et Schurzfleisch: *Raucione.*

[153] Celtes: *vagantur.*

[154] Codex: *Augustiorum.*

[155] Sic codex.—Celtes: *videmur.*

[156] Hæc est Celtis emendatio.—Codex: *adolabantur.*

[157] Celtes: *deflexi.*

[158] Codex librariorum vitio: *idolatriæ*, quod in suam editionem invexit Celtes; id jam correxit Schurzfleisch.

[159] Sic legitur in codice.—Celtes: *multum.*

[160] Ita codex.—Celtes: *ne ultro.*—Schurzfleisch: *non ultro.*

[161] Codex: *Terrentiane* hic et infra.—Celtes: *Terenciane.*

[162] Hic Celtes addidit *noster.*

[163] Celtes: *dæmoniis.*

[164] Ita codex.—Celtes: *sepulchrum.*

[165] Codex: *baptimatis* et *axietati*, calami lapsu.

[166] Celtes addit: *et regnat.*—Inest in codice lacuna.

II.
DULCITIUS.

Passio sanctarum virginum Agapes[168], Chioniæ et Irenæ, quas sub nocturno silentio Dulcitius præses clam adiit, cupiens earum amplexibus saturari. Sed mox ut intravit, mente captus ollas et sartagines pro virginibus amplectendo osculabatur, donec facies et vestes horribili nigredine inficiebantur. Deinde Sisinnio comiti jussu imperatoris puniendas[169] virgines cessit, qui etiam miris modis illusus tandem Agapen et Chioniam concremari et Irenam jussit perfodi.

DRAMATIS PERSONÆ.

DIOCLETIANUS.
AGAPE.
CHIONIA.
IRENA[170].
DULCITIUS.
MILITES.

SCENA PRIMA.→

DIOCLETIANUS[171].→

Parentelæ claritas, ingenuitas, vestrumque serenitas
pulchritudinis exigit vos nuptiali lege primis in palatio copulari,
quod nostri jussio annuerit fieri, si Christum negare nostrisque diis
sacrificia velitis ferre.

AGAPE.→

Esto securus curarum, nec te gravet nostrarum præparatio
nuptiarum, quia nec ad negationem confitendi nominis, nec ad
corruptionem integritatis ullis rebus compelli poterimus.

DIOCLETIANUS.→

Quid sibi vult ista quæ vos agitat fatuitas?

AGAPE.→

Quod signum fatuitatis nobis inesse deprehendis?

DIOCLETIANUS.→

Evidens magnumque.

AGAPE.→

In quo?

DIOCLETIANUS.→

In hoc præcipue, quod relicta vetustæ observantia religionis, inutilem christianæ novitatem sequimini superstitionis.

AGAPE.→

Temere calumniaris statum Dei omnipotentis. Periculum.

DIOCLETIANUS.→

Cujus?

AGAPE.→

Tui reique publicæ quam gubernas.

DIOCLETIANUS.→

Ista insanit. Amoveatur.

CHIONIA.→

Mea germana non insanit, sed tui stultitiam juste reprehendit.

DIOCLETIANUS.→

Ista inclementius bacchatur, unde nostris conspectibus æque subtrahatur, et tertia discutiatur.

IRENA.→

Tertiam rebellem tibique penitus probabis renitentem.

DIOCLETIANUS.→

Irena, cum sis minor ætate, fito[172] major dignitate.

IRENA.→

Ostende, quæso, quo pacto.

DIOCLETIANUS.→

Flecte cervicem diis, et esto sororibus exemplum correctionis et causa liberationis.

IRENA.→

Conquiniscant idolis, qui velint incurrere iram Celsitonantis, ego quidem caput regali unguento delibutum non dehonestabo, pedibus simulacrorum submittendo.

DIOCLETIANUS.→

Cultura deorum non adducit inhonestatem[173], sed præcipuum honorem.

IRENA.→

Et quæ inhonestas turpior, quæ turpitudo major, quam ut servos venereris ut dominos[174]?

DIOCLETIANUS.→

Non suadeo tibi venerari servos, sed dominorum principumque deos.

IRENA.→

Nonne is est cujusvis servus, qui ab artifice pretio comparatur, ut emptitius?

DIOCLETIANUS.→

Hujus præsumptio verbositatis tollenda est suppliciis.

IRENA.→

Hoc optamus, hoc amplectimur, ut pro Christi amore suppliciis laceremur.

DIOCLETIANUS.→

Istæ contumaces nostrisque decretis contraluctantes catenis inretiantur[175], et ad examen Dulcitii præsidis[176] sub carcerali squalore serventur.

SCENA SECUNDA.→

DULCITIUS.→

Producite, milites, producite quas tenetis in carcere.

MILITES.→

Ecce quas vocasti.

DULCITIUS.→

Papæ! quam pulchræ, quam venustæ, quam egregiæ puellulæ!

MILITES.→

Perfecte[177] decoræ.

DULCITIUS.→

Captus sum illarum specie.

MILITES.→

Credibile.

DULCITIUS.→

Exæstuo illas ad mei amorem trahere.

MILITES.→

Diffidimus te prævalere.

DULCITIUS.→

Quare?

MILITES.→

Quia stabiles fide.

DULCITIUS.→

Quid si suadeam blandimentis?

MILITES.→

Contemnunt.

DULCITIUS.→

Quid si terream suppliciis?

MILITES.→

Parvi pendunt.

DULCITIUS.→

Et quid fiet?

MILITES.→

Præcogita.

DULCITIUS.→

Ponite illas in custodiam in interiorem officinæ ædem, in cujus proaulio ministrorum servantur vasa.

MILITES.→

Ut quid eo loci?

DULCITIUS.→

Quo a me sæpiuscule possint visitari[178].

MILITES.→

Ut jubes.

SCENA TERTIA.→

DULCITIUS.→

Quid agant[179] captivæ sub hoc noctis tempore?

MILITES.→

Vacant hymnis.

DULCITIUS.→

Accedamus propius.

MILITES.→

Tinnulæ sonitum vocis a longe audiemus[180].

DULCITIUS.→

Observate pro foribus cum lucernis; ego autem intrabo et vel optatis amplexibus me saturabo.

MILITES.→

Intra, præstolabimur.

SCENA QUARTA.→

AGAPE.→

Quid strepat pro[181] foribus?

IRENA.→

Infelix Dulcitius ingreditur.

CHIONIA.→

Deus nos tueatur!

AGAPE.→

Amen.

CHIONIA.→

Quid sibi vult collisio ollarum, caccaborum et sartaginum?

IRENA.→

Lustrabo.—Accedite, quæso, per rimulas perspicite.

AGAPE.→

Quid est?

IRENA.→

Ecce, iste stultus mente alienatus æstimat se nostris uti amplexibus.

AGAPE.→

Quid facit?

IRENA.→

Nunc ollas molli fovet gremio, nunc sartagines et caccabos amplectitur mitia libans oscula.

CHIONIA.→

Ridiculum!

IRENA.→

Nam facies, manus ac vestimenta, adeo sordidata[182], adeo coinquinata, ut nigredo quæ inhæsit similitudinem Æthiopis exprimat.

AGAPE.→

Decet, ut talis appareat corpore, qualis a diabolo possidetur in mente.

IRENA.→

En, parat egredi[183]. Intendamus quid illo egrediente agant milites pro foribus expectantes.

SCENA QUINTA.→

MILITES.→

Quis hic egreditur dæmoniacus, vel magis ipse diabolus? Fugiamus.

DULCITIUS.→

Milites, quo fugitis? State, expectate, ducite me cum lucernis ad cubile.

MILITES.→

Vox senioris nostri, sed imago diaboli. Non subsistamus, sed fugam maturemus; phantasma vult nos pessumdare.

DULCITIUS.→

Ad palatium ibo, et quam abjectionem patior principibus vulgabo.

SCENA SEXTA.→

DULCITIUS.→

Ostiarii, introducite me in palatium, quia ad imperatorem habeo secretum.

OSTIARII.→

Quid hoc vile ac detestabile monstrum, scissis et nigellis panniculis obsitum? Pugnis tundamus, de gradu præcipitemus, nec ultra huc detur liber accessus.

DULCITIUS.→

Væ, væ! Quid contigit? Nonne splendidissimis vestibus indutus, totoque corpore videor nitidus, et quicunque me aspicit velut horribile monstrum fastidit? Ad conjugem revertar, quo ab illa quid erga me actum sit experiar. En, solutis crinibus egreditur, omnisque domus lacrimis prosequitur.

SCENA SEPTIMA.→

CONJUX.→

Heu, heu! mi senior, Dulciti! Quid pateris? Non es sanæ mentis? Factus es in derisum christicolis.

DULCITIUS.→

Nunc tandem sentio me illusum illarum maleficiis.

CONJUX.→

Hoc me vehementer confudit, hoc præcipue contristavit, quod quid patiebaris ignorasti.

DULCITIUS.→

Mando ut lascivæ præsententur puellæ, et abstractis vestibus publice denudentur, quo versa vice quid nostra possint ludibria experiantur.

SCENA OCTAVA.→

MILITES.→

Frustra sudamus, in vanum laboramus. Ecce, vestimenta virgineis corporibus inhærent velut coria. Sed et ipse qui nos ad exspoliandum urgebat præses stertit sedendo, nec ullatenus excitari potest a somno. Ad imperatorem adeamus, ipsique rerum quæ geruntur propalemus.

SCENA NONA.→

DIOCLETIANUS.→

Dolet[184] nimium quod præsidem Dulcitium audio adeo illusum, adeo exprobratum, adeo calumniatum. Sed, ne viles mulierculæ jactent[185] se impune nostris diis deorumque cultoribus illudere, Sisinnium comitem dirigam ad ultionem exercendam.

SCENA DECIMA.→

SISINNIUS.→

O milites, ubi sunt lascivæ, quæ torqueri debent, puellæ?

MILITES.→

Affliguntur in carcere.

SISINNIUS.→

Irenam reservate et reliquas producite.

MILITES.→

Cur unam excipis?

SISINNIUS.→

Parcens infantiæ. Forte facilius convertetur, si sororum præsentia non terrebitur.

MILITES.→

Ita.

SCENA UNDECIMA.→

MILITES.→

Præsto sunt quas jussisti.

SISINNIUS.→

Præbete assensum, Agape et Chionia, meis consiliis.

AGAPE.→

Si præbebimus?

SISINNIUS.→

Ferte libamina diis.

CHIONIA.→

Vero et æterno Patri ejusque coæterno Filio, sanctoque amborum Paraclito, sacrificium laudis sine intermissione libamus.

SISINNIUS[186].→

Hoc vobis non suadeo, sed[187] pœnis prohibeo.

AGAPE.→

Non prohibebis, nec umquam sacrificabimus dæmoniis.

SISINNIUS.→

Deponite duritiam cordis, et sacrificate. Sin autem, faciam vos interfectum iri, juxta præceptum imperatoris Diocletiani.

CHIONIA.→

Decet ut in nostri necem obtemperes jussis tui imperatoris, cujus nos decreta contemnere noscis. Si autem parcendo moram[188] feceris, æquum est ut tu interficiaris.

SISINNIUS.→

Non tardetis, milites, non tardetis capere[189] blasphemas has, et in ignem projicite vivas.

MILITES.→

Instemus construendis rogis et tradamus illas bacchantibus flammis, quo finem demus conviciis.

AGAPE.→

Non tibi, Domine, non tibi hæc potentia insolita, ut ignis vim virtutis suæ obliviscatur, tibi obtemperando. Sed tædet nos morarum. Ideo rogamus solvi retinacula animarum, quo extinctis corporibus tecum plaudent in æthere nostri spiritus.

MILITES.→

O novum, o stupendum miraculum! Ecce, animæ egressæ sunt corpore[190], et nulla læsionis reperiuntur vestigia; sed nec capilli, nec vestimenta ab igne sunt ambusta, quo minus corpora.

SISINNIUS.→

Proferte Irenam.

MILITES.→

Eccam[191].

SCENA DUODECIMA.→

SISINNIUS.→

Pertimesce, Irena, necem sororum, et cave perire exemplo illarum[192].

IRENA.→

Opto exemplum earum moriendo sequi, quo merear cum his æternaliter lætari.

SISINNIUS.→

Cede, cede meæ suasioni.

IRENA.→

Haud cedam facinus suadenti.

SISINNIUS.→

Si non cesseris, non citum tibi præstabo exitum, sed differam et nova in dies supplicia multiplicabo.

IRENA.→

Quanto acrius torqueor, tanto gloriosius exaltabor.

SISINNIUS.→

Supplicia non metuis; admovebo quod horrescis[193].

IRENA.→

Quicquid irrogabis adversi, evadam juvamine Christi.

SISINNIUS.→

Faciam te ad lupanar duci, corpusque tuum turpiter coinquinari.

IRENA.→

Melius est ut corpus[194] quibuscumque injuriis maculetur, quam anima idolis polluatur.

SISINNIUS.→

Si socia eris meretricum, non poteris polluta ultra intra contubernium computari virginum.

IRENA.→

Voluptas parit pœnam, necessitas autem coronam; nec dicitur reatus nisi quod consentit animus.

SISINNIUS.→

Frustra parcebam, frustra miserebar hujus infantiæ.

MILITES.→

Præscivimus; nullatenus ad deorum culturam potest flecti, nec terrore umquam potest frangi.

SISINNIUS.→

Non ultra parcam.

MILITES.→

Rectum.

SISINNIUS.→

Capite illam sine miseratione, et trahentes cum crudelitate ducite ad lupanar sine honore.

IRENA.→

Non perducent.

SISINNIUS.→

Quis prohibere poterit[195]?

IRENA.→

Qui mundum sui providentia regit.

SISINNIUS.→

Probabo.

IRENA.→

Ac citius libito.

SISINNIUS.→

Ne terreamini, milites, fallacibus hujus blasphemæ[196] præsagiis.

MILITES.→

Non terremur, sed tuis præceptis parere nitimur.

SCENA TERTIA DECIMA.→

SISINNIUS.→

Qui sunt hi qui nos invadunt? Quam similes sunt militibus quibus Irenam tradidimus. Ipsi sunt. Cur tam cito revertimini? Quo tenditis tam anheli?

MILITES.→

Te ipsum quærimus.

SISINNIUS.→

Ubi est quam traxistis?

MILITES.→

In supercilio montis.

SISINNIUS.→

Cujus?

MILITES.→

Proximi.

SISINNIUS.→

O insensati et hebetes, totiusque rationis incapaces!

MILITES.→

Cur causaris? Cur voce et vultu nobis minaris?

SISINNIUS.→

Dii vos perdant!

MILITES.→

Quid in te commisimus? Quam tibi injuriam fecimus? Quæ tua jussa transgressi sumus?

SISINNIUS.→

Nonne præcepi ut rebellem deorum ad turpitudinis locum traheretis?

MILITES.→

Præcepisti, nosque tuis præceptis operam dedimus implendis, sed supervenere duo ignoti juvenes, asserentes se ad hoc ex te missos, ut Irenam ad cacumen montis perducerent.

SISINNIUS.→

Ignorabam.

Agnoscimus.

SISINNIUS.→

Quales fuerunt?

MILITES.→

Amictu splendidi, vultu admodum reverendi.

SISINNIUS.→

Num sequebamini illos?

MILITES.→

Sequebamur.

SISINNIUS.→

Quid fecerunt?

MILITES.→

A dextra lævaque Irenæ se locaverunt, et nos huc direxerunt, quo te exitus rei non lateret.

SISINNIUS.→

Restat ut ascenso equo pergam, et qui fuerint, qui nos tam libere illuserunt, perquiram.

MILITES.→

Properemus pariter.

SCENA QUARTA DECIMA.→

SISINNIUS.→

Hem! ignoro quid agam. Pessumdatus sum maleficiis christicolarum. En[197], montem circumeo, et semitam aliquoties repperiens, nec ascensum comprehendere, nec reditum queo repetere.

MILITES.→

Miris modis omnes illudimur, nimiaque lassitudine fatigamur, et si insanum caput diutius vivere sustines, te ipsum et nos perdes[198].

SISINNIUS.→

Quisquis es meorum, strenue extende arcum, jace sagittam, perfode hanc maleficam.

MILITES.→

Decet.

IRENA.→

Infelix, erubesce, Sisinni, erubesce[199], teque turpiter victum ingemisce, quia tenellæ infantiam virgunculæ absque armorum apparatu nequisti superare.

SISINNIUS.→

Quicquid dedecoris accedit[200] levius tolero, quia te morituram haud dubito.

IRENA.→

Hinc mihi quam maxime gaudendum, tibi vero dolendum, quia pro tui severitate malignitatis in Tartara damnaberis; ego autem martyrii palmam virginitatisque receptura coronam, intrabo æthereum æterni Regis thalamum, cui est honor et gloria in sæcula.

[167] Titulus argumenti hujus fabulæ, sicut et cæterarum, manu recentiore scriptus est.

[168] Codex: *Agapis*, et ubique in recto casu: *Agapes* pro *Agape*.

[169] Codex et Celtes: *jussu per puniendas*. In his verbis veræ lectionis vestigia latent: fortasse vocabulum *imperatoris* expressum fuerat compendio, unde librarius effecit *per*.

[170] Hoc nomen hic et ubique scribitur in codice cum aspirationis nota.

[171] Diocletiani nomen deest in codice.

[172] Codex: *sito*, quod jam correxit Celtes.

[173] Celtes: *dehonestatem*.

[174] Celtes: *quam servos venerari ut dominos*.

[175] Sic codex.—Celtes: *inretientur*.—Schurzfleisch: *irretientur*.

[176] Sic codex, hic et infra.—Celtes: *præsulis*, perperam.

[177] Codex: *perfectæ*.—Celtes: *profecto*.

[178] Celtes: *videri*.

[179] Sic codex.—Celtes *agant* mutavit in *agunt*, sicut infra *strepat* in *strepit*, male; nam sententia quamdam præ se fert ellipsim, quam conatus sum Gallice exprimere.

[180] Celtes: *audimus*.

[181] Sic codex.—Celtes: *strepit præ*.

[182] Celtes: *sordida*.

[183] Codex: *ingredi*, quod jam correxit Celtes.

[184] Celtes: *doleo*.

[185] Sic Celtes.—Codex: *jactant*.

[186] Codex: *D.*, id est, *Diocletianus*, perperam.

[187] Sic Celtes.—Codex: *si*.

[188] Sic codex.—Celtes: *morem*, male.

[189] Hæc est emendatio Celtis.—Codex: *caput*.

[190] Codex: *corpora*.

[191] Sic codex, optime.—Celtes: *Etiam*.

[192] Celtes: *earum*.

[193] Sic codex, optime.—Celtes: *horresces*.

[194] Vox *corpus* superscripta est in codice.

[195] Celtes: *potest*.

[196] Sic Celtes.—Codex: *blasphemiæ*.

[197] Sic Celtes.—Codex: *in*.

[198] Sic Celtes.—Codex *perdis*; sed retinendum duxi *perdes* propter verba similiter desinentia, quibus indulget quam maxime nostra poetria.

[199] Verba *Sisinni erubesce* omittit Celtes.

[200] Sic codex.—Celtes: *accidit*.

III.
CALLIMACHUS.

ARGUMENTUM IN CALLIMACHUM.→

Resuscitatio Drusianæ et Callimachi, qui eam non solum vivam, sed etiam præ tristitia atque excæcatione[201] inliciti amoris, in Domino mortuam plus justo amavit, unde morsu serpentis male periit; sed precibus sancti Joannis apostoli una cum Drusiana resuscitatus, in Christo est renatus.

CALLIMACHUS.→

DRAMATIS PERSONÆ.

CALLIMACHUS[202].
AMICI.
DRUSIANA.
ANDRONICUS[203].
SANCTUS JOANNES.
FORTUNATUS.

SCENA PRIMA.→

CALLIMACHUS[204].→

Paucis vos, amici, volo.

AMICI.→

Utere quantumlibet nostro colloquio.

CALLIMACHUS.→

Si ægre non accipitis, malo vos interim sequestrari aliorum collegio[205].

AMICI.→

Quod tibi videtur commodum nobis est sequendum.

CALLIMACHUS.→

Accedamus in secretiora loca, ne aliquis superveniens interrumpat dicenda.

AMICI.→

Ut libet.

SCENA SECUNDA.→

CALLIMACHUS.→

Anxie diuque gravem sustinui dolorem, quem vestro consilio relevari posse spero.

AMICI.→

Æquum est ut communicata invicem compassione patiamur quicquid unicuique nostrum utriusque eventu fortunæ ingeratur.

CALLIMACHUS.→

O utinam voluissetis meam passionem compatiendo mecum partiri!

AMICI.→

Enuclea quid patiaris, et, si res exigit, compatiemur; sin autem, animum tuum a nequam intentione revocare nitemur[206].

CALLIMACHUS.→

Amo.

AMICI.→

Quid?

CALLIMACHUS.→

Rem pulchram, rem venustam.

AMICI.→

Nec in solo, nec in omni. Ideo atomum quod amas per hoc nequit intellegi[207].

CALLIMACHUS.→

Mulierem.

AMICI.→

Cum mulierem dixeris, omnes comprehendis.

CALLIMACHUS.→

Non omnes æqualiter, sed unam specialiter.

Quod de subjecto dicitur, non nisi de subjecto aliquo cognoscitur. Unde, si velis nos enarithmum agnoscere, dic primum usiam[208].

CALLIMACHUS.→

Drusianam.

AMICI.→

Andronici hujus principis conjugem?

CALLIMACHUS.→

Ipsam.

AMICI.→

Erras, socie: est lota baptismate.

CALLIMACHUS.→

Inde non curo, si ipsam ad mei amorem attrahere potero.

AMICI.→

Non poteris.

CALLIMACHUS.→

Cur diffiditis?

AMICI.→

Quia rem difficilem petis.

CALLIMACHUS.→

Num ego primus hujusmodi rem peto, et non multorum ad audendum provocatus sum exemplo?

AMICI.→

Intende, frater: ea ipsa quam ardes, sancti Joannis apostoli doctrinam secuta, totam se devovit Deo, in tantum ut nec ad torum Andronici christianissimi viri jamdudum potuit revocari, quo minus tuæ consentiet vanitati.

CALLIMACHUS.→

Quæsivi a vobis consolationem, sed incutitis mihi desperationem.

AMICI.→

Qui simulat fallit, et qui profert adulationem vendit veritatem.

CALLIMACHUS.→

Quia mihi vestrum auxilium subtrahitis, ipsam adibo, ejusque animo mei amorem blandimentis persuadebo.

AMICI.→

Haud persuadebis.

CALLIMACHUS.→

Quippe vetar fatis.

AMICI.→

Experiemur.

―――――――

SCENA TERTIA.→

―――――――

CALLIMACHUS.→

Sermo meus ad te, Drusiana, præcordialis amor.

DRUSIANA.→

Quid mecum velis, Callimache, sermonibus agere vehementer admiror.

CALLIMACHUS.→

Miraris?

DRUSIANA.→

Satis.

CALLIMACHUS.→

Primum de amore.

DRUSIANA.→

Quid de amore?

CALLIMACHUS.→

Id scilicet quod te præ omnibus diligo.

DRUSIANA.→

Quæ[209] vis consanguinitatis, quæve legalis conditio institutionis compellit te ad mei amorem?

CALLIMACHUS.→

Tui pulchritudo.

DRUSIANA.→

Mea pulchritudo?

CALLIMACHUS.→

Immo.

DRUSIANA.→

Quid ad te?

CALLIMACHUS.→

Proh dolor! hactenus parum, sed spero quod attineat postmodum.

DRUSIANA.→

Discede, discede, leno nefande; confundor enim diutius tecum verba commiscere[210], quem sentio plenum diabolica deceptione.

CALLIMACHUS.→

Mea Drusiana, ne repellas te amantem tuoque amori[211] cordetenus inhærentem, sed impende amori vicem.

DRUSIANA.→

Lenocinia tua parvi pendo, tuique lasciviam fastidio, sed te ipsum penitus sperno.

CALLIMACHUS.→

Adhuc non repperi occasionem irascendi, quia quid mea in te agat dilectio forte erubescis fateri.

DRUSIANA.→

Nihil aliud nisi indignationem.

CALLIMACHUS.→

Credo te hanc sententiam mutatum ire.

DRUSIANA.→

Non mutabo pro certo.

CALLIMACHUS. →

Forte.

DRUSIANA. →

O insensate et amens! Cur falleris? Cur te vacua spe illudis? Quo pacto, qua dementia reris me tuæ cedere nugacitati, quæ per multum temporis a legalis toro viri me abstinui?

CALLIMACHUS. →

Proh Deum atque hominum fidem! si non cessaveris[212], non quiescam, non desistam, donec te captiosis[213] circumveniam insidiis.

SCENA QUARTA. →

DRUSIANA. →

Eh heu! Domine Jesu Christe, quid prodest castitatis professionem subiisse, cum is amens mea deceptus est specie? Intende, Domine, mei timorem, intende quem patior dolorem. Quid mihi, quid agendum sit, ignoro. Si prodidero, civilis per me fiet discordia; si celavero, insidiis diabolicis sine te refragari nequeo. Jube me in te, Christe, ocius mori, ne fiam in ruinam delicato juveni.

ANDRONICUS. →

Væ mihi infortunato! Ex improviso mortua est Drusiana. Curro, sanctumque Joannem advoco.

SCENA QUINTA. →

JOANNES. →

Cur nimium contristaris, Andronice? Cur fluunt lacrimæ?

ANDRONICUS. →

Heu! heu! domine, tædeo vitæ propriæ.

JOANNES. →

Quid pateris?

ANDRONICUS.→

Drusiana, tui assecla....

JOANNES.→

Estne homine[214] exuta?

ANDRONICUS.→

Hem! est.

JOANNES.→

Multum disconvenit ut pro his fundantur lacrimæ, quorum animas credimus lætari in requie.

ANDRONICUS.→

Non dubitem licet quin, ut asseris, anima æternaliter lætetur corpusque quandoque incorruptum resuscitetur, hoc tamen me vehementer exurit, quod ipsa me præsente mortem ut adveniret optando invitavit.

JOANNES.→

Agnovistin'[215] causam?

ANDRONICUS.→

Agnovi, tibique enucleam, si quando ex tristitia hac convalescam.

JOANNES.→

Accedamus, exequiasque diligenter celebremus.

ANDRONICUS.→

Marmoreum in proximo sepulchrum habetur, in quod funus ponatur; servandique cura sepulchri Fortunato nostro relinquatur procuratori.

JOANNES.→

Decet ut tumuletur honorifice. Deus lætificet animam in requie.

SCENA SEXTA.→

CALLIMACHUS.→

Quid fiet, Fortunate, quia nec morte Drusianæ revocari possum ab amore?

FORTUNATUS.→

Miserabile.

CALLIMACHUS.→

Pereo nisi me adjuvet tua industria.

FORTUNATUS.→

In quo possum adjuvare?

CALLIMACHUS.→

In eo ut vel mortuam me facias videre.

FORTUNATUS.→

Corpus adhuc integrum manet, ut reor, quia non languore exesum, sed levi, ut experiebare, febre est solutum.

CALLIMACHUS.→

O me felicem, si numquam[216] experirer!

FORTUNATUS.→

Si placabis muneribus, dedam illud tuis usibus.

CALLIMACHUS.→

Quæ in præsenti ad manus habeo interim accipe, nec diffidas te multo majora accepturum fore.

FORTUNATUS.→

Eamus cito.

CALLIMACHUS.→

In me non erit mora.

SCENA SEPTIMA.→

FORTUNATUS.→

Ecce corpus: nec facies cadaverosa, nec membra sunt tabida; abutere[217] ut libet.

CALLIMACHUS.→

O Drusiana, Drusiana, quo affectu cordis te colui, qua sinceritate dilectionis te viscera tenus amplexatus fui! Et tu semper abjecisti, meis votis contradixisti. Nunc in mea situm est potestate quantislibet injuriis te velim lacessere.

FORTUNATUS.→

At, at! horribilis serpens invadit nos.

CALLIMACHUS.→

Hei[218] mihi! Fortunate, cur me decepisti? Cur detestabile scelus persuasisti? En, tu moneris serpentis vulnere, et ego commorior præ timore.

SCENA OCTAVA.→

JOANNES.→

Accedamus, Andronice, ad tumulum Drusianæ, quo animam Christo commendemus prece.

ANDRONICUS.→

Hoc decet tui sanctitatem, ut non obliviscaris in te confidentem.

JOANNES.→

Ecce, invisibilis Deus nobis apparet visibilis in pulcherrimi similitudine juvenis.

ANDRONICUS.→

Expavete[219].

JOANNES.→

Domine Jesu, cur juxta id loci dignatus es servis tuis manifestari?

DEUS.→

Propter Drusianæ[220] ejusque qui juxta sepulchrum illius jacet resuscitationem apparui, quia nomen meum in his debet gloriari.

ANDRONICUS.→

Quam subito receptus est cœlo!

JOANNES.→

Ideo causam penitus non intellego.

ANDRONICUS.→

Maturemus gressum; forte re[221] experieris in perventione quod asseris te minus intellegere.

———

SCENA NONA.→

———

JOANNES.→

In nomine Christi, quid est hoc quod video miraculi? Ecce, aperto sepulchro corpus Drusianæ foras est ejectum[222], juxta quod jacent duo cadavera amplexu serpentis circumflexa.

ANDRONICUS.→

Conjecto quid significet. Is ipse Callimachus Drusianam dum viveret inlicite amavit, quod illa ægre ferens in febrem præ tristitia incidit, et mortem ut adveniret invitavit.

JOANNES.→

Hoc amor castitatis coegit!

ANDRONICUS.→

Post cujus occasum hic amens infelicis languorem amoris et negati tædium conglomerans sceleris, tabescebat animo, eoque magis desiderio æstuabat.

JOANNES.→

Miserabile!

ANDRONICUS.→

Non ambigo quin hunc improbum servum mercede conduceret, quo illi patrandi occasionem facinoris præberet.

JOANNES.→

O nefas incomparabile!

ANDRONICUS.→

Ideo ambo, ut video, morte sunt consumpti, ne effectum administrarent sceleri.

JOANNES.→

Nec injuria.

ANDRONICUS.→

In hoc tamen illud est ut maxime[223] admirandum, cur hujus qui pravum voluit resuscitatio, magis quam ejus qui consensit, divina sit voce prænuntiata, nisi quia forte hic carnali deceptus delectatione deliquit ignorantia, iste autem sola malitia.

JOANNES.→

Quanta Supernus Arbiter districtione cunctorum facta examinat, quamque æqua lance singulorum merita pensat, id non obvium nec cuiquam explicabile fore potest, quia divini subtilitas judicii longe præterit humani sagacitatem ingenii.

ANDRONICUS.→

Ideo admirando deficimus[224], quia rerum quæ geruntur causas docte internoscere nequimus.

JOANNES.→

Eventus post facta docet persæpe rerum discrimina.

ANDRONICUS.→

Verum age jam, beate Joannes, quod acturus es. Fac ut resuscitetur Callimachus, quo solvatur hujusmodi ambiguitatis[225] nodus.

JOANNES.→

Reor prius invocato Christi nomine anguem [190] proturbandum[226], post vero Callimachum suscitandum[227].

ANDRONICUS.→

Recte reris, ne ultra lædatur morsu serpentis.

JOANNES.→

Discede[228] ab hoc, crudelis bestia, quia serviturus est Christo.

ANDRONICUS.→

Licet inrationale sit animal, haud surda tamen aure quod jussisti obaudivit[229].

JOANNES.→

Non mea sed Christi virtute paruit.

ANDRONICUS.→

Ideo citius dicto evanuit.

JOANNES.→

Deus incircumscriptus et incomprehensibilis, simplex et inestimabilis, qui solus es id quod es, qui diversa duo socians ex hoc et hoc hominem fingis, eademque dissocians unum quod constabat resolvis, jube ut reducto halitu disjunctaque compagine rursus conliminata, Callimachus resurgat plenus, ut fuit, homo, quo ab omnibus magnificeris, qui solus miranda operaris.

[192] ANDRONICUS.→

Amen.—Ecce, vitales auras[230] carpit, sed præ stupore adhuc quiescit.

JOANNES.→

Callimache, surge in Christi nomine, et utcumque se res habeat confitere; quantislibet obnoxius sis vitiis proferas, ne nos vel[231] in modico lateat veritas.

CALLIMACHUS.→

Negare nequeo, quin patrandi causa facinoris accesserim, quia infelici languore tabescebam, nec inliciti æstum amoris compescere poteram.

JOANNES.→

Quæ dementia, quæ insania te decepit, ut castis præsumeres fragmentis alicujus injuriam conferre dehonestatis?

CALLIMACHUS.→

Propria stultitia hujusque Fortunati fraudulenta[232] deceptio.

JOANNES.→

Num triplici infortunio adeo infelix effectus es, ut nefas quod voluisti perficere posses?

CALLIMACHUS.→

Nullatenus. Licet non defuisset velle possibilitas, tamen omnino defuit posse.

JOANNES.→

Quo pacto impediebaris?

[194] CALLIMACHUS.→

Ut primum distracto tegmine conviciis tentavi lacessere corpus exanime, iste Fortunatus, qui fomes mali et incensor[233] extitit, serpentinis perfusus venenis periit.

ANDRONICUS.→

O factum bene!

CALLIMACHUS.→

Mihi autem apparuit juvenis aspectu terribilis, qui detectum corpus honorifice texit, ex cujus flammea facie candentes in bustum scintillæ transiliebant, quarum una resiliens mihi in faciem ferebatur, simulque vox facta est dicens: *Callimache, morere ut vivas!* His dictis, exspiravi.

JOANNES.→

Opus cœlestis gratiæ, quæ[234] non delectatur in impiorum perditione.

CALLIMACHUS.→

Audisti miseriam meæ perditionis, noli elongare medelam tuæ miserationis.

JOANNES.→

Non elongabo.

CALLIMACHUS.→

Nam nimium confundor, corde tenus contristor, anxio[235], gemo, doleo super gravi impietate mea.

[196] JOANNES.→

Nec immerito, quippe grave delictum haud leve pœnitudinis expectat remedium.

CALLIMACHUS.→

O utinam reserarentur secreta meorum viscerum latibula, quo interim amaritudinem quam patior doloris perspiceres, et dolenti condoleres!

JOANNES.→

Congaudeo hujusmodi dolori, quia sentio te salubriter contristari.

CALLIMACHUS.→

Tædet me prioris vitæ, tædet delectationis iniquæ.

JOANNES.→

Nec injuria.

CALLIMACHUS.→

Pœnitetque deliquii[236].

JOANNES.→

Et merito.

CALLIMACHUS.→

Displicet omne quod feci in tantum, ut nullus amor, nulla voluptas sit vivendi, nisi renatus in Christo merear in melius transmutari.

JOANNES.→

Non dubito quin superna gratia in te appareat.

CALLIMACHUS.→

Ideo ne moreris, ne pigriteris lassum erigere, [198] mœrentem consolationibus attollere, quo tuo monitu, tuo magisterio, a gentili in christianum, a nugace in castum transmutatus virum, tuoque ducatu semitam arripiens veritatis, vivam juxta divinæ præconium promissionis.

JOANNES.→

Benedicta sit unica progenies Divinitatis, idemque particeps nostræ fragilitatis, qui te, fili Callimache, parcendo occidit et occidendo vivificavit, quo suum plasma mortis specie ab interitu liberaret animæ.

ANDRONICUS.→

Res insolita, omnique admiratione digna!

JOANNES.→

O Christe, mundi redemptio, et peccatorum propitiatio[237], qualibus laudum præconiis te talem celebrem ignoro. Expaveo tui benignam clementiam et clementem patientiam, qui peccantes nunc paterno more tolerando blandiris, nunc justa severitate castigando ad pœnitentiam cogis.

ANDRONICUS.→

Laus ejus divinæ pietati.

JOANNES.→

Quis auderet credere, quisve præsumeret sperare, ut hunc, quem criminosis intentum vitiis mors invenit et inventum abstulit, tui miseratio ad vitam excitare, ad veniam dignaretur reparare? Sit nomen tuum sanctum benedictum in sæcula, qui solus facis stupenda mirabilia.

ANDRONICUS.→

Eia, sancte Joannes, et me consolari ne tardes. Nam conjugalis amor Drusianæ meam haud patitur mentem consistere, nisi et ipsam quantocius videam resurrectum ire.

JOANNES.→

Drusiana, resuscitet te Dominus Jesus Christus.

DRUSIANA.→

Laus et honor tibi, Christe, qui me fecisti reviviscere.

CALLIMACHUS.→

Sospitatis auctori grates, qui te, mea Drusiana, resurgere dedit in lætitia, quæ gravi cum tristitia die fungebaris[238] extrema.

DRUSIANA.→

Decet tui sanctitatem, venerande pater Joannes, ut resuscitato Callimacho, qui me inlicite amavit, et hunc resuscites, qui mei proditor funeris extitit.

CALLIMACHUS.→

Ne dignum ducas, Christi apostole, hunc proditorem, hunc malefactorem, a vinculis mortis absolvere, qui me decepit, me seduxit, meque ad audendum horribile facinus provocavit.

JOANNES.→

Non debes illi invidere gratiam divinæ clementiæ.

CALLIMACHUS.→

Non est enim dignus resurrectione, qui auctor extitit perditionis alienæ.

JOANNES.→

Lex nostræ religionis docet, ut homo homini dimittat, si ipse a Deo dimitti ambiat.

ANDRONICUS.→

Justum.

JOANNES.→

Quando etiam Dei unigenitus, idemque Virginis primogenitus, qui solus innocens, solus immaculatus, solus sine veterni sorde[239] delicti in mundum venit, omnes sub gravi onere peccati depressos invenit.

ANDRONICUS.→

Verum.

JOANNES.→

Scilicet nullum justum, nullum misericordia inveniret dignum, neminem tamen sprevit, neminem suæ gratia pietatis privavit, sed se ipsum omnibus[240] tradidit, suique dilectam animam pro omnibus posuit.

ANDRONICUS.→

Si innocens non occideretur, nemo juste liberaretur.

JOANNES.→

Ideo in hominum non delectatur perditione, quos suo emptos meminit pretioso sanguine.

ANDRONICUS.→

Gratias illi.

JOANNES.→

Unde aliis Dei gratiam non debemus invidere, quam ex nullis præcedentibus meritis in nobis gaudemus abundare.

CALLIMACHUS.→

Terruisti me monitu.

JOANNES.→

Ne autem tuis videar reniti votis, non suscitetur per me, sed per Drusianam, quia ad hoc implendum a Deo accepit gratiam.

DRUSIANA.→

Divina substantia, quæ vere et singulariter es sine materiæ forma[241], quæ hominem ad tui imaginem plasmasti, et plasmato spiraculum vitæ inspirasti, jube materiale corpus Fortunati reducto calore in viventem animam iterum reformari, quo trina nostri resuscitatio tibi in laudem vertatur, Trinitas veneranda.

JOANNES.→

Amen.

DRUSIANA.→

Expergiscere, Fortunate, et jussu Christi retinacula mortis disrumpe.

FORTUNATUS.→

Quis me apprehensa manu erexit? Quis vocem ut resurgerem dedit?

JOANNES.→

Drusiana.

FORTUNATUS.→

Num me suscitavit Drusiana?

JOANNES.→

Ipsa.

FORTUNATUS.→

Nonne ante aliquot dies improvisa morte fuerat consumpta?

JOANNES.→

At vivit in Christo.

FORTUNATUS.→

Et cur manet Callimachus gravi vultu modestus nec perfurit solito more in amore Drusianæ?

JOANNES.→

Quia a nequam intentione transmutatus, vere est Christi discipulus.

FORTUNATUS.→

Non.

JOANNES.→

Etiam.

FORTUNATUS.→

Si, ut asseris, Drusiana me suscitavit, et Callimachus Christo credidit, vitam repudio mortemque eligo sponte, quia malo non esse, quam in his tantum abundanter virtutum gratiam sentiscere.

JOANNES.→

O admiranda diaboli invidia, o malitia serpentis antiqui, qui et protoplastis mortem propinavit et super justorum gloria semper gemit! Iste infelicissimus Fortunatus diabolicæ amaritudinis felle plenissimus, comparatur malæ arbori amaros fructus facienti. Unde excisus a collegio justorum et abjectus a consortio Deum timentium, mittatur in æterni ignem supplicii, cruciandus sine alicujus intermixtione refrigerii.

ANDRONICUS.→

Ecce, turgescentibus serpentinis morsibus ad occasum rursus vergitur et citius dicto morietur.

JOANNES.→

Moriatur, sitque incola gehennæ, qui propter alieni invidiam profectus recusavit vivere.

ANDRONICUS.→

Terribile.

JOANNES.→

Nihil terribilius invido, nihil scelestius superbo.

ANDRONICUS.→

Uterque miserabilis.

JOANNES.→

Una eademque persona utroque semper laborat vitio, quia neutrum sine altero.

ANDRONICUS.→

Expone enucleatius.

JOANNES.→

Nam qui superbit, invidet, et qui invidet, superbit; quia mens invida, dum alienam laudem nec patitur audire, et in sui comparatione perfectiores ambit vilescere, dedignatur subjici dignioribus, et superbe conatur præferri comparibus.

ANDRONICUS.→

Patet.

JOANNES.→

Unde iste miserrimus vulnerabatur mente, quia se his inferiorem æstimari non sustinuit, in quis ampliorem Dei gratiam lucere non nescivit.

ANDRONICUS.→

Nunc tandem intellego quod inter surgentes minime est computatus, quia ocius erat moriturus.

JOANNES.→

Dignus est enim utraque morte, quia et commendatum funus afficiebat injuria, et resurgentes injusto insectabatur odio.

ANDRONICUS.→

Infelix est mortuus.

JOANNES.→

Recedamus, suumque diabolo filium relinquamus. Nos autem diem istum, et pro miranda Callimachi mutatione, et pro utriusque resuscitatione, cum lætitia agamus, gratias ferentes Deo, æquo judici secretorumque discretissimo cognitori, qui solus omnia subtiliter examinans, omnia recte disponens, unumquemque, juxta quod dignum prænoscit, præmiis suppliciisve aptabit. Ipsi soli honor, virtus, fortitudo, et victoria, laus et jubilatio per infinita sæculorum sæcula. Amen.

---

[201] Sic Celtes emendavit optime.—Codex: *execratione.*

[202] Codex: *Calimachus,* unico *l,* et sic semper, quando compendio *C* non utitur. Semel quoque *Chalimachum* invenimus.

[203] Codex hic et ubique: *Andronichus.*

[204] Callimachi nomen deest in codice.

[205] Ita codex.—Celtes: *colloquio.*

[206] Sic Celtes.—Codex: *revocari nitimur.*

[207] Codex: *nequ.... intellegi.* Librarius vocem *nequit* interruptam reliquit. Hic et ubique Codex: *intellegi,* per *e.*—Celtes: *nequimus intelligere.*

[208] Ex Græco Οὐσία, Latinis litteris. Codex: *Usyam*.

[209] Codex: *quod*.

[210] Sic codex.—Celtes: *miscere*.

[211] Codex: *amore*.

[212] Sic codex.—Celtes: *consenseris*.

[213] Codex: *captuosis*.

[214] Celtes: *hominem*.

[215] Celtes: *Agnostin'*.

[216] Sic codex et Celtes. Fortasse legendum: *unquam*.

[217] Sic codex.—Celtes: *utere*.

[218] Codex hic et passim: *Ei*, omisso *h*, quod librarius adscivit in quibusdam vocabulis aspiratione carentibus.

[219] Sic codex, optime.—Celtes: *expaves*.

[220] Sic codex.—Celtes: *Drusianam*.

[221] Celtes omittit *re*.

[222] Celtes: *abjectum*, perperam.

[223] Celtes: *vel maxime*.

[224] Sic codex.—Celtes: *defecimus*.

[225] Codex: *ambiguitas*, quod Celtes emendavit.

[226] Sic codex.—Celtes: *perturbandum*.

[227] Celtes: *resuscitandum*.

[228] Ita emendavit Celtes.—Codex: *discedite*, quod sententiæ non congruit.

[229] Sic Celtes, bene.—Codex: *obaudiunt*.

[230] Codex: *aures*.

[231] Hoc verbum compendio scriptum et a Celte omissum posui ex codice.

[232] Codex: *fraudolenta*.

[233] Sic codex.—Celtes: *incentor*, parum feliciter.

[234] Codex: *qui*.

[235] Ita codex.—Celtes: *anxior*.

[236] Codex et Celtes: *deliqui*.—Schurzfleisch: *delicti*.

[237] Ita emendavit Celtes. Codex: *propinatio*.

[238] Codex: *defungebaris*, pro *die fungebaris*, omissa *i* littera, quam Celtes superscripsit.

[239] Post verbum *sorde* codex addit *fuit*, quod recte omisit Celtes.

[240] Celtes omittit vocem *omnibus*.

[241] Sic legitur in codice, ni fallor.—Celtes: *materia forma*.— Schurzfleisch: *materia et forma*.

IV.
ABRAHAM.

ARGUMENTUM IN ABRAHAM[242].→

Lapsus et conversio Mariæ, neptis Abrahæ eremicolæ[243], quæ ubi XX annos solitariam vitam egit, corrupta virginitate sæculum repetiit et contubernio meretricum admisceri non metuit; sed post biennium præfati Abrahæ monitis, illam sub amatoris specie quærentis, reducta, larga effusione lacrimarum continuaque exercitatione jejuniorum, vigiliarum atque orationum per vicenos annos emundavit maculas criminum.

ABRAHAM.→

DRAMATIS PERSONÆ.

ABRAHAM.
EPHREM[244].
MARIA.

SCENA PRIMA.→

ABRAHAM.→

Tune, frater et coeremita Ephrem, commodum ducis meæ adhuc confabulationi vacare, an quoad usque divinas expleas laudes, me vis præstolari?

EPHREM.→

Nostrorum confabulatio ejus debet esse laudatio, qui se congregatis in suo nomine medium spopondit interesse.

ABRAHAM.→

Nihil aliud locuturus accessi, nisi quod divinæ voluntati non nescio concordari[245].

EPHREM.→

Quare nec ad momentum quidem me subtraho, sed tuo affectui totum dedo.

ABRAHAM.→

Quiddam agendum mihi exæstuat mente, in quo tuum velle meis votis exopto respondere.

ABRAHAM.→

Si unum cor unaque nobis anima jubetur esse, idem velle, idemque[246] cogimur nolle.

EPHREM.→

Est mihi neptis tenella utriusque parentis solamine destituta, in quam pro compassione orbitatis nimio affectu ducor, cujusque causa continua sollicitudine fatigor.

ABRAHAM.→

Et quid tibi, triumphator sæculi, cum curis mundi?

EPHREM.→

Id scilicet curo ne inmensa ejus serenitas pulchritudinis alicujus obfuscetur sorde coinquinationis.

ABRAHAM.→

Hujusmodi cura si[247] est vituperanda?

EPHREM.→

Spero.

ABRAHAM.→

Cujus est ætatis?

EPHREM.→

Si unius rotatus mensurni[248] apponeretur, duas olympiades vitali aura vesceretur.

ABRAHAM.→

Inmatura pupilla.

EPHREM.→

Ideo non deest mihi cura.

ABRAHAM.→

Ubi degit?

EPHREM.→

In meis mansiunculis. Nam rogatu propinquorum nutriendam eam suscepi; sed ejus gazas pauperibus erogare decrevi.

EPHREM.→

Despectio temporalium condecet animum cœlo intentum.

ABRAHAM.→

Exæstuo mente gestiens illam Christo desponsare[249] ejusque tirocinio mancipatum ire.

EPHREM.→

Laudabile.

ABRAHAM.→

Cogor nomine.

EPHREM.→

Quid vocatur?

ABRAHAM.→

Maria.

EPHREM.→

Ita est; tanti excellentiam nominis decet stemma virginitatis.

ABRAHAM.→

Non diffido quin, si nostris suaviter hortamentis provocetur, ad cedendum facilis experiatur.

EPHREM.→

Accedamus, ejusque cogitationi cœlibis[250] securitatem vitæ instillemus.

SCENA SECUNDA.→

ABRAHAM.→

O adoptatitia[251] filia, o meæ pars[252] animæ, Maria, cede meis paternis monitionibus meique comparis Ephrem saluberrimis institutionibus; enitere ut auctricem virginitatis, quam æquivoco æquiparas nomine, imiteris et castitate.

EPHREM.→

Multum disconvenit, filia, ut quæ cum Dei genitrice Maria per mysterium nominis præemines in axe inter sidera numquam casura, inferior meritis in terræ volutes infimis.

MARIA.→

Mysterium nominis ignoro; unde quid circuitione verborum significes haud intellego.

EPHREM.→

Maria interpretatur *stella maris*, circa quam videlicet fertur mundus et vocatur populus.

MARIA.→

Cur *maris stella* dicitur?

EPHREM.→

Quia numquam occidit, sed navigantibus recti semitam itineris dirigit.

MARIA.→

Et qui posset fieri, ut ego tantilla ex lutea materia confecta eo attingerem meritis, quo mysterium rutilat nominis?

EPHREM.→

Illibata corporis integritate, puraque mentis sanctitate.

MARIA.→

Grandis est honoris hominem æquari astrorum radiis.

EPHREM.→

Nam si incorrupta et virgo permanebis, angelis Dei fies æqualis, quibus tandem stipata gravi corporis onere abjecto, pertransiens[253] aera supergradieris æthera, zodiacum percurres circulum, nec subsistendo temperabis gressum, donec amplexaris amplexibus filii Virginis in lucifluo thalamo sui Genitricis.

MARIA.→

Qui hæc parvi pendet asinum vivit. Unde præsentia despicio, memet ipsam denego, quo merear ascribi gaudiis tantæ felicitatis.

EPHREM.→

Ecce nanciscimur in pectore infantili senilis maturitatem ingenii.

ABRAHAM.→

Gratia Dei id est quod est.

EPHREM.→

Negari[254] nequit.

ABRAHAM.→

Sed licet Dei gratia sit illustrata, inbecillem tamen ætatem suo uti non prodest arbitrio.

EPHREM.→

Verum.

ABRAHAM.→

Ideo faciam illi exiguam ab introitu cellulam meis mansiunculis contiguam, per cujus fenestram psalterium cæterasque divinæ legis paginas, illam crebrius visitando, instruam.

EPHREM.→

Convenit.

MARIA.→

Tuo, pater Ephrem, interventui me committo.

EPHREM.→

Cœlestis sponsus, cujus affectu in tenella ætate inhæsisti, tueatur te, filia, ab omni fraude diaboli.

SCENA TERTIA.→

ABRAHAM.→

Frater Ephrem, si quid mihi utriusque casu fortunæ ingeritur, te primum adeo, te solum consulo. Unde ne sis adversus querimoniæ quam prosequor; sed fer opem dolori quem patior.

EPHREM.→

Abraham, Abraham, quid pateris? Cur plus licito contristaris? Numquam fuit fas eremicolæ conturbari sæcularium more.

ABRAHAM.→

Incomparabilis luctus mihi contigit, intolerabilis dolor me afficit.

EPHREM.→

Ne fatiga me longa verborum circuitione; sed quid patiaris expone.

ABRAHAM.→

Maria, mis optiva filia, quam per bis bina lustra summa diligentia nutrivi, summa solertia instruxi...

EPHREM.→

Quid illa?

ABRAHAM.→

Hei mihi! periit.

EPHREM.→

Qualiter?

ABRAHAM.→

Miserabiliter; deinde evasit latenter.

EPHREM.→

Quibus insidiis circumvenit eam fraus antiqui serpentis?

ABRAHAM.→

Per inlicitum cujusdam simulatoris affectum, qui monachico adveniens habitu simulata eam visitatione frequentabat, donec indocile juvenilis ingenium pectoris ad sui amorem inflexit, adeo ut per fenestram ad patrandum facinus exiliret[255].

EPHREM.→

Contremisco auditu.

ABRAHAM.→

At ubi ipsa infelix se corruptam sensit, pectus pulsavit, faciem manu laceravit, vestes scidit, capillos eruit, voces in altum ejulando dedit.

EPHREM.→

Nec injuria, hujusmodi namque ruina toto lacrimarum fonte est lugenda.

ABRAHAM.→

Lamentabatur namque se quod fuerat non esse.

EPHREM.→

Væ illi miseræ!

ABRAHAM.→

Lugebat se nostris contraria monitis egisse.

EPHREM.→

Ac valde.

ABRAHAM.→

Deflevit se vigiliarum, orationum, jejuniique sudores evacuasse.

EPHREM.→

Si in tali compunctione perseveraret, salva fieret.

ABRAHAM.→

Haud perseveravit, sed pejora prioribus apposuit.

EPHREM.→

Viscera tenus conturbor totisque membris resolvor.

ABRAHAM.→

Postquam enim hisce lamentis[256] se punivit, nimietate victa doloris præceps ferebatur in foveam desperationis.

EPHREM.→

Eh heu, quam gravis perditio!

ABRAHAM.→

Et quia veniam desperavit posse promereri[257], sæculum repetere vanitatique elegit deservire.

EPHREM.→

Hem, par victoria spiritalibus in sorte eremitarum nequitiis antea fuit insolita.

ABRAHAM.→

Sed nunc dæmonum sumus præda.

EPHREM.→

Mirum qui fieri posset, ut te ignorante evaderet.

ABRAHAM.→

Interim fueram consternatus mente ex ostensæ visionis terrore, qua, si[258] mens non fuisset læva, mihi præfigurabatur ejus ruina.

- 113 -

EPHREM.→

Vellem modum visionis audire.

ABRAHAM.→

Putabam me ante fores[259] cellulæ stetisse, et ecce draco miræ
magnitudinis nimiique fœtoris, rapido impetu adveniens
candidulam secus me columbam repperiens cepit, devoravit
subitoque non comparuit.

EPHREM.→

Evidens visio.

ABRAHAM.→

At ego, ubi expergiscens mente quæ videbam tractavi, verebar
aliquam ecclesiæ imminere persecutionem, quæ fideles quosdam
attraheret in errorem.

EPHREM.→

Verendum erat.

ABRAHAM.→

Unde prostratus in orationem præcognitori futurorum
supplicavi, ut mihi detegeret solutionem somnii.

EPHREM.→

Recte egisti.

ABRAHAM.→

Tertia demum nocte, cum lassa sopori membra dedissem,
putabam eumdem draconem meis vestigiis disruptum volutasse,
ipsamque columbam absque læsione emicuisse.

EPHREM.→

Lætificor auditu, nec ambigo quin tua quandoque ad te
revertatur Maria.

ABRAHAM.→

Postquam evigilans hujus solamine visionis temperabam
tristitiam prioris, mentem recepi ut reminiscerer[260] alumnæ. Illud
quoque si sine[261] tristitia memini, quod ipsam in duorum intervallo
dierum divinæ innitentem laudi solito non sensi.

EPHREM.→

Sero meministi.

ABRAHAM.→

Fateor. Accessi, manu fenestram pulsavi, filiam sæpius nominando vocavi.

EPHREM.→

Ah, frustra vocasti.

ABRAHAM.→

Hoc adhuc non sensi, sed cur neglegenter in divinis ageret rogavi; sed nec levis tinnitum responsi recepi.

EPHREM[262].→

Et quid[263] tunc fecisti?

ABRAHAM.→

Ubi abesse quam querebam deprehendi, viscera discutiebantur timore, membra contremuerunt pavore.

EPHREM.→

Nec mirum. Certe et ego id ipsum nunc patior audiendo.

ABRAHAM.→

Deinde flebilibus sonis auras pollui, rogitans quis lupus meam agnam raperet, quis latro meam filiam captivaret?

EPHREM.→

Jure conquestus fuisti ejus perditionem, quam nutrivisti.

ABRAHAM.→

Tandem accesserunt qui veritatem scientes res[264] sese, ita ut tibi nunc exposui, habere ipsamque vanitati dixerunt deservire.

EPHREM.→

Ubi moratur?

ABRAHAM.→

Ignoratur.

EPHREM.→

Quid fiet?

ABRAHAM.→

Est mihi fidelis amicus qui civitates villasque peragrans non quiescet, donec quæ illam terra susceperit agnoscet.

EPHREM.→

Quid si experietur?

ABRAHAM.→

Habitum mutabo, ipsamque sub amatoris specie adibo, si forte meo monitu post grave naufragium revertatur ad pristinæ quietis portum.

EPHREM.→

Etiam, quid fiet si carnium esus vinique haustus apponetur?

ABRAHAM.→

Haud abrogabo, ne agnoscar.

EPHREM.→

Recta prorsus laudabilique discretione uteris, si artioris frenos[265] observantiæ aliquantisper laxabis, quo errantem Christo lucreris.

ABRAHAM.→

Eo magis ad audendum incitor, quo te mihi in hac[266] concordari re experior.

EPHREM.→

Qui clancula cordium cognoscit qua intentione unaquæque res geratur intellegit, nec in discretissimo ejus examine reus prævaricationis habetur, qui[267] a strictioris rigore conversationis ad tempus descendendo imbecillioribus assimilari[268] non respuit, quo efficacius animam revocet quæ erravit.

ABRAHAM.→

Tuum est interim me precibus adjuvare, ne impediar diabolica fraude.

EPHREM.→

Ipsum summum bonum, sine quo nihil fit boni, faciat tuum velle in bono consummari.

SCENA QUARTA.→

ABRAHAM.→

Num ille est meus amicus, quem ante hoc biennium pro inquisitu direxi Mariæ? Ipse est.

AMICUS.→

Ave, venerande pater.

ABRAHAM.→

Ave, affabilis amice; diu te sustinui, sed nunc advenire desperavi.

AMICUS.→

Ideo moram feci, quia te ambigua re sollicitari[269] non præsumpsi. At ubi veritatem investigavi, reditum maturavi.

ABRAHAM.→

Vidistin' Mariam?

AMICUS.→

Vidi.

ABRAHAM.→

Ubi?

AMICUS.→

Quam[270] dictu miserabile!

ABRAHAM.→

Dic, obsecro.

AMICUS.→

In domo cujusdam lenonis habitationem elegit, qui tenello amore illam colit; nec frustra: nam omni die non modica illi pecunia ab ejus amatoribus adducitur.

ABRAHAM.→

A Mariæ amatoribus?

AMICUS.→

Ab ipsis.

ABRAHAM.→

Qui sunt ejus amatores?

AMICUS.→

Perplures.

ABRAHAM.→

Hei mihi, o bone Jesu! Quid hoc monstri est, quod hanc, quam tibi sponsam nutrivi, alienos amatores audio sequi?

AMICUS.→

Hoc meretricibus antiquitus fuit in more, ut alieno delectarentur in amore[271]?

ABRAHAM.→

Affer mihi sonipedem delicatum et militarem habitum, quo deposito tegmine religionis ipsam adeam sub specie[272] amatoris?

AMICUS.→

Ecce omnia.

ABRAHAM.→

Obsecro, affer et pileum, quo coronam velem capitis.

AMICUS.→

Hoc maxime opus est, ne agnoscaris.

ABRAHAM.→

Quid si unum solidum, quem habeo, mecum afferam, quo stabulario pro mercede tribuam?

AMICUS.→

Aliter ad colloquium Mariæ non potes pervenire.

SCENA QUINTA.→

ABRAHAM.→

Salve, bone Stabulari[273].

STABULARIUS.→

Quis loquitur? Hospes, salve.

ABRAHAM.→

Estne apud te locus viatori ad pernoctandum aptus?

STABULARIUS.→

Est plane; nostra hospitiola nulli sunt neganda.

ABRAHAM.→

Laudabile.

STABULARIUS.→

Intra, ut tibi præparetur cœna.

ABRAHAM.→

Magna tibi pro hilari susceptione debeo, sed adhuc majora a te expeto.

STABULARIUS.→

Quæ voles ut concessurum efflagita.

ABRAHAM.→

Accipe vile munus quod defero, et fac ut perpulchra, quam tecum obversari[274] experiebar, puella nostro intersit convivio.

STABULARIUS.→

Cur illam desideras videre?

ABRAHAM.→

Quia nimium delector in ejus agnitione, cujus pulchritudinem a pluribus laudari audiebam sæpissime.

STABULARIUS.→

Quisquis laudator ejus formæ extitit, nihil fefellit. Nam prænitet venusta vultu præ ceteris mulieribus.

ABRAHAM.→

Ideo ardeo in ejus amore.

STABULARIUS.→

Miror te in decrepita senectute juvenculæ mulieris amorem spirare.

ABRAHAM.→

Percerte nullius alius rei causa accessi, nisi eam videndi.

SCENA SEXTA.→

STABULARIUS.→

Procede, procede[275], Maria, tuique pulchritudinem nostro neophyto ostende.

MARIA.→

Ecce venio.

ABRAHAM.→

Quæ fiducia, quæ constantia mentis mihi post hæc, cum hanc, quam nutrivi in eremi latibulis, meretricio vultu ornatam conspicio? Sed non est tempus ut præfiguretur in facie quod tenetur in corde. Erumpentes lacrimas viriliter stringo, et simulata vultus hilaritate internæ amaritudinem mœstitudinis contego.

STABULARIUS.→

Fortunata Maria, lætare, quia non solum ut hactenus tui coævi, sed etiam senio jam confecti te adeunt, te ad amandum confluunt.

MARIA.→

Quicumque me diligunt æqualem amoris vicem a me recipiunt.

ABRAHAM.→

Accede, Maria, et da mihi osculum.

MARIA.→

Non solum dulcia oscula libabo, sed etiam crebris senile collum amplexibus mulcebo.

ABRAHAM.→

Hoc volo.

MARIA.→

Quid sentio? Quid stupendæ novitatis gustando haurio? Ecce, odor istius fragrantiæ prætendit fragrantiam mihi quondam usitatæ abstinentiæ.

ABRAHAM.→

Nunc, nunc simulandum, nunc lascivientis more pueri jocis instandum, ne et ego agnoscar præ gravitate, et ipsa se reddat latibulis præ pudore.

MARIA.→

Væ mihi infelici! Unde cecidi, et in quam perditionis foveam corrui?

ABRAHAM.→

Hic non est aptus querelæ locus, ubi convivarum confluit conventus.

STABULARIUS.→

Domna Maria, cur suspiria trahis? Cur mades lacrimis? Nonne per biennium hic conversabaris, et numquam ex te gemitus prorupit, numquam tristior sermo prodiit.

MARIA.→

O utinam fuissem ante trium annorum spatia morte absumpta, ne ad tanta devenirem flagitia.

ABRAHAM.→

Non ut tua tecum[276] peccata plangerem adveni, sed ut tuo jungerer amori.

MARIA.→

Levi compunctione permovebar, ideo talia fabar. Sed epulemur et lætemur, quia, ut monuisti, hic non est tempus peccata plangendi.

ABRAHAM.→

Affatim refecti, affatim sumus ebriati tua largitate administrante, o bone Stabulari; da licentiam a cœna surgendi, quo lassum corpus in stratum componam dulcique quiete recreem.

STABULARIUS.→

Ut libet.

MARIA.→

Surge, domne mi, surge; tecum pariter tendam ad cubile.

ABRAHAM.→

Placet. Nullatenus cogi possem ut te non comitante exirem.

SCENA SEPTIMA.→

MARIA.→

Ecce triclinium ad inhabitandum nobis aptum; ecce lectus haud vilibus stramentis compositus. Sede, ut tibi detraham calciamenta, ne tu ipse fatigeris discalciando[277].

ABRAHAM.→

Muni prius seris ostium, ne quis introeundi inveniat aditum.

MARIA.→

Super hoc ne solliciteris; faciam ut nulli ad nos tribuatur accessus facilis.

ABRAHAM.→

Tempus ablato capitis velamine quis sim aperire.—O adoptiva filia, o meæ pars animæ, Maria, agnoscisne me senem, qui te paterno amore nutrivi, qui te cœlestis Regis unigenito desponsavi?

MARIA.→

Hei mihi! Pater et magister meus Abraham est qui loquitur.

ABRAHAM.→

Quid contigit tibi, filia?

MARIA.→

Gravis miseria.

ABRAHAM.→

Quis te decepit? Quis te seduxit?

MARIA.→

Qui protoplastos prostravit.

ABRAHAM.→

Ubi est angelica illa, quam in terris egisti, conversatio?

MARIA.→

Prorsus perdita.

ABRAHAM.→

Ubi est verecundia tua virginalis? Ubi continentia admirabilis?

MARIA.→

Evacuata.

ABRAHAM.→

Quam mercedem, nisi resipiscas, pro jejuniorum, orationum, vigiliarum sudore ultra potes sperare, cum velut lapsa ab altitudine cœli dimersa es in profundum inferni?

MARIA.→

Eh heu!

ABRAHAM.→

Quare me despexisti? Quare deseruisti? Quare eventum tuæ perditionis mihi non indicasti, quo ego, cum dilecto meo Ephrem, dignam pro te pœnitentiam agerem?

MARIA.→

Postquam lapsa in peccatis corrui, tuæ sanctitati polluta proximare non præsumpsi.

ABRAHAM.→

Quis umquam a peccato extitit immunis, nisi solus filius Virginis?

MARIA.→

Nullus.

ABRAHAM.→

Humanum est peccare, diabolicum in peccatis durare, nec jure reprehenditur qui subito cadit, sed qui citius surgere neglegit.

MARIA.→

Hei mihi infelici!

ABRAHAM.→

Cur decidis? Cur in terra jaces immobilis? Erigere et quæ dicam percipe.

MARIA.→

Pavore concussa corrui, quia vim paternæ monitionis ferre nequivi.

ABRAHAM.→

Attende mei in te dilectionem et depone timorem.

MARIA.→

Nequeo.

ABRAHAM.→

Nonne tui causa desiderabilem eremi habitationem reliqui, omnemque[278] regularis observantiam conversationis pene evacuavi, in tantum ut ego verus eremicola, factus sum lascivientium conviva, et qui diu silentio studebam, jocularia verba, ne agnoscerer, proferebam? Cur demisso vultu terram inspicis? Cur respondendo mecum verba miscere dedignaris?

MARIA.→

Proprii conscientia reatus confundor. Ideo nec oculos ad cœlum levare, nec sermonem tecum præsumo conserere.

ABRAHAM.→

Noli diffidere, filia, noli desperare; sed emerge de abysso desperationis et fige in Deo spem mentis.

MARIA.→

Enormitas peccatorum prostravit me in desperationis profundum.

ABRAHAM.→

Peccata quidem tua sunt gravia, fateor[279]; sed superna pietas major est omni creatura. Unde tristitias rumpe, datumque pœnitendi spatiolum pigritando noli neglegere, quatinus superabundet divina gratia ubi superabundavit facinorum abominatio.

MARIA.→

Si ulla promerendæ spes suæ veniæ inesset, studium pœnitendi minime deesset.

ABRAHAM.→

Miserere meæ quam pro te subii lassitudinis, et depone perniciosam desperationem, quam omnibus commissis non nescimus esse graviorem. Qui enim peccantibus Deum misereri velle desperat, inremediabiliter peccat, quia sicut scintilla silicis pelagus nequit inflammare, ita nostrorum acerbitas peccaminum divinæ dulcedinem benignitatis non valet immutare.

MARIA.→

Non enim supernæ magnificentiam pietatis nego, sed proprii enormitatem sceleris considerando, ad dignæ satisfactionem[280] pœnitentiæ vereor non sufficere.

ABRAHAM.→

In me sit iniquitas tua; tantummodo revertere ad locum unde existi, et ini secundo conversationem, quam deseruisti.

MARIA.→

In nullo umquam tui renitor votis, sed quæ jubes obtemperanter amplector[281].

ABRAHAM.→

Nunc fateor te vere meam[282] quam nutrivi filiam, nunc censeo te præ omnibus fore diligendam.

MARIA.→

Aliquantulum auri vestiumque possideo, quod tua de his auctoritas decreverit expecto.

ABRAHAM.→

Quæ acquisivisti peccando cum ipsis peccatis sunt abjicienda.

MARIA.→

Rebar pauperibus eroganda, seu sacris esse altaribus offerenda.

ABRAHAM.→

Non satis acceptabile munus Deo esse comprobatur, quod criminibus adquiritur.

MARIA.→

Nulla super his ultra sollicitudine fatigar.

ABRAHAM.→

Matuta nitescit, lucescit, abeamus.

MARIA.→

Tuum est, pater amande, ut ad instar boni pastoris præcedas repertam ovem, et ego paribus incedens vestigiis subsequor præcedentem.

ABRAHAM.→

Haud ita; sed ego pedibus incedam, te autem equo superponam, ne itineris asperitas secet teneras plantas.

MARIA.→

O, quem te memorem, quam tibi gratiarum impendam recompensationem, qui me indignam miseratione non terrore cogis, sed miti condescensione ad pœnitentiam hortaris?

ABRAHAM.→

Nihil aliud a te expeto, nisi ut reliquum vitæ inhærendo insistas Dei obsequio.

MARIA.→

Spontanea mente inhæream, pro viribus insistam et, si facultas desit posse, numquam tamen deerit velle.

ABRAHAM.→

Convenit ut, quo studio deserviebas vanitati, famuleris divinæ voluntati.

MARIA.→

Fiat, precor, tuis meritis, ut in me perficiatur voluntas Divinitatis.

ABRAHAM.→

Maturemus reditum.

MARIA.→

Maturemus; nam me tædet morarum.

SCENA OCTAVA.→

ABRAHAM.→

Quanta celeritate asperi difficultatem itineris transcurrimus!

MARIA.→

Quod devote agitur, facile perficitur.

ABRAHAM.→

Ecce tua deserta cellula.

MARIA.→

Hei mihi! Ipsa mei sceleris est conscia, ideo ingredi formido.

ABRAHAM.→

Et merito; fugiendus est quippe locus, in quo hostem sequitur triumphus[283].

MARIA.→

Et ubi me decernis compunctioni vacare?

ABRAHAM.→

Ingredere in cellulam[284] interiorem, ne vetustus serpens decipiendi ultra inveniat occasionem.

MARIA.→

Non contra luctor, sed quæ jubes amplector.

ABRAHAM.→

Familiarem meum Ephrem accedam, quo ipse, qui solus mecum tuæ condoluit perditioni, congaudeat inventioni.

MARIA.→

Competit.

SCENA NONA.→

EPHREM.→

Num mihi aliquid affers gaudii?

ABRAHAM.→

Ac magni.

EPHREM.→

Placet, nec dubito quin Mariam nanciscereris.

ABRAHAM.→

Nanciscebar plane; et gaudens reduxi ad ovile.

EPHREM.→

Divinæ gratia visitationis factum, credo.

ABRAHAM.→

Procul dubio.

EPHREM.→

Vellem scire, qualiter juxta id temporis vitam moresque ordinaverit.

ABRAHAM.→

Juxta meum velle.

EPHREM.→

Hoc illi expedit vel maxime.

ABRAHAM.→

Quicquid ipsi agendum proposui, quamvis difficile, quamvis grave, haud abrogavit subire.

EPHREM.→

Laudabile.

ABRAHAM.→

Nam induta cilicio continuaque vigiliarum et jejunii exercitatione macerata, artissimæ legis observatione corpus tenerum animæ cogit[285] pati imperium.

EPHREM.→

Æquum est ut iniquæ sordes delectationis eliminentur acerbitate castigationis.

ABRAHAM.→

Quisquis ejus lamenta intellegit, mente vulneratur, quisquis compunctionem sentit et ipse compungitur.

EPHREM.→

Solet fieri.

ABRAHAM.→

Elaborat pro viribus, ut quibus causa fuit perditionis fiat exemplum conversionis.

EPHREM.→

Consequens est.

ABRAHAM.→

Nititur ut quanto extitit fœdior, tanto appareat nitidior.

EPHREM.→

Jucundor[286] audiendo, præcordialique[287] lætor gaudimonio.

ABRAHAM.→

Et merito, nam phalanges angelicæ gaudentes Dominum laudant super peccatoris conversione.

EPHREM.→

Nec mirum; nullius namque justi magis delectatur perseverantia, quam impii pœnitentia.

ABRAHAM.→

Unde in illa tanto justius laudatur, quanto ultra resipisci posse desperabatur.

EPHREM.→

Congratulantes laudemus, laudantes glorificemus unigenitum et venerabilem, dilectum et clementem Dei filium, qui non vult perire quos sui sacro redemit sanguine.

ABRAHAM.→

Ipsi honor, gloria, laus[288] et jubilatio per infinita sæcula. Amen.

[242] Hæc verba desunt in codice. Vid. supra, pag. 112, not. a^{167}.

[243] Codex et Celtes hic et semper: *heremicolæ*.

[244] Codex: *Effrem*, et sic semper.

[245] Sic codex.—Celtes: *commodari*.

[246] Verba *nobis* et *que*, a Celte omissa ex codice recepimus.

[247] Sic codex.—Celtes: *non*. Conjunctionem *si* cum interrogationis sensu restituimus.

[248] Codex: *mansurni*.—Ibi et ubique *mensurnus* pro anni intervallo usurpatur. Vide infra *Paphnutium* et *Sapientiam*.

[249] Sic ex emendatione Celtis.—Codex: *dispensari*.

[250] Codex: *cœlebis*.

[251] Hæc est Plautina vox.—Celtes: *adoptiva*.—Codex: *adoptitia*.

[252] Sic Celtes.—Codex omittit hic voculam *meæ*, qua usus est paulo infra.

[253] Celtis lectionem sequimur.—Codex: *pertransies*.

[254] Sic Celtes.—Codex: *negare.*

[255] Sic emendavit Celtes.—Codex: *exilivit.*

[256] Sic Gust. Freytag in nova hujus comœdiæ editione (Vratislaviæ, 1839).—Codex et Celtes: *his celamentis.*

[257] Celtes: *mereri.*

[258] Codex et Celtes; *quasi*, male. Gust. Freytag exemit hunc scrupulum, quem nos jam antea in nostra Gallica translatione vitavimus; vid. *Théâtre européen*, Paris, 1835, in-8º.

[259] Codex: *foras.*

[260] Codex: *reminiscer.*

[261] Hic conjunctio *si* vim habet non solum dubitandi, sed et negandi.

[262] Nomen hujus personæ et sequentis desunt in codice.

[263] Codex: *quod.*

[264] Celtes: *rem.*

[265] Codex: *frenas.*—Celtes: *frena.*

[266] Sic Celtes.—Codex: *hoc*, perperam.

[267] Celtes et Schurzfleisch: *quia*, perperam.

[268] Sic codex.—Celtes: *assimulari.*

[269] Celtes: *sollicitare.*

[270] Codex et Celtes: *qua*, absque sensu.

[271] Celtes omisit *in.*

[272] Sic codex.—Celtes: *sub spem*, male.

[273] Codex: *stabularie.*

[274] Codex et Celtes: *observari.*

[275] Sic codex.—Celtes non iterat vocem *procede.*

[276] Celtes omittit *tecum.*

[277] Codex: *discalciendo.*

[278] Particula enclitica *que* deest in Celtis editione.

[279] Celtes omisit verbum *fateor.*

[280] Codex: *factisfactionem.*

[281] Sic codex.—Celtes: *amplectar.*

[282] Verbum *meam* deest in Celte.

[283] Ita codex.—Celtes: *triumphis* et superiore versu *fugiendum.*

[284] Sic codex optime.—Celtes: *cellam.*

[285] Sic codex.—Celtes: *coegit.*

[286] Codex hic et passim: *Jocundor, jocunditas.*—Celtes: *Jocundior.*

[287] Sic codex.—Celtes, Schurzfleisch et G. Freytag: *Jocundior audiendo precor, dialique lætor gaudimonio.*

[288] Vocem *laus* omittit Celtes.

V.

PAPHNUTIUS.

ARGUMENTUM IN PAPHNUTIUM[289].→

––––––––

Conversio Thaidis meretricis, quam Paphnutius eremita, æque ut Abraham, sub specie adiens amatoris convertit et data pœnitentia per quinquennium in angusta cellula conclusit, donec digna satisfactione Deo reconciliata, quinta decima peractæ pœnitentiæ die, obdormivit in Christo.

PAPHNUTIUS.→

––––––––

DRAMATIS PERSONÆ.

PAPHNUTIUS.
DISCIPULI.
THAIS.

––––––––

SCENA PRIMA.→

––––––––

DISCIPULI.→

Cur obscurum, pater, vultum nec solito geris, Paphnuti, serenum?

PAPHNUTIUS.→

Cujus cor contristatur, ejus et vultus obscuratur.

DISCIPULI.→

Pro qua re contristaris?

PAPHNUTIUS.→

Pro injuria Factoris.

DISCIPULI.→

Quæ hæc injuria?

PAPHNUTIUS.→

Ipsam quam a propria patitur creatura ad sui imaginem condita.

DISCIPULI.→

Terruisti nos dictu.

PAPHNUTIUS.→

Licet illa impassibilis majestas affici non possit injuriis, tamen, ut suum[290] nostræ fragilitatis metaphorice transferam in Deum, quæ major injuria dici potest, quam, quod ejus imperio, cujus gubernaculis major mundus obtemperanter subditur, solus minor contra luctetur?

DISCIPULI.→

Quis est minor mundus?

PAPHNUTIUS.→

Homo.

DISCIPULI.→

Homo?

PAPHNUTIUS.→

Porro.

DISCIPULI.→

Quis[291] homo?

PAPHNUTIUS.→

Omnis.

DISCIPULI.→

Qui potest fieri?

PAPHNUTIUS.→

Ut placuit Creatori.

DISCIPULI.→

Non sapimus.

PAPHNUTIUS.→

Non obvium est perpluribus.

DISCIPULI.→

Expone.

PAPHNUTIUS.→

Intendite.

DISCIPULI.→

Ac prompta mente.

PAPHNUTIUS.→

Sicut enim major mundus ex quatuor contrariis elementis, sed ad votum Creatoris secundum harmonicam moderationem concordantibus perficitur, ita et homo non solum ab eisdem elementis, sed etiam ex magis contrariis partibus coaptatur.

DISCIPULI.→

Et quid magis contrarium quam elementa?

PAPHNUTIUS.→

Corpus et anima, quia licet illa sint contraria, tamen sunt corporalia; anima autem[292] nec mortalis, ut corpus, nec corpus spiritale[293], ut anima.

DISCIPULI.→

Ita.

PAPHNUTIUS.→

Si tamen dialecticos sequimur[294], nec illa contraria esse fatemur.

DISCIPULI.→

Et quis potest negare?

PAPHNUTIUS.→

Qui dialectice scit disputare, quia *usiæ* nihil est contrarium, sed receptatrix est contrariorum.

DISCIPULI.→

Quid sibi vult quod dixisti, secundum harmonicam moderationem?

PAPHNUTIUS.→

Id scilicet, quod, sicut pressi excellentesque soni harmonice conjuncti quiddam perficiunt musicum, ita dissona elementa convenienter concordantia unum perficiunt mundum.

DISCIPULI.→

Mirum quomodo dissona concordari vel concordantia possint dissona dici.

PAPHNUTIUS.→

Quia nihil ex similibus componi videtur, nec ex his, quæ nulla rationis proportione junguntur, et a se omni substantia naturaque discreta sunt.

DISCIPULI.→

Quid est musica?

PAPHNUTIUS.→

Disciplina una de philosophiæ quadruvio.

DISCIPULI.→

Quid est hoc quod dicis quadruvium?

PAPHNUTIUS.→

Arithmetica, geometrica, musica, astronomica.

DISCIPULI.→

Cur quadruvium?

PAPHNUTIUS.→

Quia, sicut a quadruvio semitæ, ita ab uno philosophiæ principio harum disciplinarum prodeunt progressiones rectæ.

DISCIPULI.→

Veremur quiddam investigando rogitare de tribus, quia cœptæ scrupulum disputationis capedine mentis vix penetrare quimus.

PAPHNUTIUS.→

Difficile captu.

DISCIPULI.→

Dic nobis de ea superficie tenus, cujus mentionem in præsenti fecimus.

PAPHNUTIUS.→

Perparum dicere scio, quia eremicolis est incognita.

DISCIPULI.→

Quid agit?

PAPHNUTIUS.→

Musica?

Ipsa.

PAPHNUTIUS.→

Disputat de sonis.

DISCIPULI.→

Utrum est una, an plures?

PAPHNUTIUS.→

Tres esse dicuntur; sed unaquæque ratione proportionis[295] alteri ita conjungitur, ut idem quod accidit uni non deest alteri.

DISCIPULI.→

Et quæ distantia inter tres?

PAPHNUTIUS.→

Prima dicitur mundana sive cœlestis, secunda humana[296], tertia, quæ instrumentis exercetur.

DISCIPULI.→

In quo constat cœlestis?

PAPHNUTIUS.→

In septem planetis et in cœlesti sphæra[297].

DISCIPULI.→

Quomodo?

PAPHNUTIUS.→

Eo videlicet quo illa quæ in instrumentis; quia tot spatia, pares productiones, eædem symphoniæ repperiuntur in his quæ et in chordis.

DISCIPULI.→

Quid sunt spatia?

PAPHNUTIUS.→

Dimensiones, quæ numerantur inter planetas sive inter chordas.

DISCIPULI.→

Et quid productiones?

PAPHNUTIUS.→

Idem quod toni.

DISCIPULI.→

Nec horum notitia nos tangit.

PAPHNUTIUS.→

Tonus fit ex duobus sonis et possidet rationem epogdoi[298] numeri sive sesquioctavi.

DISCIPULI.→

Quanto velocius præposita investigando satagimus transire, tanto difficiliora nobis non desinis apponere.

PAPHNUTIUS.→

Hoc exigit hujusmodi disputatio.

DISCIPULI.→

Edissere summotenus aliquantulum de symphoniis, quo saltim sciamus significationem nominis.

PAPHNUTIUS.→

Symphonia dicitur modulationis temperamentum.

DISCIPULI.→

Quare?

PAPHNUTIUS.→

Quia nunc quatuor, nunc quinque, nunc octo sonis perficitur.

DISCIPULI.→

Quia tres esse cognoscimus, singularum vocabula dinoscere cupimus.

PAPHNUTIUS.→

Prima dicitur diatessaron, quasi ex quatuor, et possidet proportionem epitritam sive sesquitertiam; secunda diapente, quæ constat ex[299] quinque et est in ratione hemiolii sive sesquialteri; tertia diapason[300]; hæc fit in duplo, perficiturque sonitibus octo.

DISCIPULI.→

Num sphæra et planetæ proferunt sonum, ut mereantur comparationem chordarum?

PAPHNUTIUS.→

Ac maximum.

DISCIPULI.→

Cur non auditur?

PAPHNUTIUS.→

Multifariam exponunt. Alii autumant non audiri posse propter assiduitatem; alii propter aëris spissitudinem. Quidam autem ferunt, quod tanti enormitas sonitus artos aurium nequeat intrare meatus. Sunt etiam qui dicunt, quod sphæra tam jucundum, tam dulcem efferat sonum, ut si audiretur omnes in commune homines semet ipsis neglectis omnibusque postpositis studiis ducentem sonum ab oriente sequerentur in occidentem.

DISCIPULI.→

Præstat ut non audiatur.

PAPHNUTIUS.→

Hoc a Creatore præsciebatur.

DISCIPULI.→

Sit satis de ista, prosequere de humana.

PAPHNUTIUS.→

Quid de illa?

DISCIPULI.→

In quo percipiatur.

PAPHNUTIUS.→

Non solum, ut dixi, in compagine corporis et animæ, necnon in emissione nunc gravis, nunc claræ vocis, sed etiam in pulsibus[301] venarum atque in quorumdam mensura membrorum, sicut in articulis digitorum, in quibus easdem proportiones mensurando repperimus, quas in symphoniis præmisimus, quia musica dicitur convenientia non solum vocum, sed etiam aliarum dissimilium rerum.

DISCIPULI.→

Si præsciremus[302] quod hujusmodi nodus quæstionis tam difficilis ad solvendum esset insciis, maluissemus minorem mundum nescire, quam tantum difficultatis subire.

PAPHNUTIUS.→

Nil officit quod elaborastis, cum ante ignorata experti estis.

DISCIPULI.→

Verum; sed tædet nos philosophicæ disputationis, quia nequimus[303] sensu emetiri scrupulum tuæ rationis.

PAPHNUTIUS.→

Cur me illuditis, qui plane sum nescius, non philosophus?

DISCIPULI.→

Et unde tibi hæc, quæ nos fatigando protulisti?

PAPHNUTIUS.→

Tenuem scientiæ guttulam, quam de plenis sciorum pateris[304] effluentem, non ad colligendum residens, sed casu præteriens, repertam elambi, vobiscum communicare studui.

DISCIPULI.→

Gratulamur tuæ benignitati, sed terremur sententia Apostoli dicentis: *Nam stulta mundi elegit Deus, ut confunderet sophistica.*

PAPHNUTIUS.→

Sive stultus sive sophista perversa operentur[305], confusionem a Deo merentur[306].

DISCIPULI.→

Ita.

PAPHNUTIUS.→

Nec scientia scibilis Deum offendit, sed injustitia scientis.

DISCIPULI.→

Verum.

PAPHNUTIUS.→

Et in cujus laudem dignius justiusque scientia artium retorquetur, quam in ejus, qui scibile fecit et scientiam dedit?

DISCIPULI.→

In nullius.

PAPHNUTIUS.→

Quanto enim mirabiliori lege Deum omnia in numero et mensura et pondere posuisse quis agnoscit, tanto in ejus amore ardescit.

DISCIPULI.→

Nec injuria.

PAPHNUTIUS.→

Sed quid moror in istis, quæ nobis minimum offerunt delectationis?

DISCIPULI.→

Enuclea nobis causam tui mœroris, ne diutius frangamur pondere curiositatis.

PAPHNUTIUS.→

Si quando experiemini, auditu non delectabimini.

DISCIPULI.→

Haud raro contristatur qui curiositatem sectatur; sed tamen hanc nequimus superare, quia familiaris est fragilitati nostræ.

PAPHNUTIUS.→

Quædam impudens femina moratur in hac patria.

DISCIPULI.→

Res civibus periculosa.

PAPHNUTIUS.→

Hæc miranda prænitet pulchritudine, et horrenda sordet turpitudine.

DISCIPULI.→

Miserabile! Quid vocatur?

PAPHNUTIUS.→

Thais.

DISCIPULI.→

Illa meretrix?

PAPHNUTIUS.→

Ipsa.

DISCIPULI.→

Ejus infamia nulli est incognita.

PAPHNUTIUS.→

Nec mirum, quia non dignatur cum paucis ad interitum tendere, sed prompta est omnes lenociniis suæ formæ illicere, secumque ad interitum trahere.

DISCIPULI.→

Lugubre.

PAPHNUTIUS.→

Nec solum nugaces vilitatem suæ familiaris rei dissipant illam colendo, sed etiam præpotentes viri pretiosæ varietatem supellectilis pessum dant, non absque sui damno hanc ditando.

DISCIPULI.→

Horrescimus auditu.

PAPHNUTIUS.→

Greges amatorum ad illam confluunt.

DISCIPULI.→

Se ipsos perdunt.

PAPHNUTIUS.→

Qui amentes, dum cæco corde quis illam adeat contendunt, convicia congerunt.

DISCIPULI.→

Unum vitium parat aliud.

PAPHNUTIUS.→

Deinde inito certamine, nunc ora naresque pugnis frangendo, nunc armis vicissim ejiciendo, decurrentis illuvie sanguinis madefaciunt limina lupanaris.

DISCIPULI.→

O nefas detestabile!

PAPHNUTIUS.→

Hæc injuria quam deflevi Factoris, hæc est causa mei doloris.

DISCIPULI.→

Merito super hoc contristaris, nec dubitamus, quin tecum contristentur cives patriæ cœlestis.

PAPHNUTIUS.→

Quid si illam adeam sub specie amatoris, si forte revocari possit ab intentione nugacitatis?

DISCIPULI.→

Qui tuæ cogitationi instillavit velle, ipse præstet efficaciam posse.

PAPHNUTIUS.→

Fulcite me interim precibus assiduis, ne superer insidiis vitiosi serpentis.

DISCIPULI.→

Qui regem prostravit tenebricolarum, largiatur tibi contra hostem triumphum.

SCENA SECUNDA.→

PAPHNUTIUS.→

Ecce juvenes in foro; illos primum adibo, et ubi hanc quam quæro inveniam rogabo.

JUVENES.→

En, ignotus quidam nos adit; experiemur quid velit.

PAPHNUTIUS.→

Heus, Juvenes, qui[307] estis?

JUVENES.→

Urbicolæ hujus civitatis.

PAPHNUTIUS.→

Avete.

JUVENES.→

Et tu salve, sive sis hujus patriæ indigena, sive advena.

PAPHNUTIUS.→

Advena nunc advenio.

JUVENES.→

Cur advenis? Quid quæris?

PAPHNUTIUS.→

Non est dicendum.

JUVENES.→

Quare?

PAPHNUTIUS.→

Quia mihi secretum.

JUVENES.→

Melius ut proferas, quia si non es nostras, difficile poteris aliquod[308] inter nos negotium absque consilio peragere incolarum.

PAPHNUTIUS.→

Quid si dixero, et dicendo aliquod mihi[309] impedimentum excitavero?

JUVENES.→

Non a nobis.

PAPHNUTIUS.→

Lætis promissionibus cedo, vestræque fidei confidens secretum enucleo.

JUVENES.→

Nihil nostra de parte infidelitatis, nihil tibi obviabit contrarietatis.

PAPHNUTIUS.→

Quorumdam relatu comperi mulierem secus vos commorari omnibus amabilem, omnibus affabilem.

JUVENES.→

Nosti ejus nomen?

PAPHNUTIUS.→

Novi.

JUVENES.→

Quid vocatur?

PAPHNUTIUS.→

Thais.

JUVENES.→

Ipsa nostratium est ignis.

PAPHNUTIUS.→

Ferunt illam mulierem pulcherrimam, omnium esse
delicatissimam.

JUVENES.→

Qui retulere nihil fefellere.

PAPHNUTIUS.→

Ipsius causa difficilis prolixitatem viæ surripui; ipsam ut viderem
adveni.

JUVENES.→

Nullum tibi obstat impedimentum eam videndi.

PAPHNUTIUS.→

Ubi moratur?

JUVENES.→

Ecce, mansio in proximo.

PAPHNUTIUS.→

Hæc quam indice proditis?

JUVENES.→

Ipsa.

PAPHNUTIUS.→

Illo pergam.

JUVENES.→

Si placet, tecum pergemus.

PAPHNUTIUS.→

Malo ire solus.

JUVENES.→

Ut libet.

SCENA TERTIA.→

PAPHNUTIUS.→

Tu istæc intro, Thais, quam quæro?

THAIS.→

Quis hic qui loquitur ignotus?

PAPHNUTIUS.→

Amator tuus.

THAIS.→

Quicumque me amore colit[310], æquam vicem amoris a me recipit.

PAPHNUTIUS.→

O Thais, Thais, quanta gravissimi itineris currebam spatia, quo mihi daretur copia tecum fandi, tuique faciem contemplandi.

THAIS.→

Nec aspectum subtraho, nec colloquium denego.

PAPHNUTIUS.→

Secretum nostræ confabulationis desiderat solitudinem loci secretioris.

THAIS.→

Ecce cubile bene stratum et delectabile ad inhabitandum.

PAPHNUTIUS.→

Estne hic aliud penitius, in quo possimus colloqui secretius?

THAIS.→

Est etenim aliud occultum tam secretum, ut ejus penetral nulli præter me, nisi Deo, est[311] cognitum.

PAPHNUTIUS.→

Cui Deo?

THAIS.→

Vero.

PAPHNUTIUS.→

Credis illum aliquid scire?

THAIS.→

Non nescio illum nihil latere.

PAPHNUTIUS.→

Utrumne reris illum facta pravorum neglegere, an sui æquitatem servare?

THAIS.→

Æstimo ipsius æquitatis lance singulorum merita pensari, et unicuique, prout gessit, sive supplicium, sive præmium servari.

PAPHNUTIUS.→

O Christe, quam miranda tuæ circa nos benignitatis patientia, qui te scientes vides peccare et tamen tardas perdere!

THAIS.→

Cur contremiscis mutato colore? Cur fluunt lacrimæ?

PAPHNUTIUS.→

Tui præsumptionem horresco, tui perditionem defleo, quia hæc nosti, et tantas animas perdidisti.

THAIS.→

Væ, væ mihi infelici!

PAPHNUTIUS.→

Tanto justius damnaberis, quanto præsumptuosius scienter offendisti majestatem Divinitatis.

THAIS.→

Heu, heu, quid agis? Quid infelici minitaris?

PAPHNUTIUS.→

Supplicium tibi imminet gehennæ, si permanebis in scelere.

THAIS.→

Severitas tuæ correptionis concussit penetral pavidi cordis.

PAPHNUTIUS.→

O utinam esses viscera tenus concussa timore, ne ultra præsumeres periculosæ delectationi assensum præbere.

THAIS.→

Et quis posthæc locus pestiferæ delectationi in meo corde potest relinqui, ubi solum intestini mœroris amaritudo consciique reatus nova dominatur formido?

PAPHNUTIUS.→

Hoc opto, quo resectis vitiorum spinis emergere possit flumen[312] compunctionis.

THAIS.→

O, si crederes, o, si sperares me sordidulam, millies millenis sordium oblitam offuscationibus, ullatenus posse expiari, seu ullo compunctionis modo veniam promereri!...

PAPHNUTIUS.→

Nullum enim grave peccatum, nullum tam immane est delictum, quod nequeat expiari pœnitentiæ lacrimis, si effectus sequetur operis.

THAIS.→

Ostende, quæso, mi pater, quo effectu operis promereri queam munus reconciliationis.

PAPHNUTIUS.→

Contemne sæculum, fuge lascivorum consortia amasionum.

THAIS.→

Et quid mihi tunc erit agendum?

PAPHNUTIUS.→

In secretum locum secedendum, in quo te ipsam discutiendo possis lamentari enormitatem tui delicti.

THAIS.→

Si hoc speras proficere, non addo momentum morulæ.

PAPHNUTIUS.→

Non dubito quin prosit.

THAIS.→

Da mihi aliquantuli spatium tempusculi, ut proferam mammonam, quam male collectam diu servavi.

PAPHNUTIUS.→

Ne solliciteris[313] pro ea. Non desunt, qui utentur inventa.

THAIS.→

Non ob id sollicitor, ut vel mihi servare, vel amicis vellem dare; sed nec egenis conor dispensare, quia non arbitror pretium piaculi[314] aptum esse ad opus beneficii.

PAPHNUTIUS.→

Recte arbitraris. Et quid de congestis actum ire meditaris?

THAIS.→

Igni tradere et in favillam redigere.

PAPHNUTIUS.→

Quamobrem?

THAIS.→

Ne retineantur in mundo, quæ male adquisivi non absque mundi Factoris injuria.

PAPHNUTIUS.→

O quam[315] mutata es ab illa, quæ prius eras, quando inlicito amore flagrabas, avaritiæ calore æstuabas.

THAIS.→

Fortasse mutabor in melius, si annuerit Deus.

PAPHNUTIUS.→

Non est difficile immutabili ejus substantiæ res ut libet mutare.

THAIS.→

Ibo, et quæ cogitavi opere complebo.

PAPHNUTIUS.→

Vade in pace, citiusque ad me revertere.

SCENA QUARTA.→

Convenite, properamini, nequam amatores mei.

AMATORES[316].→

Vox Thaidis nos vocantis. Adventum maturemus, ne illam tardando offendamus.

THAIS.→

Accelerate, accedite, ut queam vobiscum verba miscere.

AMATORES.→

O Thais, Thais, quid sibi vult rogus, quem construis? Cur pretiosarum varietatem divitiarum juxta rogum congeris?

THAIS.→

Rogatis?

AMATORES.→

Admiramur satis.

THAIS.→

Exponam citius.

AMATORES.→

Hoc optamus.

THAIS.→

Aspicite.

AMATORES.→

Quiesce, quiesce, Thais. Quid agis? Num insanis?

THAIS.→

Non insanio, sed sanum sapio.

AMATORES.→

Ut quid hæc perditio quadringentarum auri librarum, cum aliarum diversitate gazarum?

THAIS.→

Omne quod injuste a vobis extorsi igne volo cremari, ne ullus fomes vobis relinquatur sperandi me ultra vestro amori cedendi.

AMATORES.→

Subsiste paulisper, subsiste, et materiam tuæ perturbationis detege.

THAIS.→

Non subsisto, nec sermonem vobiscum confero.

AMATORES.→

Cur dedignando nos fastidis? Num alicujus infidelitatis nos arguis? Nonne semper satisfecimus tuis votis? Et tu iniquo odio nos gratis insectaris.

THAIS.→

Dimittite, nolite vestem meam adtrahendo scindere. Sit satis, quod huc usque peccando vobis consensi. Finis instat peccandi, tempusque nostri discidii.

AMATORES.→

Quo tendit[317]?

THAIS.→

Ubi nemo vestrum posthac me videbit.

AMATORES.→

Papæ! Quid hoc monstri est, quod nostri deliciæ[318] Thais, quæ divitiis affluere[319] semper laboravit, quæ mentem a lascivia numquam retraxit et se voluptati penitus dedit, tanta auri gemmarumque insignia absque retractatione perdidit, et nos sui amasiones dedignando sprevit subitoque non comparuit?

SCENA QUINTA.→

THAIS.→

En, pater Paphnuti, venio ad obsequendum tibi promptissima.

PAPHNUTIUS.→

Quia moram in veniendo fecisti, coartabar nimis verendo te iterum implicitam esse sæcularibus negotiis.

THAIS.→

Ne id vereare, quia multo aliud mihi versatur[320] in mente. Nam res familiares juxta velle meum disposui, meisque amasionibus publice abrenuntiavi.

PAPHNUTIUS.→

Quia his abrenuntiasti, superno amatori jam nunc poteris copulari.

THAIS.→

Tuum est mihi velut radio præscribere quid me oporteat factum ire.

PAPHNUTIUS.→

Sequere me.

THAIS.→

Sequar enim ambulatione; o utinam sequerer[321] et actione!

SCENA SEXTA.→

PAPHNUTIUS.→

Ecce cœnobium, in quo sacrarum virginum nobile commoratur collegium. Eo loci gestio te mansum ire agendæ spatium pœnitentiæ.

THAIS.→

Non contra luctor.

PAPHNUTIUS.→

Intrabo, et abbatissam[322] ductricem virginum pro tui susceptione placabo.

THAIS.→

Quid jubes me interim agere?

PAPHNUTIUS.→

Mecum pergere.

THAIS.→

Ut jubes.

PAPHNUTIUS.→

Ecce, abbatissa occurrit. Admiror quis illi nos adesse tam cito retulerit.

THAIS.→

Fama, quæ nulla stringitur mora.

SCENA SEPTIMA.→

PAPHNUTIUS.→

Opportune occurris, illustris abbatissa, te ipsam quæro.

ABBATISSA.→

Gratanter advenis, venerande pater Paphnuti; benedictus tui adventus, dilecte Dei.

PAPHNUTIUS.→

Beatitudinem æternæ benedictionis infundat tibi gratia Omniparentis.

ABBATISSA.→

Unde hoc mihi ut Sanctitas tua dignaretur invisere exiguitatem habitationis meæ?

PAPHNUTIUS.→

Opus est tuo juvamine in aliqua sollicitanda necessitate.

ABBATISSA.→

Jube solum modo levi famine quid me velis agere, et ego tui jussa complere tuisque votis studebo pro viribus satisfacere.

PAPHNUTIUS.→

Attuli capellam semivivam, dentibus luporum nuper abstractam, quam tui miseratione foveri, tui sollicitudine gestio mederi, quoadusque abjecta hædinæ pellis austeritate, ovini velleris induatur mollitie.

ABBATISSA.→

Exprime rem[323] enucleatius.

PAPHNUTIUS.→

Istæc quam vides meretricio more vitam instituit.

ABBATISSA.→

Miserabile.

PAPHNUTIUS.→

Seseque totam lasciviæ dedit.

ABBATISSA.→

Semet ipsam perdidit.

PAPHNUTIUS.→

At nunc, me hortante Christoque cooperante, frivola quæ sectabatur odiendo[324] refugit, et castum sapit.

ABBATISSA.→

Mutationis auctori grates.

PAPHNUTIUS.→

Quia enim ægritudo animarum, æque ut corporum, contrariis[325] curanda est medelis, consequens est, ut hæc a solita sæcularium[326] inquietudine sequestrata sola in angusta retrudatur cellula, quo liberius possit discutere sui crimina.

ABBATISSA.→

Hoc potissimum prodest.

PAPHNUTIUS.→

Manda, ut quantocius cellula construatur.

ABBATISSA.→

Parvo spatio perficiatur[327].

PAPHNUTIUS.→

Nullus introitus, nullus relinquatur aditus, sed solummodo exigua fenestra, per quam modicum possit victum accipere, quem statutis diebus et horis illi debebis[328] parce præbitum ire.

ABBATISSA.→

Vereor quod delicatæ teneritudo mentis ægre patiatur difficultatem tanti laboris.

PAPHNUTIUS.→

Ne id vereare: nam grave delictum forte desiderat sperare remedium.

ABBATISSA.→

Verum.

PAPHNUTIUS.→

Tædet me magis morarum, quia timeo illam corrumpi visitatione hominum.

ABBATISSA.→

Cur tædium pateris? Cur illam non includis? Ecce cellula quam desiderasti est perfecta.

PAPHNUTIUS.→

Placet. Ingredere, Thais, habitaculum tuis facinoribus deflendis satis congruum.

THAIS.→

Quam breve, quam obscurum et quam incommodum tenellæ mulieri ad inhabitandum!

PAPHNUTIUS.→

Cur habitaculum execraris? Cur ingredi horrescis? Decet ut, quæ hactenus fuisti indomite vaga, nunc tandem in solitario refreneris loco.

THAIS.→

Mens assueta lasciviæ haud raro impatiens est anterioris vitæ.

PAPHNUTIUS.→

Ideo debet habenis disciplinæ stringi, quoadusque desinat contra luctari.

THAIS.→

Quod jubet tua paternitas non recusat subitum ire mea vilitas; sed quædam inopportunitas inest huic habitationi difficilis ad sufferendum meæ fragilitati.

PAPHNUTIUS.→

Quæ hæc importunitas?

THAIS.→

Erubesco dicere.

PAPHNUTIUS.→

Ne erubescas, sed penitus detege.

THAIS.→

Quid inopportunius[329], quidve poterit esse incommodius, quam quod in uno eodemque loco diversa corporis necessaria supplere debebo? Nec dubium, quin ocius fiat inhabitabilis[330] præ nimietate fœtoris.

PAPHNUTIUS.→

Formida perpetis crudelitatem gehennæ, et desine transitoria pertimescere.

THAIS.→

Fragilitas mei cogit me terreri.

PAPHNUTIUS.→

Convenit ut malæ blandimentorum dulcedinem delectationis luas molestia nimii fœtoris.

THAIS.→

Non recuso, non nego me sordidam non injuria fœdo sordidoque habitatum ire in tugurio; sed hoc dolet[331] vehementius, quod nullus est relictus locus, in quo apte et caste possim tremendæ nomen Majestatis invocare.

PAPHNUTIUS.→

Et unde tibi tanta fiducia, ut pollutis labiis præsumas proferre nomen impollutæ Divinitatis?

THAIS.→

Et a quo veniam sperare, cujusve salvari possum miseratione, si ipsum prohibeor invocare, cui soli deliqui, et cui uni devotio orationum debet offerri[332]?

PAPHNUTIUS.→

Debes plane orare non verbis, sed lacrimis, non sonoritate tinnulæ vocis, sed compuncti rugitu cordis.

THAIS.→

Et si vetar Deum verbis orare, quomodo possum veniam sperare?

PAPHNUTIUS.→

Tanto celerius mereberis, quanto perfectius humiliaberis. Dic tantum: Qui me plasmasti, miserere mei!

PAPHNUTIUS.→

THAIS.→

Opus est ejus miseratione, ne frangar[333] in dubio certamine.

PAPHNUTIUS.→

Certa viriliter, ut possis triumphum obtinere feliciter.

THAIS.→

Tuum est pro me orare, ut merear palmam victoriæ.

PAPHNUTIUS.→

Non opus est monitu.

THAIS.→

Spero.

PAPHNUTIUS.→

Tempus est optatas solitudinis repetam latebras[334], et caros visitem discipulos. Tuæ igitur sollicitudini, tuæ pietati, venerabilis abbatissa, hanc captivam committo, ut et corpus delicatum mediocriter foveas necessariis, et animam sufficienter reficias saluberrimis monitis.

ABBATISSA.→

Ne solliciteris pro ea, quia eam materno affectu fovebo.

PAPHNUTIUS.→

Vadam.

ABBATISSA.→

In pace.

SCENA OCTAVA.→

DISCIPULI.→

Quis pulsat portam?

PAPHNUTIUS.→

Ego[335].

DISCIPULI.→

Vox Paphnutii patris nostri.

PAPHNUTIUS.→

Amovete pessulum.

DISCIPULI.→

O pater, salve.

PAPHNUTIUS.→

Avete.

DISCIPULI.→

Coartabamur nimium pro diutina absentia tui.

PAPHNUTIUS.→

Juvat quod abfui.

DISCIPULI.→

Quid actum est de Thaide?

PAPHNUTIUS.→

Juxta meum velle.

DISCIPULI.→

Ubi moratur?

PAPHNUTIUS.→

In exigua cellula deflet sui commissa.

DISCIPULI.→

Laus sit summæ Trinitati.

PAPHNUTIUS.→

Et benedictum nomen ejus tremendum nunc et per ævum.

DISCIPULI.→

Amen.

SCENA NONA.→

PAPHNUTIUS.→

Ecce, tres mensurni pœnitentiæ Thaidis transiere, et ego ignoro
utrumne Deo acceptabilis sit ejus compunctio. Surgam, et vadam
ad fratrem meum Antonium, quo mihi manifestetur per ejus
interventum.

SCENA DECIMA.→

ANTONIUS.→

Quid insperatæ jucunditatis accidit? Quid novi gaudii mihi
contigit? Num hic est frater et coeremicola meus Paphnutius? Ipse
est.

PAPHNUTIUS.→

Sum etenim.

ANTONIUS.→

Bene, frater, venisti, bene me adveniendo lætificasti.

PAPHNUTIUS.→

Haud minus tripudio tui visu, quam tu mei adventu.

ANTONIUS.→

Quæ hæc causa tam acceptabilis, tam grata nobis, quæ te huc
duxit de tuis latibulis?

PAPHNUTIUS.→

Enucleo[336].

ANTONIUS.→

Hoc desidero.

PAPHNUTIUS.→

Ante hoc triennium morabatur secus nos quædam meretrix
nomine Thais, quæ non solum sese perditioni dedit, sed etiam
perplures secum ad interitum trahere consuevit.

ANTONIUS.→

Heu! gemenda consuetudo!

PAPHNUTIUS.→

Hanc sub specie amatoris adii, et lascivientem animum nunc suavibus hortamentis blandiendo mulcebam, nunc acrioribus monitis minitando terrebam.

ANTONIUS.→

Hoc temperamentum ejus lasciviæ fuit necessarium.

PAPHNUTIUS.→

Tandem cessit, et spreta reprehensibili consuetudine castitatem elegit, seseque in angustissima cellula concludi consensit.

ANTONIUS.→

Delector audiendo in tantum, ut omnes præcordiorum[337] venæ intrinsecus exiliant gaudendo.

PAPHNUTIUS.→

Decet tui sanctitatem; et ego quidem, licet supra modum gaudeam[338] de conversione, si[339] levi tamen conturbor sollicitudine, eo quod vereor ejus teneritudinem ægre ferre diutinum laborem.

ANTONIUS.→

Ubi adest vera dilectio, non deest pia compassio.

PAPHNUTIUS.→

Unde tuam dilectionem efflagito, ut tu tuique discipuli mecum in orationibus concordando velitis persistere, quoadusque cœlitus demonstretur, utrumne benignitas divinæ miserationis ad indulgentiam mollita sit pœnitentis lacrimis.

ANTONIUS.→

Consentimus tuæ petitioni libenter.

PAPHNUTIUS.→

Nec dubito vos a Deo exauditum iri clementer.

―――――――――

SCENA UNDECIMA.→

―――――――――

ANTONIUS.→

Ecce, evangelica promissio in nobis est impleta.

PAPHNUTIUS.→

Quæ hæc promissio?

ANTONIUS.→

Ea videlicet, quæ consentientes in oratione promisit omnia impetrare posse.

PAPHNUTIUS.→

Quid est?

ANTONIUS.→

Paulo meo discipulo ostensa est quædam visio.

PAPHNUTIUS.→

Voca illum.

ANTONIUS.→

Paule, accede, et quæ vidisti Paphnutio expone.

PAULUS.→

Videbam in visione lectulum candidulis palliolis in cœlo magnifice stratum, cui quatuor splendidulæ[340] virgines præerant, et quasi custodiendo astabant; at ubi jucunditatem miræ claritatis aspiciebam, intra me dicebam: hæc gloria nemini magis congruit, quam patri et domino meo Antonio.

ANTONIUS.→

Tali me non dignor beatitudine.

PAULUS.→

Quo dicto intonuit vox divina dicens: «Non, ut speras, Antonio, sed Thaidi meretrici servanda est hæc gloria.»

PAPHNUTIUS.→

Laus dulcedini tuæ miserationis[341], Christe, unice Dei, quod mei tristitiam tam pie dignatus es consolari.

ANTONIUS.→

Dignus est laudari.

PAPHNUTIUS.→

Ibo, et mei captivam visitabo.

ANTONIUS.→

Tempus est ut illi et spem veniæ et solamen promittas beatitudinis æternæ.

SCENA DUODECIMA.→

PAPHNUTIUS.→

Thais, mea adoptiva filia, aperi fenestram, ut te videam.

THAIS.→

Quis loquitur?

PAPHNUTIUS.→

Paphnutius pater tuus.

THAIS.→

Unde mihi jucunditas tantæ lætitiæ, ut tu me peccatricem digneris[342] visitare?

PAPHNUTIUS.→

Licet per hoc triennium absens essem corpore, haud modicum tamen sollicitus sum[343] pro tui salute.

THAIS.→

Non dubito.

PAPHNUTIUS.→

Expone mihi historiam tuæ conversationis, modumque compunctionis.

THAIS.→

Hoc possum exponere, quod non nescio me nihil dignum Deo egisse.

PAPHNUTIUS.→

Si Deus iniquitates observabit, nemo sustinebit.

THAIS.→

Si tamen quid fecerim vis scire, numerositatem meorum scelerum intra conscientiam, quasi in fasciculum collegi et pertractando mente semper inspexi, quo, sicut naribus numquam[344] molestia fœtoris, ita formido gehennæ non abesset visibus cordis.

PAPHNUTIUS.→

Quia te compunctione punisti, ideo veniam meruisti.

THAIS.→

O utinam!

PAPHNUTIUS.→

Da manum, ut te educam.

THAIS.→

Noli, pater venerande, noli me sordidulam his immunditiis abstrahere, sed sine in loco meis meritis condigno mansum ire.

PAPHNUTIUS.→

Tempus est ut levigato timore incipias vitam sperare, quia tui pœnitentia acceptabilis est Deo.

THAIS.→

Ejus pietati laudem ferant omnes angeli, quia non sprevit humilitatem cordis contriti.

PAPHNUTIUS.→

Esto stabilis in Dei timore, et permane in ejus dilectione; post quindecim namque dies hominem exues[345], et tandem felici cursu peracto, superna favente gratia, transmigrabis ad astra.

THAIS.→

O utinam mererer pœnas evadere, vel saltim clementius exuri mitiori igne! Non est enim hoc mei meriti, ut doner beatitudine interminabili.

PAPHNUTIUS.→

Gratuitum Dei donum non pensat humanum meritum, quia si meritis tribueretur, gratia non diceretur.

THAIS.→

Unde laudet illum cœli concentus, omnisque terræ surculus, nec non universæ animalis species, atque confusæ aquarum gurgites, qui non solum peccantes patitur, sed etiam pœnitentibus præmia gratis largitur.

PAPHNUTIUS.→

Hoc illi antiquitus fuit in more, ut mallet misereri quam ferire.

SCENA TERTIA DECIMA.→

THAIS.→

Noli abire, pater venerabilis; sed adesto mihi pro solatio in hora meæ dissolutionis.

PAPHNUTIUS.→

Non abeo, non[346] discedo, donec anima super æthera plaudente corpus tradam sepulturæ.

THAIS.→

En, incipio mori.

PAPHNUTIUS.→

Nunc est tempus orandi.

THAIS.→

Qui plasmasti me, miserere mei, et fac felici reditu ad te reverti animam quam inspirasti.

PAPHNUTIUS.→

Qui factus a nullo vere es sine materia forma[347], cujus simplex esse hominem, qui non est id quod est, ex hoc et hoc fecit consistere, da diversas partes hujus solvendæ[348] hominis prospere repetere principium sui originis, quo et anima cœlitus indita cœlestibus gaudiis intermisceatur, et corpus in molli gremio terræ suæ materiæ pacifice foveatur, quoadusque pulverea favilla coeunte et vivaci flatu redivivos artus iterum intrante, hæc eadem Thaïs resurgat perfecta, ut fuit, homo, inter candidulas oves collocanda et in gaudium æternitatis inducenda; tu, qui solus es[349] id quod es, in unitate Trinitatis regnas et gloriaris per infinita sæcula sæculorum[350].

---

[289] In hac inscriptione, quam manu sua Celtes superaddidit, *Pafnutius* legitur. Codex *Pafnutium* semper exhibet. Celtes aliquoties in sua editione scribit *Paffnuncium*.

[290] Sic codex.—Celtes: *affectus*.

[291] Codex et Celtes: *qui.*

[292] *Autem* deest in Celte.

[293] Codex: *spiritalis.*

[294] Post vocem *sequimur* inest in codice unius verbi lacuna.

[295] Codex: *proportationis.*—Celtes: *proportionationis.*

[296] Sic codex.—Celtes: *mundana*, perperam.

[297] Codex: *spera*, hic et infra.

[298] *Epogdoi* est emendatio Celtis; Codex habet: *epothoi.*

[299] Hic parva inest in codice lacuna.

[300] Codex: *diateseron* et *diaposon.*

[301] Sic Celtes.—Codex: *impulsibus.*

[302] Sic codex.—Celtes: *præscissemus.*

[303] Celtes: *nescimus.*

[304] Sic codex.—Celtes: *puteis.*

[305] Sic Celtes.—Codex: *operantur.*

[306] Codex et Celtes: *meretur.*

[307] Codex: *quid.*

[308] Codex: *aliquid.*

[309] Celtes omittit *mihi.*

[310] Celtes: *amare colit*, mendose.

[311] Sic codex optime.—Celtes: *sit.*

[312] Ita legendum in Codice, ni fallor.—Celtes: *lacrima.*

[313] Codex: *sollicitaris.*

[314] Codex: *piaculii.*

[315] Celtes: *quantum.*

[316] In codice tantum video A, quod legi potest *Amantes*, ut fecit Celtes; probabilius tamen legendum *Amatores*, ut in linea præcedente.

[317] Sic Codex.—Celtes: *tendis.*

[318] Codex: *delicias.*

[319] Codex et Celtes: *effluere.*

[320] Codex: *versetur.*

[321] Codex: *sequer.*

[322] Inest in codice signum parvæ lacunæ.

[323] Codex: *exprimere.*—Celtes: *exprime,* voce *rem* omissa.

[324] Sic Codex.—Celtes: *obediendo.*

[325] Celtes omittit vocem *contrariis.*

[326] Sic Codex.—Celtes: *a solito seculariumque.*

[327] Celtes: *perficietur.*

[328] Celtes: *debes.*

[329] Celtes: *importunius.*

[330] Codex: *inhabitaculum,* ni fallor.

[331] Celtes: *doleo.*—Codex: *dolet,* optime.

[332] Sic Celtes.—Codex: *offerre.*

[333] Codex: *frangor.*

[334] Codex: *latabras.*

[335] Codex habet, ni fallor, *Eh, eh.*

[336] Sic codex.—Celtes: *En valeo,* quod non fert series colloquii.

[337] Codex: *præcordiarum.*

[338] Codex: *gaudeo.*

[339] Sic codex. Notandum est *si* pro *non,* ut supra, p. 238.

[340] Celtes: *splendidæ.*

[341] Vocem *miserationis* omittit Celtes.

[342] Codex: *dignaris.*—Celtes: *dignareris.*

[343] Sic codex.—Celtes: *fui.*

[344] Inest in codice lacuna.

[345] Codex: *exies.*

[346] Sic codex.—Celtes: *sed.*

[347] Ita Codex.—Sic fortasse legendum erat supra (pag. 204), ubi *sine materiæ forma* legimus.

[348] Sic codex, optime.—Celtes: *solvendi.*

[349] Verbum *es* deest in codice.

[350] Hic Celtes *Amen* addidit.—Inter finem hujus fabulæ et initium sequentis semissis paginæ vacat in codice.

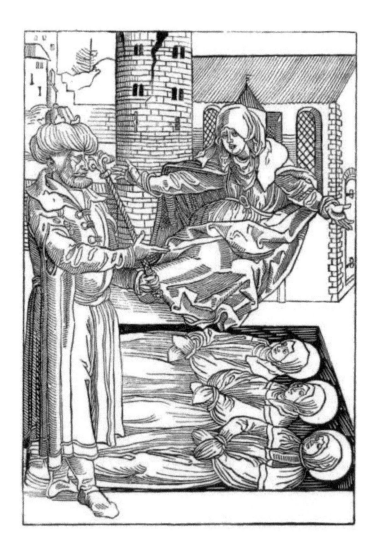

VI.

SAPIENTIA.

ARGUMENTUM IN SAPIENTIAM.→

Passio sanctarum virginum Fidei, Spei et Caritatis, quas, earumdem veneranda genitrice Sapientia præsente et maternis admonitionibus ad tolerandas passiones hortante, Hadrianus[351] imperator diversis suppliciis interfecit; quarum etiam corpora martyrio consummata[352] sancta mater Sapientia collegit, et aromatibus condita quinto ab urbe Roma milliario honorifice sepelivit. Ipsa quoque quadragesima die juxta earum sepulchra finita oratione sacra spiritum præmisit cœlo.

SAPIENTIA.→

DRAMATIS PERSONÆ.

ANTIOCHUS.
HADRIANUS[353].
SAPIENTIA.
FIDES.
SPES.
CARITAS.

SCENA PRIMA.→

ANTIOCHUS[354].→

Tuum igitur esse, o imperator Hadriane, prosperis ad vota successionibus pollere tuique statum imperii feliciter absque perturbatione exoptans vigere, quicquid rempublicam confundere, quicquid tranquillum mentis reor vulnerare posse, quantocius divelli penitusque cupio labefactari.

HADRIANUS.→

Nec injuria; nam nostri prosperitas tui est felicitas, cum summos dignitatis gradus in dies tibi augere non desistimus.

ANTIOCHUS.→

Congratulor tuæ almitati; unde, si quid experior emergere, quod tuo potentatui videtur contra luctari, non occulo, sed impatiens moræ profero.

HADRIANUS.→

Et merito, ne reus majestatis esse arguaris, si non celanda celaveris.

ANTIOCHUS.→

Hujusmodi commisso reatus numquam fui obnoxius.

HADRIANUS.→

Memini; sed profer si quid scias novi.

ANTIOCHUS.→

Quædam advena mulier hanc urbem Romam[355] nuper intravit comitata proprii fœtus pusiolis tribus.

HADRIANUS.→

Cujus sexus sunt pusioli?

ANTIOCHUS.→

Omnes feminei.

HADRIANUS.→

Num quid tantillarum adventus muliercularum aliquod[356] reipublicæ adducere poterit detrimentum?

ANTIOCHUS.→

Permagnum.

HADRIANUS.→

Quod?

ANTIOCHUS.→

Pacis defectum.

HADRIANUS.→

Quo pacto?

ANTIOCHUS.→

Et quid[357] magis potest rumpere civilis concordiam pacis, quam dissonantia observationis?

HADRIANUS.→

Nihil gravius, nihil deterius, quod testatur orbis Romanus, qui undique secus christianæ cædis sorde est infectus.

ANTIOCHUS.→

Hæc igitur femina, cujus mentionem facio, hortatur nostrates avitos ritus deserere et christianæ religioni se dedere.

HADRIANUS.→

Num prævalet hortamentum?

ANTIOCHUS.→

Nimium. Nam nostræ[358] conjuges fastidiendo nos contemnunt adeo, ut dedignentur[359] nobiscum comedere, quanto minus dormire.

HADRIANUS.→

Fateor, periculum.

ANTIOCHUS.→

Decet tui personam præcavere.

HADRIANUS.→

Consequens. Advocetur, et in nostri præsentia an velit cedere discutiatur.

ANTIOCHUS.→

Vin' me illam advocare?

HADRIANUS.→

Volo percerte.

SCENA SECUNDA.→

ANTIOCHUS.→

Quid vocaris, o mulier advena?

SAPIENTIA.→

Sapientia.

ANTIOCHUS.→

Imperator Hadrianus jussit te in palatio præsentari suis conspectibus.

SAPIENTIA.→

Palatium cum nobili filiarum comitatu intrare non trepido, et minacem imperatoris vultum comminus aspicere non formido.

ANTIOCHUS.→

Invisum genus christicolarum semper promptum est principibus ad resistendum.

SAPIENTIA.→

Princeps universitatis, qui nescit vinci, non patitur suos ab hoste superari.

ANTIOCHUS.→

Mitiga effluentiam verborum, et perge ad palatium.

SAPIENTIA.→

Monstra viam præeundo, nos subsequimur accelerando.

SCENA TERTIA.→

ANTIOCHUS.→

Hic ipse est imperator, quem in solio residentem conspicis; præcogita quid loquaris.

SAPIENTIA.→

Hoc prohibet Christi sententia, promittens nobis insuperabilis sapientiæ dona.

HADRIANUS.→

Huc ades, Antioche.

ANTIOCHUS.→

Præsto sum, domine.

HADRIANUS.→

Num quid hæ sunt mulierculæ, quas deferebas pro christiana religione?

ANTIOCHUS.→

Sunt plane.

HADRIANUS.→

Uniuscujusque pulchritudinem obstupesco, sed et honestatem habitus satis admirari nequeo.

ANTIOCHUS.→

Desine, o mi senior, admirari, et coge illas deos venerari.

HADRIANUS.→

Quid si illas primule aggrediar blanda alloquutione, si forte velint cedere?

ANTIOCHUS.→

Melius est. Nam fragilitas sexus feminei facilius potest blandimentis molliri.

HADRIANUS.→

Illustris matrona, blande et quiete ad culturam deorum te invito, quo nostra perfrui possis amicitia.

SAPIENTIA.→

Nec in cultura deorum tuis votis satisfacere, nec amicitiam tecum[360] gestio inire.

HADRIANUS.→

Adhuc mitigato furore nulla in te moveor indignatione, sed pro tua tuique filiarum salute paterno[361] sollicitor amore.

SAPIENTIA.→

Nolite, meæ filiæ, serpentinis hujus satanæ lenociniis cor apponere, sed meatim fastidite.

FIDES.→

Fastidimus et animo contemnimus frivola.

HADRIANUS.→

Quid murmurando loqueris?

SAPIENTIA.→

Filias affabar paucis.

HADRIANUS.→

Videris esse summis natalibus orta, sed tamen patriam, genus, nomenque tuum ex te plenius cupio ediscere.

SAPIENTIA.→

Licet sanguinis superbia nobis sit parvi pendenda, tamen clara ex stirpe me originem non nego trahere.

HADRIANUS.→

Credibile.

SAPIENTIA.→

Nam eminentiores Græciæ principes fuere mei parentes, et vocor Sapientia.

HADRIANUS.→

Claritas ingenuitatis rutilat in facie, et Sapientia nominis fulget in ore.

SAPIENTIA.→

Frustra blandiris, non flectimur tuis suadelis.

HADRIANUS.→

Dic cur adveneris, vel quare nostrates adiveris[362].

SAPIENTIA.→

Nullius alius rei nisi agnoscendæ veritatis causa, quo fidem, quam expugnatis, plenius ediscerem, filiasque meas Christo consecrarem.

HADRIANUS.→

Expone vocabula singularum.

SAPIENTIA.→

Una vocatur Fides, altera Spes, tertia Caritas.

HADRIANUS.→

Quot annos ætatis[363] volverunt?

SAPIENTIA.→

Placetne vobis, o filiæ, ut hunc stultum arithmetica fatigem disputatione?

FIDES.→

Placet, mater, nosque auditum præbemus libenter.

SAPIENTIA.→

O imperator, si ætatem inquiris parvularum, Caritas imminutum pariter parem mensurnorum[364] complevit numerum; Spes autem æque imminutum, sed pariter imparem; Fides vero superfluum impariter parem.

HADRIANUS.→

Tali responsione fecisti me quæ interrogabam minime agnoscere.

SAPIENTIA.→

Nec mirum, quia sub hujus diffinitionis specie non unus cadit numerus, sed plures.

HADRIANUS.→

Expone enucleatius, alioquin non capit meus animus.

SAPIENTIA.→

Caritas duas Olympiades jam volvit, Spes duo lustra, Fides tres Olympiades.

HADRIANUS.→

Et cur octonarius numerus, qui duabus constat Olympiadibus, et denarius, qui duobus lustris perficitur, imminutus dicitur? Vel quare duodenarius, qui tribus Olympiadibus impletur, superfluus esse asseritur?

SAPIENTIA.→

Omnis namque numerus imminutus dicitur, cujus partes conjunctæ minorem illo numero, cujus partes sunt, summæ quantitatem reddunt, ut VIII. Est autem octonarii medietas IV, pars quarta II, pars octava I, quæ in unum redactæ VII reddunt. Similiter denarius habet dimidiam partem V, quintam autem II, decimam vero I, quæ simul copulatæ VIII colligunt. E contrario autem superfluus dicitur, cujus partes augendo crescunt, ut XII. Est enim duodenarii medietas VI, pars tertia IV, pars quarta III, pars sexta II, pars duodecima I; hic cumulus redundat in sedecim. Ut autem principalem non præteream, qui inter inæquales intemperantias medii temperamentum limitis sortitus est, ille numerus perfectus dicitur, qui suis æquus[365] partibus nec augetur, nec minuitur[366], ut VI, cujus partes, id est III, II, I, eumdem senarium restituunt. Simili quoque ratione XXVIII, CCCCXCVI, VIII millia CXXVIII perfecti dicuntur.

HADRIANUS.→

Et quid reliqui?

SAPIENTIA.→

Omnes superflui, sive imminuti.

HADRIANUS.→

Quis numerus pariter par?

SAPIENTIA.→

Qui potest in duo æqualia dividi, ejusque pars in duo æqualia, partisque pars in duo æqualia ac deinceps per ordinem, donec in[367] insecabilem incurrat unitatem, ut VIII et XVI omnesque, qui ab his in duplo fiunt.

HADRIANUS.→

Et quis est pariter impar?

SAPIENTIA.→

Qui in partes æquales recipit sectionem, ejusque partes mox indivisibiles permanebunt, ut X et omnes, qui ab imparibus in duplo fiunt. Hic namque numerus superiori est contrarius, quia in illo[368] minor terminus divisione est solutus; in isto autem solus major terminus divisioni est aptus; in illo quoque omnes ejus partes nomine et quantitate sunt pariter pares; in isto autem, si denominatio fuerit par, quantitas[369] impar, si quantitas par, denominatio impar.

HADRIANUS.→

Nec terminum, quem dixisti, agnosco, nec denominationem seu quantitatem scio.

SAPIENTIA.→

Quando quantilibet numeri digestim disponuntur, primus minor terminus et postremus major dicitur; quando autem divisionem faciendo quota pars sit numeri dicimus, denominationem facimus; cum autem, quot in unaquaque parte unitates[370] sint enumeramus, quantitatem exponimus.

HADRIANUS.→

Et quis est impariter par?

SAPIENTIA.→

Qui non solum unam recipit sectionem, sicut pariter par, sed etiam et secundam, aliquoties autem et tertiam vel plures, sed tamen usque ad indivisibilem non perveniet unitatem.

HADRIANUS.→

O quam scrupulosa et plectilis[371] quæstio ex istarum ætate infantularum est orta!

SAPIENTIA.→

In hoc laudanda est supereminens Factoris sapientia, et mira mundi artificis scientia, qui non solum in principio mundum creans ex nihilo, omnia in numero et mensura et pondere posuit, sed etiam in succedentium serie temporum et in ætatibus hominum, miram dedit inveniri posse scientiam artium.

HADRIANUS.→

Diu te sustinui ratiocinantem, quo te mihi efficerem obtemperantem.

SAPIENTIA.→

In quo?

HADRIANUS.→

In cultura deorum.

SAPIENTIA.→

In hoc utique non consentio.

HADRIANUS.→

Si reniteris, tormentis afficieris.

SAPIENTIA.→

Corpus quidem suppliciis lacessere poteris, sed animum ad cedendum compellere non prævalebis.

ANTIOCHUS.→

Dies abiit, nox incumbit, non est tempus altercandi, quia instat hora cœnandi.

HADRIANUS.→

In custodiam juxta palatium ponantur, et triduanæ induciæ illis ad tractandum præstentur.

ANTIOCHUS.→

Observate istas, o milites, omni sollicitudine, nullamque illis occasionem evadendi relinquite.

SCENA QUARTA.→

SAPIENTIA.→

O dulces filiolæ et caræ pusiolæ, nolite super carceralis angustia custodiæ contristari, nolite imminentium minis pœnarum terreri.

FIDES.→

Licet corpuscula pavescant ad tormenta, mens tamen gliscit ad præmia.

SAPIENTIA.→

Vincite infantilis teneritudinem ætatulæ maturi sensus fortitudine.

SPES.→

Tuum est nos precibus adjuvare, ut possimus vincere.

SAPIENTIA.→

Hoc indesinenter exoro, hoc efflagito, ut perseveretis in fide, quam inter ipsa crepundia vestris sensibus non desistebam instillare[372].

CARITAS.→

Quod sugentes ubera in cunabulis didicimus nullatenus oblivisci quibimus.

SAPIENTIA.→

Ad hoc vos materno lacte affluenter alui, ad hoc delicate nutrivi, ut vos cœlesti non terreno sponso traderem, quo vestri causa socrus æterni regis dici meruissem.

FIDES.→

Pro ipsius amore sponsi promptæ sumus mori.

SAPIENTIA.→

Delector ex vestra ratione[373] magis quam nectareæ dulcedinis gustamine.

SPES.→

Præmitte nos ante tribunal judicis, et experieris quantum ejus amor nobis attulerit temeritatis.

SAPIENTIA.→

Hoc exopto ut vestra virginitate coroner, ut vestro martyrio glorificer.

CARITAS.→

Consertis palmulis incedamus, et vultum tyranni confundamus.

SAPIENTIA.→

Expectate donec instet hora vocationis nostræ.

FIDES.→

Tædet nos morarum, tamen est expectandum.

SCENA QUINTA.→

HADRIANUS.→

Antioche, jube illas Græculas[374] nobis repræsentari captivas.

ANTIOCHUS.→

Procede, Sapientia, teque cum filiabus imperatori repræsenta.

SAPIENTIA.→

Pergite mecum, filiæ, constanter, et perseverate in fide unanimiter, ut possitis palmam percipere feliciter.

SPES.→

Pergimus, ipseque nobiscum comitetur, pro cujus amore ad mortem ducemur.

HADRIANUS.→

Triduanas vobis inductas præstabat nostri serenitas, unde si quid tractaretis utilitatis, cedite jussionibus nostris.

SAPIENTIA.→

Summum igitur utile tractavimus, id scilicet, ut non cedamus.

ANTIOCHUS.→

Cur dignaris cum hac[375] contumace verba miscere, quæ te insolenti fatigat præsumptione?

HADRIANUS.→

Debeone illam dimittere impunitam?

ANTIOCHUS.→

Nequaquam.

HADRIANUS.→

Et quid?

ANTIOCHUS.→

Hortare puellulas, et si renitantur, infantiæ ne parcas, sed fac ut illæ necentur, quo rebellis mater funeribus natarum acrius torqueatur.

HADRIANUS.→

Faciam quæ hortaris.

ANTIOCHUS.→

Ita demum prævalebis.

HADRIANUS.→

Fides, intuere venerabilem magnæ Dianæ imaginem, et fer sacræ deæ libamina, quo possis uti ejus gratia.

FIDES.→

O stultum imperatoris præceptum omni contemptu dignum!

HADRIANUS.→

Quid murmuras subsannando? Quem irrides fronte rugosa?

FIDES.→

Tui stultitiam irrideo, tui insipientiam subsanno.

HADRIANUS.→

Mei?

FIDES.→

Tui.

ANTIOCHUS.→

Imperatoris?

Ipsius.

ANTIOCHUS.→

O nefas!

FIDES.→

Quid enim stultius, quid insipientius videri potest, quam quod hortatur nos contempto Creatore universitatis venerationem inferre metallis?

[ANTIOCHUS.→

Fides, insanis.

FIDES.→

Antioche, mentiris[376].]

ANTIOCHUS.→

Nonne hæc summa insania et magna est dementia, quod rerum principem dixisti insipientem?

FIDES.→

Dixi et dico, dicamque quamdiu vixero.

ANTIOCHUS.→

Breve tempus vivere, et cito debes consumi morte.

FIDES.→

Hoc opto ut moriar in Christo.

HADRIANUS.→

Duodecim centuriones alternando scindant flagris ejus membra.

ANTIOCHUS.→

Nec injuria.

HADRIANUS.→

O fortissimi centuriones, accedite meique injuriam vindicate.

ANTIOCHUS.→

Justum.

HADRIANUS.→

Perquire, Antioche, anne velit cedere.

ANTIOCHUS.→

Vin' adhuc, Fides, solita conviciorum objectione imperatorem dehonestare?

FIDES.→

Cur solito minus?

ANTIOCHUS.→

Quia prohiberis verberibus.

FIDES.→

Verbera non compellunt me tacere, quia nullo afficior dolore.

ANTIOCHUS.→

O infelix pertinacia, o contumax audacia!

HADRIANUS.→

Corpus fatiscit per supplicia, et mens tumet superbia.

FIDES.→

Erras, Hadriane, si reris me fatigari suppliciis. Non ego quidem, sed infirmi tortores deficiunt et sudore ob lassitudinem fluunt.

HADRIANUS.→

Fac, Antioche, ut gemellæ pectoris particulæ abscidantur[377], quo saltim rubore coerceatur.

ANTIOCHUS.→

O utinam possit ullo coerceri modo!

HADRIANUS.→

Forsan coercebitur.

FIDES.→

Inviolatum pectus vulnerasti, sed me non læsisti. En, pro fonte sanguinis, fons[378] erumpit lactis.

HADRIANUS.→

In craticulam substratis ignibus assanda ponatur, quo vi vaporis enecetur.

ANTIOCHUS.→

Digna est ut miserabiliter pereat, quæ tuæ jussioni contra luctari non trepidat.

FIDES.→

Omne quod paras ad dolorem mihi vertitur in quietem; unde commode pauso in craticula, ceu in tranquilla navicula.

HADRIANUS.→

Sartago plena pice et cera ardentibus rogis superponatur, et in ferventem liquorem hæc rebellis mittatur.

FIDES.→

Sponte insilio.

HADRIANUS.→

Consentio.

FIDES.→

Ubi sunt minæ tuæ? Ecce, illæsa inter ferventem liquorem ludens nato, et pro vi caumatis sentio matutini refrigerium roris.

HADRIANUS.→

Antioche, quid ad hæc est agendum?

ANTIOCHUS.→

Ne evadat providendum.

HADRIANUS.→

Capite truncetur.

ANTIOCHUS.→

Alioquin non vincetur.

FIDES.→

Nunc est gaudendum, nunc in Domino exultandum.

SAPIENTIA.→

Christe, triumphator diaboli invictissime, da tolerantiam Fidei meæ filiæ.

FIDES.→

O mater veneranda, dic vale ultimum tuæ filiæ, liba osculum tuæ primogenitæ, nec afficiare ullo mœrore cordis, quia tendo ad bravium æternitatis.

SAPIENTIA.→

O filia, filia, non confundor, non contristor, sed vale dico tibi exultando, et osculor os oculosque præ gaudio lacrimando orans, ut sub ictu percussoris inviolatum serves mysterium tui nominis.

FIDES.→

O uterinæ sorores, libate mihi osculum pacis, et parate vos ad tolerantiam futuri certaminis.

SPES.→

Adjuva nos oratione assidua, ut mereamur sequi tua vestigia.

FIDES.→

Este obtemperantes monitis nostræ sanctæ parentis, quæ nos hortabatur præsentia fastidire, quo meruissemus æterna percipere.

CARITAS.→

Maternis libenter obtemperamus monitis, quo perfrui mereamur æternis bonis.

FIDES.→

Percussor, accede, et injunctum tibi officium me necando imple.

SAPIENTIA.→

Abscisum morientis filiæ caput amplectendo, impressisque labris crebrius deosculando, congratulor tibi, Christe, qui tantillulæ victoriam præstitisti puellæ.

HADRIANUS.→

Spes, cede mei[379] hortamentis paterno affectu tibi consulentis.

SPES.→

Quid hortaris, quid consulis?

HADRIANUS.→

Ut caveas pertinaciam imitari sororis, ne similibus intereas pœnis.

SPES.→

O utinam admeruissem illam imitari patiendo, quo illi assimilarer in præmio!

HADRIANUS.→

Depone callum pectoris, et conquinisce turificando magnæ Dianæ, et ego te propriæ prolis vice excolo, atque extollo omni dilectione.

SPES.→

Paternitatem tuam repudio, tua beneficia minime desidero. Quapropter vacua spe deciperis, si me tibi cedere reris.

HADRIANUS.→

Loquere parcius, ne irascar.

SPES.→

Irascere, nec sollicitor.

ANTIOCHUS.→

Miror, Auguste, quod ab hac vili puellula tamdiu calumniari pateris. Ego quidem disrumpor præ furore, quia illam audio tam temere in te latrare.

HADRIANUS.→

Hactenus infantiæ parcebam: ultra non parcam; sed meritam ultionem inferam.

ANTIOCHUS.→

O utinam!

HADRIANUS.→

O lictores, adite et hanc rebellem usque ad internecionem crudis nervis cædite.

ANTIOCHUS.→

Decet ut severitatem sentiat tui furoris, quia lenitatem parvi pendit pietatis.

SPES.→

Hanc pietatem exopto, hanc lenitatem desidero.

ANTIOCHUS.→

O Sapientia, quid murmurando loqueris, stans sublevatis oculis juxta cadaver extinctæ prolis?

SAPIENTIA.→

Invoco Omniparentem, quo eamdem tolerantiæ perseverantiam, quam præstitit Fidei, præstet et Spei.

SPES.→

O mater, mater! quam efficaces, quam exaudibiles experior esse tui preces! Ecce, te orante anheli tortores levatis dextris librant ictum, et ego nullum doloris sentio tactum.

HADRIANUS.→

Si flagra parvi pendis, acrioribus pœnis coartaberis.

SPES.→

Infer, infer quicquid crudele, quicquid excogites lethale. Quanto plus sævis, tanto magis victus confunderis.

HADRIANUS.→

In aera suspendatur, et ungulis laceretur, quoadusque evulsis visceribus et nudatis ossibus deficiat[380] et membratim crepat.

ANTIOCHUS.→

Imperialis jussio, et congrua satis ultio!

SPES.→

Vulpina fraude loqueris, et versipelli astutia, Antioche, adularis.

ANTIOCHUS.→

Quiesce, infelix, verbositas tua nunc est finienda.

SPES.→

Non ut speras evenerit, sed tibi tuoque principi nunc etiam confusio aderit.

HADRIANUS.→

Quid sentio novæ dulcedinis? Quid odoror[381] stupendæ suavitatis?

SPES.→

Decidentia frusta[382] mei lacerati corporis dant fragrantiam paradisiaci aromatis, quo nolens cogeris fateri me non posse suppliciis lædi.

HADRIANUS.→

Antioche, quid enim mihi est agendum?

ANTIOCHUS.→

Novis cruciatibus incumbendum.

HADRIANUS.→

Æneum vas plenum oleo et adipe, cera atque pice, ignibus superponatur, in quod ligata projiciatur.

ANTIOCHUS.→

Si in jus Vulcani tradetur, forsitan evadendi aditum non nanciscetur.

SPES.→

Hæc virtus Christo non est insolita, ut ignem faciat mitescere mutata natura.

HADRIANUS.→

Quid? Audio, Antioche, velut sonitum inundantis aquæ.

ANTIOCHUS.→

Heu, heu, domine!

HADRIANUS.→

Quid contigit nobis?

ANTIOCHUS.→

Ebulliens fervor confracto vase ministros combussit, et illa malefica illæsa comparuit.

HADRIANUS.→

Fateor, victi sumus.

ANTIOCHUS.→

Penitus.

HADRIANUS.→

Caput abscidatur.

ANTIOCHUS.→

Alias non absumetur.

SPES.→

O Caritas dilecta, o soror unica! Ne formides tyranni minas, ne trepides ad pœnas, nitere constanti fide imitari sorores ad cœli palatium præcedentes.

CARITAS.→

Tædet me vitæ præsentis, tædet terrenæ habitationis, quod saltim ad modicum temporis separor a vobis.

SPES.→

Depone tædium et tende ad præmium. Non enim diu separabimur, sed ocius in cœlo conjungemur.

CARITAS.→

Fiat, fiat!

SPES.→

Euge, mater illustris, gaude, nec tangaris de mei passione materni affectus dolore; sed præfer spem mœrori, cum me videas pro Christo mori.

SAPIENTIA.→

Nunc quidem gaudeo, sed tunc tandem perfecte exultans gaudebo, quando tui sororculam pari conditione extinctam cœlo præmisero, et ego subsequar postrema.

SPES.→

Perennis Trinitas restituet tibi in ævum plenum absque diminutione filiarum numerum.

SAPIENTIA.→

Confortare, filia; percussor invadit nos evaginato gladio.

SPES.→

Libens excipio gladium. Tu, Christe, suscipe spiritum pro tui confessione nominis ejectum de habitaculo corporis.

SAPIENTIA.→

O Caritas, soboles inclita, spes uteri mei unica, ne contristes matrem bonam tui certaminis consummationem expectantem; sed sperne præsens utile, quo pervenias ad gaudium interminabile, quo tui germanæ fulgent coronis illibatæ virginitatis.

CARITAS.→

Fulci me, mater, precibus sacris, quatinus merear interesse illarum[383] gaudiis.

SAPIENTIA.→

Exoro te finetenus in fide solidatum iri, nec dubito tibi perenne tripudium donatum iri.

HADRIANUS.→

Caritas, saturatus conviciis tui sororum, nimiumque exacerbatus sum prolixa ratione[384] earum. Unde diu tecum non contendo, sed vel obtemperantem mei votis ditabo omnibus bonis, vel contra luctantem afficiam malis.

CARITAS.→

Bonum cordetenus amplector, et malum omnino detestor.

HADRIANUS.→

Hoc tibi potissimum salubre mihique est placabile, ideoque leve quiddam tibi præpono meæ pietatis gratia.

CARITAS.→

Quid?

HADRIANUS.→

Dic tantum: *Magna Diana!* et ego ultra ad sacrificandum te non compello.

CARITAS.→

Percerte non dico.

HADRIANUS.→

Quare?

CARITAS.→

Quia mentiri nolo. Ego quidem et sorores meæ eisdem parentibus genitæ, hisdem sacramentis imbutæ sumus, una eademque fidei constantia roboratæ. Quapropter scito nostrum velle, nostrum consentire, nostrum sapere, unum idemque esse, nec me in ullo umquam illis dissidere.

HADRIANUS.→

O injuria, quod a tantilla etiam contemnor homullula!

CARITAS.→

Licet tenella sim ætate, tamen gnara sum te argumentose confundere.

HADRIANUS.→

Abstrahe illam, Antioche, et fac, ut suspensa in equuleo atrociter verberetur.

ANTIOCHUS.→

Vereor quod verbera non prævaleant.

HADRIANUS.→

Si non prævaleant, jube tribus continuis diebus ac noctibus fornacem succendi et illam inter bacchantes flammas projici.

CARITAS.→

O judicem inpotentem, qui diffidit se absque armis ignium octennem[385] infantem superare posse!

HADRIANUS.→

Abi, Antioche, et injunctum officium perfice.

CARITAS.→

Sævitiæ quidem tuæ satisfaciendo parebit, sed me minime nocebit, quia nec verbera mei corpusculum lacerare, nec flammæ comam vel vestes poterunt obfuscare.

HADRIANUS.→

Experietur.

CARITAS.→

Experiatur.

SCENA SEXTA.→

HADRIANUS.→

Antioche, quid pateris? cur tristior solito regrederis?

ANTIOCHUS.→

Quando causam tristitiæ experieris, haud minus contristeris[386].

HADRIANUS.→

Dic, ne celes.

ANTIOCHUS.→

Illa lasciva, quam mihi cruciandam tradidisti, puellula me præsente flagellabatur, sed ne tenuis quidem cutis summotenus disrumpebatur. Deinde projeci illam in fornacem, igneum colorem præ nimio ardore exprimentem.

HADRIANUS.→

Cur dissimulas loqui? Expone exitum rei.

ANTIOCHUS.→

Flamma erupit, et quinque millia hominum combussit.

HADRIANUS.→

Et quid contigit illi?

ANTIOCHUS.→

Caritati?

HADRIANUS.→

Ipsi.

ANTIOCHUS.→

Ludens inter flammivomos vapores vagabatur, et illa laudes Deo suo pangebat; illi etiam, qui diligenter inspexere, ferebant tres candidulos viros cum illa deambulasse.

HADRIANUS.→

Erubesco illam ultra videre, quia nequeo illam lædere.

ANTIOCHUS.→

Restat ut perimatur gladio.

HADRIANUS.→

Hoc fiat absque mora.

SCENA SEPTIMA.→

ANTIOCHUS.→

Detege duram, Caritas, cervicem, et sustine percussoris ensem.

CARITAS.→

In hoc non renitor tui votis, sed libens pareo jussis.

SAPIENTIA.→

Nunc, nunc, filia, gratulandum; nunc in Christo est gaudendum, nec est, quæ me[387] mordeat cura, quia secura sum de tua victoria.

CARITAS.→

Imprime mihi, mater, osculum, et commenda iturum Christo spiritum.

SAPIENTIA.→

Qui te in meo utero vivificavit, ipse suscipiat animam, quam cœlitus inspiravit.

CARITAS.→

Tibi, Christe, gloria, qui me ad te vocasti cum martyrii palma.

SAPIENTIA.→

Vale, proles dulcissima, et cum Christo jungeris in cœlo, memento matris jam matronæ effetæ[388] te parientis.

SCENA OCTAVA.→

SAPIENTIA.→

Convenite, illustres matronæ, et mearum cadavera filiarum mecum sepelite.

MATRONÆ.→

Corpuscula aromatibus condimus, et exequias honorifice celebramus.

SAPIENTIA.→

Grandis benignitas et mira pietas, quam mihi inpenditis meique mortuis.

MATRONÆ.→

Quæ tibi sunt commoda exequimur mente devota.

SAPIENTIA.→

Non dubito.

Ubi vis eligere locum sepulturæ?

SAPIENTIA.→

Tertio miliario ab urbe, si vobis non displicet prolixitas.

MATRONÆ.→

Non displicet, sed electa[389] funera sequi placet.

SCENA NONA.→

SAPIENTIA.→

Ecce locus.

MATRONÆ.→

Hic nempe servandis reliquiis est aptus.

SAPIENTIA.→

Flosculos uteri mei tibi, terra, servandos committo, quos tu materiali sinu foveto[390], donec in resurrectione majori reviridescant gloria. Et tu, Christe, animas interim imple splendoribus, dans pacificam requiem ossibus.

MATRONÆ.→

Amen.

SAPIENTIA.→

Grates vestræ humanitati pro solamine quod contulistis meæ orbitati.

MATRONÆ.→

Utrumne vis nos hic tecum morari?

SAPIENTIA.→

Non.

MATRONÆ.→

Cur non?

SAPIENTIA.→

Ne ex meo commodo vobis ingeratur molestia. Sit satis, quod tres noctes mecum permansistis. Abite in pace, revertimini cum salute.

MATRONÆ.→

Vis nobiscum abire?

SAPIENTIA.→

Minime.

MATRONÆ.→

Et quid meditaris agere?

SAPIENTIA.→

Hic remanere, si forte veniat mea petitio et impleatur quod desidero.

MATRONÆ.→

Quid petis? Quid desideras?

SAPIENTIA.→

Id solummodo, ut oratione completa moriar in Christo.

MATRONÆ.→

Restat ut expectemus donec et te sepulturæ tradamus.

SAPIENTIA.→

Ut libet.—Adonaï Emmanuel, quem retro tempora divinitas edidit Omniparentis, et in tempore virginitas[391] genuit matris, qui ex duabus naturis unus Christus mirifice consistis, nec diversitate naturarum unitatem personæ dividens, nec unitate personæ diversitatem naturarum confundens, tibi jubilet jucunda serenitas angelorum dulcisque harmonia siderum, te quoque collaudet totius scibilis rei scientia, omneque quod ex elementorum formatur materia, quia tu, qui solus cum Patre et Spiritu Sancto es forma sine materia[392], ex Patris voluntate et Spiritus Sancti cooperatione non respuisti fieri homo passibilis humanitate, salva divinitatis impassibilitate; et ut nullus in te credentium periret, sed omnis fidelis æternaliter viveret, mortem nostram non dedignatus es gustare tuaque resurrectione consumere. Te etiam perfectum Deum hominemque verum recolo promisisse omnibus, qui, pro tui nominis veneratione, vel terrenæ usum possessionis relinquerent, vel carnalium affectum propinquorum postponerent, centenæ vicissitudine mercedis recompensari, et æternæ bravio[393] vitæ debere donari; hujus spe animata promissi feci quod jussisti, sponte omittens[394] soboles quas peperi. Unde, tu pie, promissa solvere ne moreris, sed fac me quantocius absolutam corporeis vinculis ex receptione filiarum lætificari, quas pro te mactandas obtulisse non distuli, quo te illis agnum Virginis sequentibus et novum canticum modulantibus, ego jucunder audiendo, illarumque lætificer gloria, et quamvis non possim canticum virginitatis dicere, te tamen cum illis merear æternaliter laudare, qui non ipse qui Pater, sed idem es quod Pater, cum quo et Spiritu Sancto unus dominus universitatis, unusque rex summæ et mediæ atque imæ rationis regnas et dominaris per interminabilia immortalis ævi sæcula.

MATRONÆ.→

Suscipe, Domine! Amen.

EXPLICIT LIBER DRAMATICA SERIE CONTEXTUS.

[351] Codex: *Diocletianus.*

[352] Codex: *consummati.*

[353] Codex: *Adrianus* et infra *Karitas*, et sic semper.

[354] Antiochi nomen deest in codice.

[355] Sic codex.—Celtes omittit *Romam.*

[356] Celtes: *aliquid.*

[357] Codex: *quod.*

[358] Sic codex.—Celtes: *nostri.*

[359] Codex: *dedignantur.*

[360] Celtes omittit *tecum.*

[361] Codex: *paterna.*

[362] Codex: *advenires* et *adires. Advenires* est mendum librariorum, qui hoc vitio semel in textum invecto, aurium judicio freti scripserunt *adires*, ut clausulæ sententiarum inter se consonarent. *Advenires* correxit Celtes, neglecto *adires*, cui tamen adhibenda erat eadem medicina.

[363] Vocem *ætatis* omisit Celtes.

[364] Codex: *mansurnorum*, quod verbum haud semel sensum *annorum* usurpare vidimus.—Cf. pag. 352 et 354.

[365] Celtes: *æquis*, perperam.

[366] Codex: *nec auget nec minuit.*

[367] Celtes omisit *in*.

[368] Codex et Celtes: *solus minor*.—Vocem *solus*, redundantem et sententiæ obstantem delevimus.

[369] Codex: *quantas*, hic et infra.

[370] Addidimus vocem *unitates*, quam argumentum postulat.

[371] Codex: *plexilis*.—Celtes: *plexibilis*, perperam.

[372] Sic Celtes.—Codex: *instillasse*.

[373] Celtes addit: *o filiæ*.

[374] Verbum *Græculas* recentiore manu scriptum est in codice.

[375] Codex: *hanc*.

[376] Verba parenthesi inclusa Celtes omisit.

[377] Sic codex.—Celtes: *abscindantur*.

[378] Verbum *fons* a librario omissum supplevi.—Celtes: *unda*.

[379] Codex et Celtes, *meis*.

[380] Sic codex.—Celtes: *deficiet*, male.

[381] Celtes: *odoro*.

[382] Sic codex et Celtes. Schurzfleisch: *frustra*, perperam.

[383] Sic codex.—Celtes: *aliarum*.

[384] Sic codex et Celtes.—Schurzfleisch: *oratione*.

[385] Codex: *octuennem*.

[386] Codex: *contristaris*.

[387] Verbum *me* omisit Celtes.

[388] Verba *matronæ effetæ* recepi ex Schurzfleisch.—Codex habet *matrona effecta*, et Celtes *matronæ effectæ*.

[389] Celtes: *elata*.

[390] Sic Celtes.—Codex: *faveto*.

[391] Codex: *virginitatis*.

[392] Cf. pag. 368, not. *b*[347].

[393] Ita Celtes emendavit.—Codex: *bravium*.

[394] Sic Codex.—Celtes: *amittens*.

ICI COMMENCE
LE LIVRE DES ŒUVRES DRAMATIQUES

DE HROTSVITHA,
VIERGE ET RELIGIEUSE ALLEMANDE,
NÉE DE RACE SAXONNE.

J'ai puisé toute la matière du présent livre, comme celle du livre qui précède[1], dans divers anciens ouvrages, dont les auteurs sont bien authentiques. J'excepte seulement la passion de saint Pélage, que j'ai racontée plus haut en vers. Les détails de ce martyre m'ont été rapportés par un habitant de la ville même où l'événement a eu lieu. Cet étranger véridique m'a assuré avoir vu Pélage, le plus beau des hommes, et avoir été témoin du dénouement de cette histoire. Si donc il se glisse dans les compositions suivantes des choses qui ne soient pas tout à fait conformes à la vérité, ce n'est pas de moi que viendra le mensonge; je n'aurai fait qu'imiter, à mon insu, des modèles trompeurs[2].

PRÉFACE DES COMEDIES(3). →

Il y a beaucoup de catholiques (et nous ne saurions nous laver entièrement nous-même de ce reproche) qui, séduits par l'élégante politesse du langage, préfèrent la vanité des livres des gentils à l'utilité des Saintes Écritures. Il y a encore d'autres personnes, qui bien qu'attachées aux lettres sacrées et pleines de mépris pour les autres productions païennes, ne laissent pas cependant de lire assez souvent les fictions de Térence, et gagnées par les charmes de la diction, salissent leur esprit de la connaissance d'actions criminelles. C'est pour ce motif que moi, *la voix forte de Gandersheim*(4), je ne crains pas d'imiter dans mes écrits un poëte que tant d'autres se permettent de lire, afin de célébrer, dans la mesure de mon faible génie, la louable chasteté des vierges chrétiennes, en employant la même forme de composition qui a servi aux anciens pour peindre les honteux déportements des femmes impudiques. Une chose, cependant, me rend confuse et me fait souvent monter la rougeur au front, c'est qu'il m'a fallu par la nature de cet ouvrage, appliquer mon esprit et ma plume à peindre le déplorable délire des âmes livrées aux amours défendues et la décevante douceur des entretiens passionnés, toutes choses auxquelles il ne nous est même pas permis de prêter l'oreille. Cependant si je m'étais interdit par pudeur, de traiter ces sujets, je n'aurais pu accomplir mon dessein, qui est de retracer, selon mon pouvoir, la gloire des âmes innocentes. En effet, plus les douces paroles des amants sont propres à séduire, plus grande est la gloire du secours divin et plus éclatant est le mérite de ceux qui triomphent, surtout lorsqu'on verra la fragilité de la femme victorieuse et la force de l'homme domptée et couverte de confusion. Je ne doute pas que quelques personnes ne m'objectent que mon imparfait ouvrage, bien loin d'avoir les beautés et la grandeur de celui que je me suis proposé pour modèle, en diffère même de tous points. Soit, je souscris à ce jugement, et je déclare qu'on ne peut avec justice m'accuser de vouloir me mettre indûment au niveau de ceux qui, par la sublimité de leur talent, sont si fort au-dessus de ma faiblesse. Non, je n'ai pas un assez fol orgueil, pour oser me comparer même aux derniers écoliers des auteurs anciens. Je tâche seulement (quoique mes forces n'égalent point mon désir) d'employer avec un humble dévouement, à la gloire de celui qui me l'a donnée, la faible dose de génie que m'a départie sa grâce. Je ne suis point en effet assez infatuée de moi-même, pour que, dans le désir d'éviter le blâme, je m'abstienne de prêcher, partout où il me sera donné de le faire, la vertu du Christ, qui ne cesse d'opérer dans les Saints. Si ce pieux dévouement plaît à quelques-uns, je m'en réjouirai; [9] et s'il ne plaît à personne, soit en raison de mon peu de mérite, soit à cause des vices de mon style grossier, je me féliciterai pourtant encore de ce que j'aurai fait; car tandis que dans les autres productions de mon ignorance j'ai mis en vers des légendes héroïques[5], ici, en me jouant dans une suite de scènes dramatiques, j'évite, avec une prudente retenue, les pernicieuses voluptés des gentils.

ÉPITRE DE LA MÊME
A
CERTAINS SAVANTS PROTECTEURS DE CE LIVRE.

A vous, hommes pleins de savoir et de vertu, qui ne portez point envie aux succès des autres et qui les félicitez, au contraire, comme il convient à de vrais sages, Hrotsvitha, pauvre ignorante et humble pécheresse, offre des vœux de santé pour le présent et de joie pour l'éternité. Je ne puis, en effet, assez admirer la grandeur de votre louable humilité ni rendre un assez digne et assez magnifique hommage à votre bienveillance et à votre affection pour moi, quand je songe que, nourris dans les profondes études de la philosophie et pourvus, aussi excellemment que vous l'êtes, de toute la perfection du savoir, vous avez jugé digne de votre approbation l'humble ouvrage d'une simple et modeste femme. D'ailleurs, en me congratulant avec une bonté fraternelle, c'est le dispensateur de la grâce qui opère en moi, que vous avez loué, persuadés que ce peu de connaissance des arts que je possède est d'une portée bien supérieure à mon faible génie féminin. Aussi, jusqu'à ce jour, avais-je osé à peine montrer à un petit nombre de personnes et seulement à mes plus intimes, la rusticité de mes chétives productions, d'où il est arrivé que je cessai presque de rien composer en ce genre, parce que, comme il y avait peu de gens aux regards desquels je crusse devoir soumettre mes ouvrages, il n'y en avait guère non plus qui m'indiquassent ce qu'il y avait en eux à corriger, ou qui m'engageassent à oser en entreprendre d'autres du même genre. Mais à présent (puisqu'il est reconnu que dans le témoignage de trois personnes réside la vérité) rassurée par votre suffrage, je me sens assez de confiance pour m'appliquer à écrire, si Dieu m'en donne le pouvoir, et pour ne plus craindre de subir l'examen de savants quels qu'ils soient. Cependant je suis tiraillée par deux sentiments contraires, la joie et la crainte. D'une part, je me réjouis du fond de l'âme de voir louer en moi Dieu dont la grâce seule m'a faite ce que je suis; d'une autre part, je crains qu'on ne me croie plus grande que je ne suis; car je sais qu'il est également blâmable soit de nier les dons gratuits du ciel, soit de feindre qu'on les a reçus, quand cela n'est point. Ainsi je ne nie pas qu'aidée de la grâce du Créateur, je n'aie acquis quelque connaissance des arts, par une puissance qu'il m'a prêtée, car je suis une créature capable d'instruction; mais je confesse que je ne saurais rien, livrée à mes seules forces[6]. Je reconnais aussi que Dieu m'a donné un esprit clairvoyant, mais inculte dès que viennent à lui manquer les soins des maîtres, et plongé alors dans la torpeur et l'abandon de sa paresse naturelle. Aussi pour que ma négligence n'anéantisse pas en moi les dons de Dieu, toutes les fois que par hasard j'ai pu recueillir quelques fils ou quelques légers débris arrachés du vieux manteau de la philosophie, j'ai eu grand soin de les insérer dans le tissu du livre qui nous occupe. J'espérais ainsi que la bassesse de mon ignorance serait un peu relevée par le mélange d'une matière plus noble, et que le suprême dispensateur du génie serait loué en moi avec d'autant plus de raison, que l'intelligence de mon sexe passe pour être moins active. Telle est l'intention que j'ai eue en écrivant et la seule cause des sueurs et des fatigues que je me suis imposées. Je ne me vante pas faussement de savoir ce que j'ignore; au contraire, je sais seulement, quant à moi, que je ne sais rien. Ainsi donc, puisque touchée par votre bienveillance et par le désir que vous m'avez témoigné, je viens, inclinée comme un roseau, présenter à votre examen ce livre que j'avais composé dans cette intention, mais que jusqu'ici, à cause de son peu de mérite, j'avais mieux aimé cacher que mettre en lumière; il convient que vous l'examiniez, et le corrigiez avec autant de soin et d'attention que vous le feriez pour un de vos propres ouvrages. Et quand vous serez enfin parvenus à le ramener à la règle du bon goût, renvoyez-le moi, afin qu'avertie par vos leçons je puisse reconnaître quelles sont les principales fautes que j'ai commises.

I.
GALLICANUS.

ARGUMENT DE GALLICANUS.→

Conversion de Gallicanus, prince de la milice, qui, sur le point d'aller faire la guerre aux Scythes, obtient d'être fiancé à Constance, vierge consacrée à Dieu et fille de l'empereur Constantin. Au plus fort de la mêlée, Gallicanus, près de succomber, se convertit par le conseil de Jean et Paul, primiciers[7] de Constance. Il reçoit le baptême et se voue au célibat.—Quelques années plus tard, Gallicanus, exilé par Julien l'Apostat, reçoit la couronne du martyre. Cependant Paul et Jean, mis à mort en secret par ordre du même prince, sont inhumés clandestinement dans leur maison; mais peu après, le fils de l'exécuteur, dont le démon s'est emparé, ayant proclamé le meurtre commis par son père et confessé le mérite des martyrs, est délivré de la possession et reçoit le baptême ainsi que son père[8].

GALLICANUS.→

PERSONNAGES.

CONSTANTIN,
empereur.

GALLICANUS.

CONSTANCE,
fille de
Constantin.

ARTÉMIA,   } filles de
ATTICA,   } Gallicanus.

JEAN et PAUL,
primiciers de
Constance.

SEIGNEURS DE
LA COUR.

BRADAN, roi
des Scythes.   }[9].

TRIBUNS.

SOLDATS
ROMAINS.

SOLDATS
SCYTHES.

HÉLÈNE, mère
de Constantin;
personnage
muet.

SCÈNE PREMIÈRE.→

CONSTANTIN, GALLICANUS, SEIGNEURS.

CONSTANTIN.→

Je suis fatigué, Gallicanus, de toutes ces lenteurs; vous tardez trop à attaquer les Scythes, ce peuple qui, vous le savez, refuse seul la paix de Rome et résiste témérairement à notre puissance. Vous n'ignorez pas cependant qu'en considération de votre valeur, je vous ai réservé le commandement de l'armée chargée de la défense de la patrie.

GALLICANUS.→

Auguste empereur, dévoué fermement et sans réserve à votre personne, j'ai fait de constants efforts pour que ma conduite répondît par des effets aux vœux de votre excellence auguste. Je n'ai jamais cherché à me soustraire à mes devoirs.

CONSTANTIN.→

Est-il besoin de me le rappeler? Tous vos services sont présents à ma mémoire. Aussi ai-je employé plutôt les exhortations que les reproches pour vous presser d'agir suivant mes vues.

GALLICANUS.→

Je vais m'en occuper sur-le-champ.

CONSTANTIN.→

Je m'en réjouis.

GALLICANUS.→

Jamais le soin de ma vie ne m'empêchera d'exécuter vos ordres.

CONSTANTIN.→

Votre zèle me plaît. Je loue le dévouement que vous montrez à ma personne.

GALLICANUS.→

Mais ce zèle sans bornes que je voue à votre service attend une récompense qui lui soit proportionnée.

CONSTANTIN.→

Rien n'est plus juste.

GALLICANUS.→

On affronte plus aisément la difficulté d'une entreprise, quelque grande qu'elle soit, quand on est soutenu par l'espoir d'une récompense assurée.

CONSTANTIN.→

Cela est évident.

GALLICANUS.→

Veuillez donc, de grâce, m'assurer, dès aujourd'hui, le prix des dangers que je vais courir, afin que tout entier à mon ardeur guerrière, je ne sois point abattu par la sueur du combat, et trouve de nouvelles forces dans l'espoir de cette récompense.

CONSTANTIN.→

Je ne vous ai jamais refusé, jamais je ne vous refuserai le prix que le sénat tout entier regarde comme le plus désirable et le plus glorieux, l'admission dans mon intimité et les premières charges du palais.

GALLICANUS.→

J'en conviens; mais ce n'est pas là aujourd'hui le but de mon ambition.

CONSTANTIN.→

Si vous désirez autre chose, il faut le déclarer.

GALLICANUS.→

Oui, je désire autre chose.

CONSTANTIN.→

Quoi?

GALLICANUS.→

Si j'ose le dire....

CONSTANTIN.→

Vous ferez bien.

GALLICANUS.→

Vous vous irriterez.

CONSTANTIN.→

Point du tout.

GALLICANUS.→

Cela est certain.

CONSTANTIN.→

Non.

GALLICANUS.→

Vous serez transporté d'indignation.

CONSTANTIN.→

Ne le craignez pas.

GALLICANUS.→

Eh bien! je parlerai, puisque vous l'ordonnez. J'aime Constance, votre fille....

CONSTANTIN.→

Et il est juste, en effet, et convenable que vous aimiez respectueusement la fille de votre maître, et la respectiez avec amour.

GALLICANUS.→

Vous interrompez ma requête.

CONSTANTIN.→

Je ne l'interromps pas.

GALLICANUS.→

Et je désirerais, si votre bonté daigne y consentir, la recevoir de vous pour fiancée.

CONSTANTIN, aux seigneurs de la cour.→

Certes, il ne demande pas là une petite récompense: il aspire à une faveur inouïe et jusqu'ici, mes seigneurs, sans exemple parmi vous.

GALLICANUS.→

Hélas! hélas! il me dédaigne! Je l'avais prévu. (Aux seigneurs.) Joignez, je vous prie, vos prières aux miennes.

LES SEIGNEURS.→

Illustre empereur, il convient à votre dignité, et en considération de son mérite, de ne pas rejeter sa demande.

CONSTANTIN.→

Je ne la rejette pas, quant à moi; mais je crois devoir apporter le plus grand soin à m'assurer du consentement de ma fille.

LES SEIGNEURS.→

Cela est juste.

CONSTANTIN.→

Je vais me rendre auprès d'elle, et, si vous le désirez, Gallicanus, je la consulterai sur ce sujet.

GALLICANUS.→

C'est là tout mon désir.

SCÈNE II(10).→

CONSTANCE, CONSTANTIN.

CONSTANCE, à part.→

L'empereur notre maître vient vers nous plus triste que de coutume. Je cherche avec un extrême étonnement ce qu'il peut vouloir.

CONSTANTIN.→

Approchez, Constance, ma fille, j'ai quelques mots à vous dire.

CONSTANCE.→

Me voici, mon seigneur; dites, que me voulez-vous?

CONSTANTIN.→

Je suis en proie à une grande anxiété de cœur, et j'éprouve une profonde tristesse.

CONSTANCE.→

Tout à l'heure en vous voyant venir, je me suis aperçue de cette tristesse, et, sans en savoir la cause, j'en ai ressenti du trouble et de la crainte.

CONSTANTIN.→

C'est à cause de vous que je m'afflige.

CONSTANCE.→

De moi?

CONSTANTIN.→

De vous.

CONSTANCE.→

Vous m'effrayez. Qu'y a-t-il, mon seigneur?

CONSTANTIN.→

Je crains, en le disant, de vous affliger.

CONSTANCE.→

Vous m'affligerez bien davantage en ne le disant pas.

CONSTANTIN.→

Gallicanus, ce général[11] qu'une suite de triomphes a élevé au premier rang parmi les seigneurs de ma cour, et dont l'aide nous est si souvent nécessaire pour la défense de la patrie....

CONSTANCE.→

Eh bien! Il....

CONSTANTIN.→

Il désire vous avoir pour femme.

CONSTANCE.→

Moi?

CONSTANTIN.→

Vous-même.

CONSTANCE.→

J'aimerais mieux mourir.

CONSTANTIN.→

Je l'avais prévu.

CONSTANCE.→

Cela ne peut vous étonner, puisqu'avec votre permission et votre consentement, j'ai voué à Dieu ma virginité.

CONSTANTIN.→

Je me le rappelle.

CONSTANCE.→

Aucun supplice ne m'empêchera jamais de garder mon serment pur de toute atteinte.

CONSTANTIN.→

Cette résolution est convenable; mais je me vois par là jeté dans une extrême perplexité. Car si, comme le veut mon devoir de père, je vous permets d'exécuter votre dessein, la république n'en souffrira pas médiocrement; et si, au contraire, ce qu'à Dieu ne plaise! je mets obstacle à vos projets, je m'expose à souffrir les peines éternelles.

CONSTANCE.→

Si je désespérais de l'assistance divine, ce serait moi surtout, moi, plus que nulle autre, qui aurais sujet de me livrer à la douleur.

CONSTANTIN.→

C'est la vérité.

CONSTANCE.→

Mais il ne peut y avoir de place pour la tristesse dans un cœur qui se fie en la bonté divine.

CONSTANTIN.→

Que vous parlez bien, ma Constance!

CONSTANCE.→

Si vous daignez prendre mon conseil, je vous indiquerai un moyen d'échapper à ce double danger.

CONSTANTIN.→

Oh! plût au ciel!

CONSTANCE.→

Feignez d'être disposé à satisfaire les vœux de Gallicanus, aussitôt après l'heureuse issue de la guerre; et, pour lui faire croire que ma volonté s'accorde avec la vôtre, persuadez-le de laisser auprès de moi, pendant son absence, ses deux filles Attica et Artémia, comme gage de l'amour qui nous doit unir; de son côté, qu'il se fasse accompagner de Paul et Jean, mes primiciers.

CONSTANTIN.→

Et que ferai-je s'il revient victorieux?

CONSTANCE.→

Il nous faudra invoquer, avant son retour, le créateur de toutes choses, pour qu'il détourne Gallicanus de ce dessein.

CONSTANTIN.→

O ma fille, ma fille! le charme de vos paroles a si bien adouci l'amer chagrin de votre père, que je n'éprouve plus désormais d'inquiétude à ce sujet.

CONSTANCE.→

Il n'y a pas lieu d'en avoir.

CONSTANTIN.→

Je vais rejoindre Gallicanus, et je le séduirai par cette agréable promesse.

CONSTANCE.→

Allez en paix, mon seigneur.

SCÈNE III.→

GALLICANUS, Seigneurs.

GALLICANUS.→

O princes, je mourrai de curiosité avant d'apprendre le résultat du long entretien de notre auguste seigneur avec sa fille, notre maîtresse.

LES SEIGNEURS.→

Il l'engage à se rendre à vos désirs.

GALLICANUS.→

Oh! puisse la persuasion prévaloir!

LES SEIGNEURS.→

Elle prévaudra, nous l'espérons.

GALLICANUS.→

Paix, silence! l'empereur revient, non plus le front soucieux, comme il est parti, mais avec un visage tout à fait serein.

LES SEIGNEURS.→

La fortune est favorable!

GALLICANUS.→

Si, comme on le dit, le visage est le miroir de l'âme, la sérénité qui paraît sur le sien annonce les sentiments bienveillants de son cœur.

LES SEIGNEURS.→

Nous le croyons.

SCÈNE IV.→

LES PRECEDENTS, CONSTANTIN, GARDES.

CONSTANTIN.→

Gallicanus!

GALLICANUS.→

Qu'a-t-il dit?

LES SEIGNEURS, à Gallicanus.→

Avancez, avancez; il vous appelle.

GALLICANUS.→

Dieux propices! prêtez-moi votre aide!

CONSTANTIN.→

Partez sans crainte pour la guerre, Gallicanus. A votre retour, vous recevrez le prix que vous désirez.

GALLICANUS.→

Ne vous jouez-vous pas de moi?

CONSTANTIN.→

Pouvez-vous bien demander si je me joue?

GALLICANUS.→

Mon bonheur serait au comble, si je savais seulement une chose.

CONSTANTIN.→

Quelle est cette seule chose?

GALLICANUS.→

Sa réponse.

CONSTANTIN.→

La réponse de ma fille?

GALLICANUS.→

Oui, d'elle-même.

CONSTANTIN.→

Il n'est pas juste de demander qu'une vierge pudique réponde à une telle question. La suite des événements prouvera assez son consentement.

GALLICANUS.→

Si je le savais, je m'inquiéterais fort peu de sa réponse.

CONSTANTIN.→

Vous en aurez la preuve.

GALLICANUS.→

Je le souhaite avec ardeur.

CONSTANTIN.→

Elle a décidé que ses primiciers Paul et Jean demeureront auprès de vous, jusqu'au jour de vos noces.

GALLICANUS.→

Pour quelle raison?

CONSTANTIN.→

Pour qu'en vous entretenant souvent avec eux, vous puissiez connaître à l'avance sa vie, ses mœurs, ses habitudes.

GALLICANUS.→

Cette pensée est excellente et me plaît infiniment.

CONSTANTIN.→

Elle désire aussi qu'à votre tour vous permettiez à vos deux filles d'habiter, pendant le même temps, auprès d'elle, pour qu'elle apprenne dans leur société à faire tout ce qui peut vous être agréable.

GALLICANUS.→

Ah! bonheur! bonheur! Tout répond à mes vœux.

CONSTANTIN.→

Donnez ordre qu'on amène vos filles au plus vite.

GALLICANUS, aux Gardes.→

Quoi! vous n'êtes pas partis, soldats? Allez, courez, amenez mes filles aux pieds de leur souveraine.

———

SCÈNE V.→

CONSTANCE, Gardes; ensuite ATTICA ET ARTÉMIA.

LES GARDES.→

O Constance, notre maîtresse! Voici que se présentent les illustres filles de Gallicanus qui, par l'éclat de leur beauté, de leur sagesse et de leur vertu, sont tout à fait dignes de votre intimité.

CONSTANCE.→

Bien. (On les introduit avec honneur[12].)—O Christ! Amant de la virginité, toi qui souffles la chasteté dans nos cœurs, et qui, exauçant les prières de ta sainte martyre Agnès, m'as préservée à la fois de la lèpre du corps et des erreurs païennes; toi qui m'as montré pour exemple le lit virginal de ta mère, où tu t'es manifesté vraiment Dieu; toi qui, avant le commencement des choses, naquis de Dieu le père, et qui, dans le temps, es né du sein d'une mère, homme véritable; je t'en supplie, vraie sagesse, co-éternelle à celle du Père, qui créas, maintiens et gouvernes l'univers; fais que Gallicanus, qui veut éteindre, en se l'appropriant, l'amour que je te porte, renonce à son injuste dessein et soit attiré vers toi; daigne aussi prendre ses filles pour épouses, et fais pénétrer goutte à goutte dans leurs pensées la douceur infinie de ton amour, en sorte qu'abhorrant tous liens charnels, elles méritent d'être admises dans la société des vierges qui te sont consacrées.

ARTÉMIA.→

Salut, Constance, notre auguste maîtresse!

CONSTANCE.→

Salut, mes sœurs, Attica et Artémia! Restez, restez debout; ne vous prosternez point: donnez-moi plutôt le baiser d'amour.

ARTÉMIA.→

Nous venons avec joie vous offrir nos hommages, madame; nous nous mettons, avec un entier dévouement, à votre discrétion, seulement pour jouir de la plénitude de vos grâces.

CONSTANCE.→

Le Seigneur seul, qui est aux cieux, doit être servi par nous avec un dévouement d'esclave. L'amour et la fidélité que nous lui devons exigent qu'unies de cœur avec lui, nous conservions la parfaite intégrité de notre corps, pour mériter d'entrer dans le palais de la céleste patrie, avec la palme des vierges.

ARTÉMIA.→

Nous n'opposons aucune résistance; au contraire, nous nous efforcerons d'obéir à tous vos préceptes, surtout en ce qui touche la connaissance de la vérité et la résolution de conserver notre pureté virginale.

CONSTANCE.→

Cette réponse est convenable et tout à fait digne de votre vertu[13]; aussi ne douté-je pas que par l'inspiration de la grâce divine, vous ne soyez déjà parvenues à croire.

ARTÉMIA.→

Comment pourrions-nous, servantes des idoles, avoir aucune sage pensée, sans l'illumination de la bonté céleste?

CONSTANCE.→

La fermeté de votre foi me donne l'espoir que Gallicanus aussi croira bientôt.

ARTÉMIA.→

Il ne faut que l'instruire, et il est certain qu'il croira.

CONSTANCE, aux Gardes.→

Faites venir Jean et Paul.

SCÈNE VI.→

LES MEMES, PAUL ET JEAN.

JEAN.→

Voici devant vous, madame, ceux que vous avez mandés.

CONSTANCE.→

Allez sur-le-champ trouver Gallicanus, et, vous attachant à sa personne, instruisez-le peu à peu du mystère de notre foi. Peut-être Dieu daignera-t-il se servir de nous pour le gagner à lui.

PAUL.→

Que Dieu nous donne le succès! Pour nous, nous offrirons à Gallicanus de continuelles exhortations.

───────

SCÈNE VII.→

GALLICANUS, PAUL ET JEAN, LES TRIBUNS, L'ARMÉE ROMAINE.

GALLICANUS.→

Vous arrivez à propos, Jean et vous Paul; je vous, attendais depuis longtemps avec inquiétude.

JEAN.→

Dès que nous avons entendu les ordres de notre souveraine, nous sommes accourus tous deux pour vous offrir nos services.

GALLICANUS.→

Je reçois vos offres de services avec beaucoup plus de joie que d'aucune autre part.

PAUL.→

Ce n'est pas sans raison; car on dit vulgairement: Celui qui accueille bien nos amis devient notre ami lui-même.

GALLICANUS.→

Cela est vrai.

JEAN.→

L'affection que vous porte la maîtresse qui nous envoie nous conciliera votre bienveillance.

GALLICANUS.→

Certainement.—Venez, tribuns et centurions, rassemblez les troupes! Venez vous tous, soldats, sous mes ordres! Voici Jean et Paul, dont l'absence m'empêchait de me mettre en route.

LES TRIBUNS.→

Précédez-nous. (Les tribuns suivent en troupe Gallicanus[14].)

GALLICANUS.→

Montons d'abord au Capitole, entrons dans les temples, et apaisons la majesté des dieux par les sacrifices accoutumés: c'est le moyen d'obtenir pour nos armes un heureux succès.

LES TRIBUNS.→

L'accomplissement de ces rites est nécessaire.

JEAN.→

Retirons-nous en attendant.

PAUL.→

La bienséance le commande.

———

SCÈNE VIII.→

LES MEMES.

JEAN.→

Voici le général qui sort du temple; montons à cheval et allons à sa rencontre.

PAUL.→

Sans perdre un instant.

GALLICANUS.→

D'où venez-vous? Où étiez-vous?

JEAN.→

Nous venons de préparer nos bagages; nous les avons envoyés devant, pour pouvoir vous accompagner en liberté.

GALLICANUS.→

C'est bien.

SCÈNE IX.→

LES MEMES, BRADAN, SOLDATS SCYTHES.

GALLICANUS.→

Par Jupiter! ô tribuns! j'aperçois les légions d'une innombrable armée. La diversité de leurs armes offre un spectacle effrayant[15].

LES TRIBUNS.→

Par Hercule! ce sont les ennemis!

GALLICANUS.→

Résistons avec courage et combattons en hommes.

LES TRIBUNS.→

A quoi peut-il nous servir de combattre une telle multitude?

GALLICANUS.→

Et qu'aimez-vous mieux faire?

LES TRIBUNS.→

Nous soumettre au joug.

GALLICANUS.→

Qu'Apollon nous préserve de cette honte!

LES TRIBUNS.→

Par Pollux! il faut bien le faire; voyez, nous sommes enveloppés de toutes parts: on nous blesse, on nous massacre.

GALLICANUS.→

Hélas! qu'arrivera-t-il si les tribuns méprisent mes ordres et se rendent?

JEAN.→

Faites vœu au Dieu du ciel d'embrasser la religion du Christ, et vous serez vainqueur[16].

GALLICANUS.→

Je fais ce vœu et je l'accomplirai.

LES ENNEMIS.→

Hélas! roi Bradan, la fortune qui nous avait montré la victoire, se joue de nous. Voyez, nos bras faiblissent, nos forces s'épuisent; une incroyable faiblesse de cœur nous force d'abandonner la bataille.

BRADAN.→

Je ne sais que vous dire: le même mal dont vous vous plaignez me frappe. Il ne nous reste qu'à nous rendre au général romain.

LES ENNEMIS.→

C'est notre unique voie de salut.

BRADAN.→

Général Gallicanus, ne vous obstinez pas à notre perte; laissez-nous la vie, et disposez de nous comme de vos esclaves.

GALLICANUS.→

Cessez de craindre; ne tremblez point; donnez-moi seulement des otages, reconnaissez-vous tributaires de l'empereur, et vivez heureux sous la paix romaine.

BRADAN.→

Vous n'avez qu'à fixer vous-même le nombre et la qualité des otages, ainsi que le poids du tribut que vous exigez.

GALLICANUS.→

Soldats, déposez vos armes; ne tuez, ne blessez personne; embrassons comme alliés ceux que nous combattions comme ennemis publics.

JEAN.→

Combien est plus efficace une prière fervente que toute la présomption humaine!

GALLICANUS.→

Cela est vrai.

PAUL.→

Quel appui secourable la miséricorde divine accorde à ceux qui se recommandent à elle par une humble dévotion!

GALLICANUS.→

J'en ai la preuve évidente.

JEAN.→

Mais le vœu qu'on a fait pendant la tourmente, il faut l'accomplir lorsque le calme est revenu.

GALLICANUS.→

C'est bien mon sentiment. Aussi désiré-je d'être baptisé le plus tôt possible et de consacrer le reste de ma vie au service de Dieu.

PAUL.→

Ce sera justice.

––––––––

SCÈNE X.→

LES MEMES.

GALLICANUS.→

Voyez comme à notre entrée dans Rome tous les citoyens accourent et nous apportent, selon l'usage, les insignes de la gloire[17].

JEAN.→

Cet accueil est mérité.

GALLICANUS.→

Ce n'est pourtant ni à notre valeur ni à la protection de leurs dieux qu'est du l'honneur du triomphe.

PAUL.→

Non, assurément; c'est au vrai Dieu.

GALLICANUS.→

Je pense donc que nous devons passer devant les temples, sans nous y arrêter....

JEAN.→

Votre pensée est juste.

GALLICANUS.→

Et entrer, au contraire, dans l'église des saints apôtres en humbles confesseurs de la foi.

PAUL.→

Oh! que vous êtes heureux de penser ainsi! Vous venez de témoigner que vous êtes un vrai chrétien.

_____

SCÈNE XI.→

CONSTANTIN, SOLDATS ROMAINS.

CONSTANTIN.→

Je m'étonne, ô soldats! que Gallicanus se dérobe aussi longtemps à nos regards.

LES SOLDATS.→

A peine entré dans Rome, il a porté ses pas vers l'église de Saint-Pierre, et, prosterné jusqu'à terre, il a rendu grâce au Tout-Puissant, qui lui a donné la victoire.

CONSTANTIN.→

Gallicanus?

LES SOLDATS.→

Lui-même.

CONSTANTIN.→

Voilà qui est incroyable.

LES SOLDATS.→

Il vient; vous pouvez l'interroger.

_____

SCÈNE XII.→

LES MEMES, GALLICANUS.

CONSTANTIN.→

Depuis longtemps je vous attendais, Gallicanus, pour apprendre de vous les circonstances et l'issue du combat.

GALLICANUS.→

Je vous les raconterai de point en point.

CONSTANTIN.→

C'est pourtant là ce qui m'intéresse le moins. Dites-moi d'abord ce que je désire surtout d'apprendre.

GALLICANUS.→

Qu'est-ce?

CONSTANTIN.→

Pourquoi en partant êtes-vous entré dans les temples des dieux, et à votre retour avez-vous visité l'église des saints apôtres?

GALLICANUS.→

Vous le demandez!

CONSTANTIN.→

Avec la plus vive curiosité.

GALLICANUS.→

Je vais vous l'expliquer.

CONSTANTIN.→

Je le souhaite.

GALLICANUS.→

Empereur très-sacré, à mon départ, je le confesse, j'entrai dans les temples, comme vous m'en faites le reproche, et je me présentai aux dieux et aux démons en suppliant.

CONSTANTIN.→

Cette coutume a été de toute antiquité reçue chez les Romains.

GALLICANUS.→

Coutume funeste.

CONSTANTIN.→

Déplorable.

GALLICANUS.→

Ensuite, les tribuns arrivèrent avec leurs légions et accompagnèrent ma marche.

CONSTANTIN.→

Vous êtes sorti de Rome dans un très-pompeux appareil.

GALLICANUS.→

Nous allâmes en avant, nous rencontrâmes les ennemis, nous combattîmes, et nous fûmes vaincus[18].

CONSTANTIN.→

Les Romains vaincus!

GALLICANUS.→

Complétement.

CONSTANTIN.→

O événement cruel et dont aucun siècle n'offre d'exemples!

GALLICANUS.→

Je recommençai les sacrifices criminels; mais aucun dieu ne vint à mon secours. Au contraire, la fureur du combat ne fit que s'accroître, et beaucoup des nôtres périrent.

CONSTANTIN.→

Ce récit me confond.

GALLICANUS.→

Enfin, les tribuns cessèrent d'obéir à mes ordres et se rendirent.

CONSTANTIN.→

A l'ennemi?

GALLICANUS.→

A l'ennemi.

CONSTANTIN.→

O ciel! et qu'avez-vous fait?

GALLICANUS.→

Que pouvais-je faire que de prendre la fuite?

CONSTANTIN.→

Non.

GALLICANUS.→

Il est trop vrai.

CONSTANTIN.→

Quelles angoisses dut alors souffrir votre courage?

GALLICANUS.→

Les plus pénibles.

CONSTANTIN.→

Et comment êtes-vous sorti de ce danger?

GALLICANUS.→

Mes deux fidèles compagnons Jean et Paul me conseillèrent de faire un vœu au Créateur.

CONSTANTIN.→

Salutaire conseil!

GALLICANUS.→

Je l'ai bien éprouvé. A peine avais-je ouvert la bouche pour prononcer ce vœu, que je ressentis l'effet du secours céleste.

CONSTANTIN.→

Comment cela?

GALLICANUS.→

Un jeune homme de haute stature m'apparut. Il portait une croix sur son épaule et m'ordonna de le suivre, l'épée à la main.

CONSTANTIN.→

Ce jeune homme, quel qu'il fût, était un envoyé du ciel.

GALLICANUS.→

J'en eus bientôt la preuve. A l'instant même, je vis à mes côtés des soldats dont le visage m'était inconnu, et qui me promettaient leur aide.

CONSTANTIN.→

C'était la milice céleste.

GALLICANUS.→

Je n'en doute point. Alors, suivant les pas de mon guide, je pénétrai sans crainte au milieu des rangs ennemis, et je parvins jusqu'à leur roi, nommé Bradan, qui, saisi tout à coup d'une incroyable terreur, et se jetant à mes pieds, se rendit avec les siens et s'engagea à payer un tribut perpétuel au maître du monde romain.

CONSTANTIN.→

Grâces soient rendues à l'auteur de notre victoire, qui ne souffre pas que ceux qui mettent leur espoir en lui soient confondus.

GALLICANUS.→

L'expérience me l'a bien prouvé.

CONSTANTIN.→

Je voudrais savoir ce que firent ensuite les tribuns fugitifs.

GALLICANUS.→

Ils s'empressèrent de se réconcilier avec moi.

CONSTANTIN.→

Et les avez-vous reçus à merci?

GALLICANUS.→

Moi! recevoir à merci des hommes qui m'avaient abandonné
dans le péril, et s'étaient rendus à l'ennemi! non, certes.

CONSTANTIN.→

Et que fîtes-vous?

GALLICANUS.→

Je leur proposai un moyen d'obtenir leur pardon.

CONSTANTIN.→

Lequel?

GALLICANUS.→

Je déclarai que ceux qui embrasseraient la religion chrétienne
rentreraient dans leur grade et recevraient même de nouveaux
honneurs; et que ceux qui s'y refuseraient n'obtiendraient point
leur grâce et seraient dégradés.

CONSTANTIN.→

Cette condition était juste, et vous aviez le droit de l'imposer.

GALLICANUS.→

Pour moi, purifié par les eaux du baptême, je me suis donné si
complétement à Dieu, que je renonce même à votre fille, que
j'aimais cependant plus que toutes choses au monde, afin qu'en
m'abstenant du mariage, je puisse plaire au fils de la Vierge.

CONSTANTIN.→

Approchez, approchez, que je me jette dans vos bras!
Aujourd'hui, Gallicanus, le moment est venu de vous révéler ce
que, pour un temps, j'ai dû couvrir d'un voile.

GALLICANUS.→

Et quoi?

CONSTANTIN.→

Ma fille et les deux vôtres sont entrées dans la voie sainte que vous avez choisie.

GALLICANUS.→

Je m'en réjouis.

CONSTANTIN.→

Et elles ont un si ardent désir de garder leur virginité, que ni les prières, ni les menaces ne pourraient ébranler leur résolution.

GALLICANUS.→

Qu'elles y persévèrent! je le désire.

CONSTANTIN.→

Entrons dans l'appartement qu'elles occupent.

GALLICANUS.→

Marchez devant, je vous suivrai.

CONSTANTIN.→

Les voici; elles accourent, avec l'auguste Hélène, ma glorieuse mère. Elles versent toutes des larmes de joie.

SCÈNE XIII.→

LES MEMES, CONSTANCE, ATTICA, ARTÉMIA, HÉLÈNE, PAUL ET JEAN.

GALLICANUS.→

Vivez heureuses, ô vierges saintes! Persévérez dans la crainte de Dieu, et conservez l'honneur intact de votre virginité! C'est ainsi que le monarque éternel vous jugera dignes de ses embrassements.

CONSTANCE.→

Nous garderons notre virginité d'autant plus aisément que nous vous voyons disposé à ne pas contrarier notre désir.

GALLICANUS.→

Je n'y mets ni opposition, ni empêchement, ni obstacle; au contraire, je cède si volontiers à vos vœux, que je ne souhaite rien tant que de vous voir achever ce que votre volonté a entrepris, ô ma Constance! vous que j'ai achetée avec tant d'ardeur aux prix de mon sang.

CONSTANCE.→

Dans ce changement apparaît la main du Très-Haut.

GALLICANUS.→

Si Dieu ne m'avait changé et rendu meilleur, je ne pourrais consentir à l'accomplissement de votre vœu.

CONSTANCE.→

Que le protecteur de la pureté virginale, que le fauteur de toutes les bonnes résolutions, que celui qui vous a fait renoncer à un mauvais dessein, et qui s'est réservé ma virginité, daigne, pour prix de notre séparation corporelle, nous réunir un jour dans les joies de l'éternité.

GALLICANUS.→

Puisse cela arriver!

CONSTANTIN.→

A présent que le lien de l'amour du Christ nous unit dans une même communion, il convient qu'on vous honore comme gendre des Augustes, et que vous partagiez nos honneurs en venant habiter avec nous dans le palais.

GALLICANUS.→

Il n'y a pas de tentation plus à craindre que la séduction des yeux.

CONSTANTIN.→

Je ne puis le nier.

GALLICANUS.→

Il n'est pas à propos que je voie trop souvent une vierge que j'aime, vous le savez, plus que mes parents, plus que ma vie, plus que mon âme.

CONSTANTIN.→

Faites votre volonté.

GALLICANUS.→

Aujourd'hui, grâce à Jésus-Christ et à mes soins, vous avez une armée quadruple. Permettez donc que je serve à présent sous le drapeau de l'Empereur, par la protection duquel j'ai vaincu, et à qui je dois tout ce que j'ai eu de succès dans ma vie.

CONSTANTIN.→

A lui sont dues la louange et les actions de grâces. Toute créature doit le servir.

GALLICANUS.→

Surtout celles qu'il a assistées le plus généreusement dans les dangers.

CONSTANTIN.→

Cela est vrai.

GALLICANUS.→

De tout ce que je possède, je fais d'abord une part de ce qui appartient à mes filles; je m'en réserve une autre pour le soulagement des pèlerins; avec le reste, je veux enrichir mes esclaves rendus à la liberté, et subvenir aux besoins des pauvres[19].

CONSTANTIN.→

Vous disposez sagement de vos richesses; aussi ne serez-vous pas privé de la récompense éternelle.

GALLICANUS.→

Quant à moi, je brûle de me rendre à Ostie, auprès du saint homme Hilarianus, et de me faire son compagnon inséparable, afin de pouvoir passer là le reste de ma vie à louer Dieu et à soulager les pauvres.

CONSTANTIN.→

Que l'Être unique, à qui la puissance ne manque jamais, vous permette d'exécuter heureusement vos projets et de vivre selon sa volonté! Qu'il vous conduise à la possession des joies éternelles, celui qui règne et se glorifie dans l'unité de la Trinité!

GALLICANUS.→

Amen.

SECONDE PARTIE
DE GALLICANUS[20],
ou
LE MARTYRE DE JEAN ET PAUL.

PERSONNAGES.

JULIEN, empereur.
GALLICANUS.
TÉRENTIANUS.
JEAN et PAUL.
LES CONSULS.
SOLDATS ROMAINS.
UNE TROUPE DE CHRÉTIENS.
LE FILS DE TÉRENTIANUS, personnage muet.

SCÈNE PREMIÈRE.→

JULIEN, LES CONSULS, GARDES.

JULIEN.→

Il m'est bien démontré que le malaise de notre empire vient de l'extrême liberté dont jouissent les chrétiens, qui prétendent suivre les lois qu'ils ont reçues du temps de Constantin.

LES CONSULS.→

Il serait honteux pour vous de le souffrir.

JULIEN.→

Je ne le souffrirai pas.

LES CONSULS.→

Vous agirez ainsi d'une manière convenable.

JULIEN.→

Soldats! prenez les armes et dépouillez les chrétiens de ce qu'ils possèdent, en leur objectant la maxime de Jésus-Christ qui a dit: «Celui qui ne renoncera pas pour moi à tout ce qu'il possède ne peut être mon disciple[21].»

LES GARDES.→

Nous vous obéirons sans retard.

SCÈNE II.→

LES MEMES.

LES CONSULS.→

Voici les soldats qui reviennent.

JULIEN.→

Est-ce un heureux retour que le vôtre?

LES GARDES.→

Heureux.[22]

JULIEN.→

Et pourquoi si prompt?

LES GARDES.→

Nous allons vous le dire. Nous avions résolu d'enlever les châteaux forts que Gallicanus possède, et de les occuper pour vous[23]; mais à peine un des nôtres avait-il posé le pied sur le seuil, qu'il était frappé tout à coup de lèpre ou de frénésie.

JULIEN.→

Retournez, et forcez Gallicanus à quitter sa patrie ou à sacrifier aux idoles.

SCÈNE III.→

GALLICANUS, GARDES.

GALLICANUS.→

Soldats, ne perdez pas vos peines à me donner d'inutiles conseils; je ne fais, en comparaison de la vie éternelle, nul cas de tout ce qui existe sous le soleil. Je vais donc abandonner ma patrie; et, banni pour le Christ, je me rendrai à Alexandrie, où j'espère recevoir la couronne du martyre.

SCÈNE IV.→

JULIEN, GARDES.

LES GARDES.→

Gallicanus exilé, suivant vos ordres, s'est retiré à Alexandrie. Arrêté dans cette ville par le comte Rautianus, il a péri par le glaive.

JULIEN.→

Oh! la bonne action!

LES GARDES.→

Mais Jean et Paul vous bravent.

JULIEN.→

Que font-ils?

LES GARDES.→

Ils parcourent librement les provinces et distribuent les trésors que leur a laissés Constance.

JULIEN.→

Qu'on les fasse venir.

LES GARDES.→

Les voici.

SCÈNE V.→

LES MÊMES, PAUL ET JEAN.

JULIEN.→

Je n'ignore pas, Jean et Paul, que, dès le berceau, vous avez été attachés au service des empereurs qui m'ont précédé.

JEAN.→

Nous l'avons été.

JULIEN.→

Il convient dès lors que, toujours à mes côtés, vous serviez dans le palais, où vous avez été nourris dès l'enfance.

PAUL.→

Nous ne servirons pas.

JULIEN.→

Refusez-vous de me servir?

JEAN.→

Nous l'avons dit.

JULIEN.→

Ne me reconnaissez-vous pas pour un Auguste?

PAUL.→

Oui; mais pour un Auguste bien différent de ses prédécesseurs.

JULIEN.→

En quoi?

JEAN.→

En religion et en mérite.

JULIEN.→

Je souhaite que vous développiez plus amplement votre pensée.

PAUL.→

Nous voulons dire que les très-glorieux et très-renommés empereurs Constantin, Constant et Constance, dont nous étions les officiers, furent des princes très-chrétiens et se glorifiaient de servir le Christ.

JULIEN.→

Je ne l'ai pas oublié; mais je n'ai nulle envie de suivre en cela leur exemple.

PAUL.→

Vous n'imitez que le mal. Ils fréquentaient les églises, et, déposant leur diadème, ils adoraient à genoux Jésus-Christ.

JULIEN.→

Vous ne me forcerez point d'agir comme eux.

JEAN.→

Aussi ne leur ressemblez-vous pas.

PAUL.→

En offrant leur encens au Créateur, ils rehaussaient la dignité impériale; ils la béatifiaient par l'éclat de leur vertu et de leur sainteté, et méritaient que le succès couronnât tous leurs vœux.

JULIEN.→

Et moi de même.

JEAN.→

Par des moyens bien différents; car, eux, la grâce divine les accompagnait.

JULIEN.→

Niaiseries! Moi aussi, je fus assez simple jadis pour suivre de telles pratiques. J'ai été clerc dans l'Église.

JEAN.→

Que t'en semble, Paul? Il a été clerc!

PAUL.→

Chapelain du diable.

JULIEN.→

Mais lorsque je vis qu'il n'y avait là rien à gagner, je me tournai vers le culte des dieux, dont la bonté m'a élevé au faîte du pouvoir.

JEAN.→

Vous nous avez interrompus, pour ne pas entendre la louange des justes.

JULIEN.→

En quoi cela me regarde-t-il?

PAUL.→

En rien; mais ce que nous allons ajouter vous regarde. Lorsque ce monde ne fut plus digne de les posséder, Dieu les plaça dans le chœur des anges, et la malheureuse république tomba sous votre pouvoir.

JULIEN.→

Pourquoi l'appelez-vous à présent malheureuse?

JEAN.→

A cause du caractère de son souverain.

PAUL.→

Vous avez déserté toute religion et imité les superstitions de l'idolâtrie. Cette iniquité nous a obligés de fuir votre présence et la société de vos courtisans.

JULIEN.→

Quoique vous ayez manqué gravement au respect qui m'est dû, je veux bien encore pardonner à votre audace, et désire vous élever au premier rang des dignitaires du palais.

JEAN.→

Ne vous fatiguez pas en vain! nous ne céderons ni aux séductions ni aux menaces.

JULIEN.→

Je vous accorde un délai de dix jours, pour que vous ayez le temps de revenir à résipiscence et de regagner notre faveur impériale. S'il en arrive autrement, je ferai ce qu'il conviendra pour ne pas vous servir plus longtemps de jouet.

PAUL.→

Ce que vous méditez contre nous, faites-le dès ce moment, car vous ne nous ramènerez jamais ni à votre cour, ni à votre service, ni au culte de vos dieux.

JULIEN.→

Allez; retirez-vous, et obéissez à mes conseils.

JEAN.→

Nous acceptons volontiers le délai que vous nous donnez; mais c'est pour consacrer toutes nos facultés au ciel et nous recommander à Dieu, dans cet intervalle, par les jeûnes et les prières.

PAUL.→

Cette conduite est seule raisonnable[24].

SCÈNE VI.→

JULIEN, TÉRENTIANUS.

JULIEN.→

Allez, Térentianus, prenez avec vous quelques soldats, et forcez Jean et Paul de sacrifier au dieu Jupiter. S'ils s'obstinent dans leur refus, qu'ils soient mis à mort, non pas en public, mais aussi secrètement que vous pourrez, parce qu'ils ont exercé la charge d'officiers du palais.

SCÈNE VII.→

TÉRENTIANUS, PAUL ET JEAN, GARDES.

TÉRENTIANUS.→

Paul, et vous Jean, l'empereur Julien, mon maître, vous envoie, dans sa clémence, cette statue d'or de Jupiter, et vous ordonne de lui offrir de l'encens. Si vous refusez d'obéir, vous subirez la peine capitale.

JEAN.→

Puisque Julien est votre maître, vivez en paix avec lui et jouissez de ses faveurs. Quant à nous, nous n'avons nul autre maître que Notre Seigneur Jésus-Christ, pour l'amour duquel nous désirons mourir, afin de mériter une part des joies éternelles.

TÉRENTIANUS.→

Que tardez-vous, soldats? tirez vos épées et tuez ces rebelles aux dieux et à l'empereur. Quand ils auront rendu le dernier soupir, inhumez-les secrètement dans cette maison, et ne laissez aucune trace du sang versé.

LES GARDES.→

Et que dirons-nous si l'on nous interroge?

TÉRENTIANUS.→

Vous direz qu'ils ont été envoyés en exil.

JEAN ET PAUL.→

O toi, Christ! qui règnes avec le Père et le Saint-Esprit, Dieu unique! nous t'invoquons dans ce péril nous proclamons tes louanges en expirant; daigne, ô Dieu! recevoir nos âmes, qui pour toi sont chassées de leur habitation de boue!

SCÈNE VIII.→

TÉRENTIANUS, TROUPE DE CHRÉTIENS.

TÉRENTIANUS.→

Hélas! ô chrétiens? quel mal a saisi mon fils unique?

LES CHRÉTIENS.→

Il grince les dents; sa bouche écume; il roule les yeux comme un insensé. Il est la proie du démon.

TÉRENTIANUS.→

Malheur à son père! Et en quel lieu souffre-t-il ces tourments?

LES CHRÉTIENS.→

Auprès des tombeaux des martyrs Jean et Paul. Il se roule par terre, et déclare que leurs prières sont la cause de ses tortures.

TÉRENTIANUS.→

C'est ma faute, c'est mon crime; car à ma voix et par mon ordre, l'infortuné a porté ses mains impies sur les saints martyrs.

LES CHRÉTIENS.→

Si vous avez partagé la faute par vos conseils, vous partagez le châtiment par vos souffrances.

TÉRENTIANUS.→

Hélas! je n'ai fait qu'obéir aux ordres de l'impie Julien.

LES CHRÉTIENS.→

Lui-même a été frappé par la colère divine.

TÉRENTIANUS.→

Je le sais, et ma frayeur en redouble; car je n'ignore pas que nul ennemi des serviteurs de Dieu n'est demeuré impuni.

LES CHRÉTIENS.→

La justice le voulait ainsi.

TÉRENTIANUS.→

Si, en expiation de mon crime, j'allais me jeter à genoux devant les saints tombeaux?

LES CHRÉTIENS.→

Vous mériteriez votre pardon, pourvu que vous fussiez purifié par le baptême.

SCÈNE IX.→

TÉRENTIANUS, TROUPE DE CHRÉTIENS, LE FILS DE TERENTIANUS.

TÉRENTIANUS.→

Glorieux confesseurs du Christ, Jean et Paul, suivez l'exemple et le commandement de votre maître, et priez pour les péchés de vos persécuteurs. Compatissez aux angoisses d'un père qui craint d'être privé de son enfant; ayez pitié des souffrances d'un fils tombé dans la frénésie; faites que tous les deux, purifiés par les eaux du baptême, nous persévérions dans la foi de la sainte Trinité.

LES CHRÉTIENS.→

Séchez vos larmes, Térentianus, et calmez les angoisses de votre cœur. Voyez, votre fils a recouvré la santé et la raison par l'intercession des martyrs[25].

TÉRENTIANUS.→

Grâces soit rendues au roi de l'éternité qui accorde tant de gloire à ses soldats, que non-seulement leurs âmes se réjouissent au ciel, mais qu'au fond du sépulcre leurs os inanimés opèrent encore les plus éclatants miracles, en témoignage de leur sainteté, et par la grâce de Notre Seigneur Jésus-Christ, qui vit et règne dans tous les siècles. Amen[26].

II.
DULCITIUS.

ARGUMENT DE DULCITIUS.→

Martyre des saintes vierges Agape, Chionie et Irène. Le gouverneur Dulcitius va trouver furtivement ces pieuses filles pendant le silence de la nuit, dans une intention criminelle; mais à peine est-il entré, que, perdant tout à coup la raison, il saisit, au lieu des vierges, des marmites et des poêles à frire, et les couvre de baisers, au point que son visage et ses vêtements en sont horriblement noircis. Ensuite, par ordre de Dioclétien, il livre les pieuses vierges au comte Sisinnius, chargé de les punir. Celui-ci, ayant été à son tour le jouet des plus étonnantes illusions, fait enfin brûler Agape et Chionie, et percer Irène à coups de flèches[27].

DULCITIUS.→

PERSONNAGES.

DIOCLÉTIEN.
AGAPE.
CHIONIE.
IRÈNE.
DULCITIUS, gouverneur de Thessalonique.
SISINNIUS.
LA FEMME DE DULCITIUS.
HUISSIERS DU PALAIS IMPERIAL.
GARDES.
SUIVANTES DE LA FEMME DE DULCITIUS.

SCÈNE PREMIÈRE.→

DIOCLÉTIEN, AGAPE, CHIONIE, IRÈNE, GARDES.

DIOCLÉTIEN.→

L'illustration de votre famille, votre haute naissance, l'éclat de votre beauté, exigent que vous soyez unies par les lois de l'hymen aux premiers officiers de mon palais. Ma puissance ne s'opposera pas à ce qu'il en soit ainsi, pourvu que vous consentiez à renier le Christ et à sacrifier à nos dieux.

AGAPE.→

Vous pouvez vous épargner de pareils soucis et ne pas vous fatiguer des apprêts de nos noces, car rien au monde ne pourra nous forcer à renier un nom que nous devons confesser, ni à souiller notre pureté virginale.

DIOCLÉTIEN.→

Que signifie, Agape, la folie qui vous agite?

AGAPE.→

Quel signe de folie découvrez-vous en moi?

DIOCLÉTIEN.→

Un signe évident et considérable.

AGAPE.→

En quoi suis-je folle?

DIOCLÉTIEN.→

D'abord en ce que, renonçant à la pratique de notre antique religion, vous suivez les nouveautés futiles de la superstition chrétienne.

AGAPE.→

Votre témérité calomnie la majesté du Dieu tout-puissant. Il y a péril!

DIOCLÉTIEN.→

Pour qui?

AGAPE.→

Pour vous et pour la république que vous gouvernez.

DIOCLÉTIEN.→

Cette fille extravague; qu'on l'éloigne!

CHIONIE.→

Ma sœur n'extravague point; elle blâme votre égarement insensé; elle a raison.

DIOCLÉTIEN.→

Cette seconde ménade est encore plus violente que la première; qu'on l'éloigne aussi de ma présence, et interrogeons la troisième.

IRÈNE.→

Vous trouverez la troisième également rebelle à vos ordres et prête à vous résister opiniâtrement.

DIOCLÉTIEN.→

Irène, bien que tu sois la dernière en âge, deviens la première en dignité.

IRÈNE.→

Montrez-moi comment, je vous prie.

DIOCLÉTIEN.→

Courbe la tête devant nos dieux, et sois pour tes sœurs un exemple qui les corrige et les sauve.

IRÈNE.→

Que ceux qui veulent encourir la colère du Très-Haut se souillent en sacrifiant aux idoles; moi, je ne déshonorerai pas ma tête, sur laquelle a coulé l'onction du Roi céleste, en l'abaissant aux pieds de ces vains simulacres.

DIOCLÉTIEN.→

Le culte des dieux, loin d'apporter la honte, honore extrêmement ceux qui le pratiquent.

IRÈNE.→

Y a-t-il bassesse plus honteuse, y a-t-il turpitude plus grande que de rendre à des esclaves l'hommage que l'on doit aux maîtres?

DIOCLÉTIEN.→

Je ne vous engage pas à adorer des esclaves, mais les dieux des maîtres et des princes.

IRÈNE.→

N'est-il pas l'esclave du premier venu, le dieu qu'un artisan vend comme une marchandise pour un vil prix?

DIOCLÉTIEN.→

Il faut que les supplices mettent fin à ce présomptueux verbiage.

IRÈNE.→

Notre souhait, notre désir le plus ardent est de subir les plus cruelles tortures pour l'amour du Christ.

DIOCLÉTIEN.→

Que ces femmes opiniâtres, qui luttent contre nos édits, soient chargées de chaînes et retenues dans les horreurs d'un cachot, pour être examinées par le gouverneur Dulcitius.

———————

SCÈNE II.→

DULCITIUS, AGAPE, CHIONIE, IRÈNE, GARDES.

DULCITIUS.→

Amenez, soldats, amenez ici vos prisonnières.

LES GARDES.→

Voici celles que vous demandez.

DULCITIUS.→

Dieux! qu'elles sont belles! que ces jeunes filles ont de grâces et d'attraits!

LES GARDES.→

Elles sont d'une beauté parfaite.

DULCITIUS.→

Je suis épris de leurs charmes.

LES GARDES.→

Cela est facile à croire.

DULCITIUS.→

Je brûle de les amener à partager mon amour.

LES GARDES.→

Il nous paraît douteux que vous réussissiez.

DULCITIUS.→

Pourquoi?

LES GARDES.→

Parce qu'elles sont inébranlables dans la foi.

DULCITIUS.→

Qu'importe, si je les persuade par de douces paroles?

LES GARDES.→

Elles les méprisent.

DULCITIUS.→

Et si je les effraie par les supplices?

LES GARDES.→

Elles les dédaignent.

DULCITIUS.→

Que faire donc?

LES GARDES.→

C'est à vous d'y penser.

DULCITIUS.→

Enfermez-les dans la salle intérieure de l'office, dont le vestibule contient les ustensiles de cuisine.

LES GARDES.→

Pourquoi dans ce lieu?

DULCITIUS.→

Pour que je puisse les visiter plus fréquemment.

LES GARDES.→

Nous obéissons à vos ordres.

SCÈNE III.→

DULCITIUS, GARDES.

DULCITIUS.→

Que peuvent faire nos captives à cette heure de la nuit?

LES GARDES.→

Elles s'occupent à chanter des hymnes.

DULCITIUS.→

Approchons.

LES GARDES.→

Nous pourrons entendre dans l'éloignement le son de leurs voix argentines.

DULCITIUS.→

Restez en observation devant cette porte avec vos flambeaux; moi, j'entrerai et je jouirai de leurs embrassements tant désirés.

LES GARDES.→

Entrez; nous vous attendrons.

SCÈNE IV.→

AGAPE, CHIONIE, IRÈNE.

AGAPE.→

Quel bruit entends-je à la première porte?

IRÈNE.→

C'est le misérable Dulcitius qui entre.

CHIONIE.→

Dieu nous protége!

AGAPE.→

Amen.

CHIONIE.→

Que signifie ce cliquetis de marmites, de chaudrons et de poêles qui s'entre-choquent?

IRÈNE.→

Je vais voir ce que c'est.—Approchez, je vous prie; regardez à travers les fentes de la porte.

AGAPE.→

Qu'y a-t-il?

IRÈNE.→

Voyez! cet insensé a perdu la raison; il croit jouir de nos embrassements.

AGAPE.→

Que fait-il?

IRÈNE.→

Tantôt il presse tendrement des marmites sur son sein, tantôt il embrasse des chaudrons et des poêles à frire, et leur donne d'amoureux baisers.

CHIONIE.→

Cela est risible!

IRÈNE.→

Déjà son visage, ses mains, ses vêtements, sont tellement salis et noircis, qu'il ressemble tout à fait à un Éthiopien.

AGAPE.→

Il est juste que son corps apparaisse aussi noir que son âme possédée du démon[28].

IRÈNE.→

Voici qu'il se dispose à s'en aller; examinons ce que vont faire, quand il sortira, les soldats qui l'attendent à la porte.

SCÈNE V.→

DULCITIUS, GARDES.

LES GARDES.→

Quel est ce démoniaque, ou plutôt ce démon qui sort? Fuyons!

DULCITIUS.→

Soldats, où fuyez-vous? Restez, attendez; conduisez-moi avec vos flambeaux à ma demeure.

LES GARDES.→

C'est la voix de notre seigneur, mais c'est l'image du diable. Ne nous arrêtons pas, pressons notre fuite; ce fantôme veut notre perte.

DULCITIUS.→

Je cours au palais, et j'apprendrai aux princes comment on m'outrage.

SCÈNE VI.→

DULCITIUS, LES HUISSIERS DU PALAIS.

DULCITIUS.→

Huissiers, introduisez-moi dans le palais; j'ai à parler en particulier à l'empereur.

LES HUISSIERS.→

Quel est ce monstre affreux et dégoûtant, couvert de haillons noirs et déchirés? Gourmons-le, et précipitons-le du haut des degrés; il ne faut pas qu'il pénètre plus avant.

DULCITIUS.→

Malheur, malheur à moi! Qu'est-il arrivé? Ne suis-je pas paré des vêtements les plus riches[29]? toute ma personne n'est-elle pas éclatante? Et cependant tous ceux que j'aborde témoignent à ma vue autant de dégoût qu'à l'aspect d'un monstre horrible. Je vais retourner auprès de ma femme; j'apprendrai d'elle ce qui m'est arrivé. Mais la voici; elle accourt les cheveux épars, et toute sa maison la suit en larmes.

SCÈNE VII.→

DULCITIUS, LA FEMME DE DULCITIUS, GARDES.

LA FEMME DE DULCITIUS.→

Hélas! hélas! mon seigneur, à quel mal êtes-vous en proie? Vous n'avez plus votre raison, Dulcitius. Vous êtes devenu un objet de risée pour les chrétiens.

DULCITIUS.→

Oui, je le sens enfin; j'ai été le jouet des maléfices de ces femmes.

LA FEMME DE DULCITIUS.→

Ce qui me confondait surtout, ce qui me contristait le plus, c'est que vous ne connussiez pas votre mal.

DULCITIUS, aux gardes.→

J'ordonne qu'on expose en place publique ces filles impudiques, qu'on leur arrache leurs vêtements et qu'on les livre nues à tous les regards, afin qu'elles sachent, à leur tour, quels outrages nous pouvons leur faire subir.

SCÈNE VIII.→

DULCITIUS, endormi sur son tribunal, GARDES.

LES GARDES.→

Nous nous fatiguons en vain; nos efforts sont inutiles: les vêtements de ces vierges tiennent à leur corps autant que leur peau. Et voilà que notre chef, Dulcitius lui-même, qui nous pressait de les dépouiller, s'est endormi et ronfle sur son siége, sans qu'il y ait moyen de le réveiller. Allons trouver l'empereur et informons-le des choses qui se passent.

SCÈNE IX.→

DIOCLÉTIEN, seul.→

Il m'est pénible d'apprendre que le gouverneur Dulcitius ait été en butte à tant d'insultes, d'outrages et de cruelles déceptions. Mais pour que ces misérables femmelettes ne puissent pas se vanter d'insulter impunément nos dieux et se jouer de ceux qui les adorent, je chargerai le comte Sisinnius d'être l'exécuteur de ma vengeance.

SCÈNE X.→

SISINNIUS, GARDES.

SISINNIUS.→

Soldats, où sont les filles impudiques qui doivent subir la torture?

LES GARDES.→

Elles sont dans cette triste prison.

SISINNIUS.→

Mettez à part Irène, et amenez ici les autres.

LES GARDES.→

Pourquoi exceptez-vous une d'elles?

SISINNIUS.→

Par pitié pour son jeune âge. Peut-être sera-t-elle convertie plus aisément, si la présence de ses sœurs ne l'intimide pas.

LES GARDES.→

Cela est certain.

―――――――

SCÈNE XI.→

LES PRECEDENTS, AGAPE, CHIONIE.

LES GARDES.→

Voici celles que vous demandez.

SISINNIUS.→

Agape et vous, Chionie, suivez mes conseils.

AGAPE.→

Nous pourrions suivre vos conseils!

SISINNIUS.→

Offrez des libations aux dieux.

CHIONIE.→

Nous offrons un continuel sacrifice de louanges à Dieu, le père véritable et éternel, à son fils coéternel et à leur saint Paraclet.

SISINNIUS.→

Ce n'est point là ce que je vous conseille; je vous le défends même sous les peines les plus sévères.

AGAPE.→

Vos défenses sont impuissantes; jamais nous ne sacrifierons aux démons.

SISINNIUS.→

Que votre cœur dépose son endurcissement; sacrifiez aux dieux, sinon je vous ferai mettre à mort, suivant l'ordre de l'empereur Dioclétien.

CHIONIE.→

Il faut bien, lorsque votre empereur ordonne notre mort, que vous lui obéissiez, vous qui savez que nous méprisons ses édits; si même la pitié vous faisait tarder à lui obéir, il serait juste qu'on vous punît de mort.

SISINNIUS.→

Ne tardez pas, soldats! ne tardez pas à saisir ces blasphématrices, et jetez-les vivantes dans un brasier.

LES GARDES.→

Hâtons-nous de construire un bûcher et livrons-les à la fureur des flammes, afin de mettre un terme à leur insolence.

AGAPE.→

Non, Seigneur, non, ce ne serait pas un effet sans exemple de votre pouvoir que d'ordonner au feu d'oublier sa violence et de le forcer à vous obéir. Mais tout ce qui nous retient ici-bas nous est à charge. Nous vous supplions donc de rompre les liens qui enchaînent nos âmes, afin que nos corps étant consumés, nous nous réjouissions avec vous dans les régions célestes.

LES GARDES.→

O prodige nouveau et inexplicable! les âmes de ces femmes viennent de quitter leurs corps, sans qu'on puisse apercevoir aucune trace de lésion. Ni leurs cheveux, ni leurs vêtements n'ont été atteints par le feu, encore moins leurs corps.

SISINNIUS.→

Faites approcher Irène.

LES GARDES.→

La voici.

SCÈNE XII.→

LES MEMES, IRÈNE.

SISINNIUS.→

Redoutez, Irène, le sort de vos sœurs et craignez de périr en les prenant pour exemple.

IRÈNE.→

Je souhaite suivre leur exemple et mourir pour mériter de me réjouir éternellement avec elles.

SISINNIUS.→

Cède, cède à mes conseils.

IRÈNE.→

Je ne céderai point à qui me conseille le crime.

SISINNIUS.→

Si tu t'obstines dans tes refus, je ne t'accorderai pas une mort prompte; mais je la différerai, et chaque jour je multiplierai et renouvellerai tes supplices.

IRÈNE.→

Plus cruelles seront mes tortures, plus grande sera ma gloire.

SISINNIUS.→

Tu ne crains pas les supplices; mais j'en emploierai un dont tu as horreur.

IRÈNE.→

J'échapperai, avec l'aide du Christ, à tout ce que vous inventerez contre moi.

SISINNIUS.→

Je te ferai conduire dans un lieu de débauche, où ton corps sera souillé par les plus honteuses impuretés.

IRÈNE.→

Il vaut mieux que mon corps soit livré à toutes sortes d'outrages, que mon âme salie par le culte des idoles.

SISINNIUS.→

Si tu deviens la compagne des courtisanes, tu ne pourras plus, ainsi déshonorée, être comptée dans la phalange des vierges.

IRÈNE.→

La volupté attire le châtiment, mais la nécessité donne la couronne céleste. On n'est déclaré coupable que pour des fautes auxquelles l'âme a consenti[30].

SISINNIUS.→

En vain je l'épargnais; en vain j'avais pitié de son enfance.

LES GARDES.→

Nous savions bien que rien ne la pourrait forcer à adorer les dieux, et que la terreur ne pourrait jamais la vaincre.

SISINNIUS.→

Je ne l'épargnerai pas plus longtemps.

LES GARDES.→

Vous ferez bien.

SISINNIUS.→

Saisissez-la sans pitié, traînez-la sans miséricorde et conduisez-la honteusement dans un lieu de prostitution.

IRÈNE.→

Ils ne m'y conduiront pas.

SISINNIUS.→

Qui pourra les en empêcher?

IRÈNE.→

Celui dont la providence régit le monde.

SISINNIUS.→

Nous verrons.

IRÈNE.→

Et plus tôt que tu ne le voudras.

SISINNIUS.→

Soldats, ne vous laissez pas effrayer par les fausses prédictions de cette blasphématrice.

LES GARDES.→

Elle ne nous effraie point; nous nous efforçons d'exécuter vos ordres.

_____

SCÈNE XIII.→

SISINNIUS, ensuite LES GARDES.

SISINNIUS.→

Quels sont ces hommes qui accourent vers nous? Combien ils ressemblent aux soldats à qui j'ai livré Irène! Ce sont eux. (Aux gardes.) Pourquoi revenez-vous si vite? où courez-vous si hors d'haleine?

LES GARDES.→

C'est vous que nous cherchons.

SISINNIUS.→

Et où est celle que vous avez emmenée?

LES GARDES.→

Sur la crête de la montagne.

SISINNIUS.→

De quelle montagne?

LES GARDES.→

De la montagne voisine.

SISINNIUS.→

O hommes stupides et insensés, qui avez perdu toute raison!

LES GARDES.→

Pourquoi ces reproches? Pourquoi cette voix et ce visage menaçants?

SISINNIUS.→

Que les dieux vous foudroient!

LES GARDES.→

Quel crime avons-nous commis contre vous? quelle injure vous avons-nous faite? en quoi avons-nous transgressé vos ordres?

SISINNIUS.→

Ne vous ai-je pas ordonné de traîner dans un lieu d'ignominie cette fille rebelle à nos dieux?

LES GARDES.→

Oui, et nous étions occupés à vous obéir, quand deux jeunes inconnus survinrent et nous assurèrent que vous les aviez envoyés pour conduire Irène au sommet de la montagne.

SISINNIUS.→

Vous me l'apprenez.

LES GARDES.→

Nous le voyons.

SISINNIUS.→

Quel aspect avaient ces inconnus?

LES GARDES.→

Leurs vêtements étaient éclatants, leurs traits imposants et graves.

SISINNIUS.→

Ne les suivîtes-vous pas?

LES GARDES.→

Oui, nous les suivîmes.

SISINNIUS.→

Qu'ont-ils fait?

LES GARDES.→

Ils se placèrent aux deux côtés d'Irène, et nous envoyèrent ici pour vous informer de la conclusion de cette affaire.

SISINNIUS.→

Il ne me reste plus qu'à monter à cheval et à chercher qui ose se jouer aussi insolemment de nous.

LES GARDES.→

Courons-y également.

SCÈNE XIV.→

LES PRECEDENTS, IRÈNE.

SISINNIUS, à cheval.→

Qu'est-ce? je ne sais que faire; je suis ensorcelé par les chrétiens. Voyez, je tourne incessamment autour de cette montagne, et si je parviens à trouver un sentier, je ne puis ni monter ni revenir sur mes pas[31].

LES GARDES.→

Nous sommes tous le jouet des enchantements les plus étranges; la fatigue nous accable. Si vous laissez vivre plus longtemps cette tête écervelée, vous causerez votre perte et la nôtre.

SISINNIUS.→

Qu'un des miens bande fortement son arc, décoche une flèche et perce cette odieuse magicienne.

LES GARDES.→

C'est là ce qui convient.

IRÈNE.→

Rougis, malheureux Sisinnius, rougis de te voir honteusement vaincu et de n'avoir pu triompher que par la force et par les armes, de l'enfance d'une faible vierge.

SISINNIUS.→

Je me résigne sans beaucoup de peine à cette honte, parce que je suis sûr que tu vas mourir.

IRÈNE.→

C'est pour moi un très-grand sujet de joie, et c'en doit être un d'affliction pour toi; car, à cause de ta cruauté, tu seras damné dans le Tartare[32]. Moi, au contraire, j'irai recevoir la palme du martyre, et parée de la couronne de la virginité, j'entrerai dans la couche céleste du Roi éternel, à qui appartiennent l'honneur et la gloire dans tous les siècles.

III.
CALLIMAQUE.

ARGUMENT DE CALLIMAQUE.→

Résurrection de Drusiana et de Callimaque. Cette jeune femme étant morte dans le Seigneur, Callimaque, qui l'avait aimée vivante, désolé de l'avoir perdue et aveuglé par une passion coupable, l'aima encore dans le tombeau plus qu'il ne devait. De là sa mort misérable causée par la morsure d'un serpent; mais, grâce aux prières de l'apôtre saint Jean, il est ressuscité, ainsi que Drusiana, et renaît dans le Christ[33].

CALLIMAQUE.→

PERSONNAGES.

CALLIMAQUE, jeune habitant d'Éphèse.
LES AMIS DE CALLIMAQUE.
DRUSIANA.
ANDRONIQUE, mari de Drusiana.
L'apôtre SAINT JEAN.
FORTUNATUS, esclave d'Andronique.
DIEU.

SCÈNE PREMIÈRE.→

CALLIMAQUE, SES AMIS.

CALLIMAQUE.→

Je voudrais, mes amis, vous dire quelques mots.

LES AMIS.→

Usez de notre entretien aussi longtemps qu'il vous plaira.

CALLIMAQUE.→

Je préfère, si cette proposition ne vous déplaît pas, vous mettre à l'abri de la foule des importuns.

LES AMIS.→

Nous sommes prêts à faire tout ce qui vous paraîtra commode.

CALLIMAQUE.→

Gagnons des lieux moins ouverts, afin que personne ne vienne interrompre ce que j'ai à vous dire.

LES AMIS.→

Comme il vous conviendra.

SCÈNE II.→

LES PRECEDENTS.

CALLIMAQUE.→

Je suis depuis longtemps atteint d'une peine profonde que vos conseils pourront adoucir, j'espère.

LES AMIS.→

Il est juste que la communauté de nos sympathies nous fasse tous compatir à ce que la fortune apporte de bien ou de mal à chacun de nous.

CALLIMAQUE.→

Oh! plût à Dieu que vous voulussiez prendre une part de ma souffrance en y compatissant!

LES AMIS.→

Apprenez-nous quels sont vos chagrins; et, si leur gravité l'exige, nous y compatirons: sinon, nous ferons nos efforts pour distraire votre esprit d'une préoccupation funeste.

CALLIMAQUE.→

J'aime.

LES AMIS.→

Qu'aimez-vous?

CALLIMAQUE.→

Une chose belle et pleine de grâces.

LES AMIS.→

Ce sont là des attributs; et les attributs ne s'appliquent ni à un seul ordre d'objets, ni à tous les individus d'un même ordre[34]. Aussi ne peut-on savoir par votre réponse l'être particulier que vous aimez.

CALLIMAQUE.→

Eh bien! je me servirai du mot *femme*.

LES AMIS.→

Employer le mot *femme*, c'est les comprendre toutes.

CALLIMAQUE.→

Non pas toutes généralement, mais une en particulier.

LES AMIS.→

Ce qu'on dit d'un *sujet* ne peut s'entendre que d'un *sujet* déterminé. Si donc vous voulez que nous connaissions les *attributs*, dites-nous d'abord quelle est la *substance*.

CALLIMAQUE.→

Drusiana.

LES AMIS.→

La femme du prince Andronique?

CALLIMAQUE.→

Elle-même.

LES AMIS.→

Vous délirez, notre ami; elle a été purifiée par le baptême.

CALLIMAQUE.→

Je m'en inquiète peu, si je puis l'amener à m'aimer.

LES AMIS.→

Vous ne le pourrez pas.

CALLIMAQUE.→

Pourquoi cette défiance?

LES AMIS.→

Parce que vous entreprenez une chose difficile.

CALLIMAQUE.→

Suis-je le premier qui tente une aventure de ce genre, et de nombreux exemples ne me provoquent-ils pas à tout oser?

LES AMIS.→

Écoutez, frère: celle pour laquelle vous brûlez suit la doctrine de l'apôtre saint Jean; elle s'est vouée tout entière à Dieu, à tel point que rien, depuis longtemps, n'a pu la rappeler dans le lit de son époux Andronique, chrétien zélé. Encore bien moins consentira-t-elle à satisfaire vos désirs frivoles.

CALLIMAQUE.→

Je vous ai demandé des consolations, et vous enfoncez le désespoir dans mon cœur!

LES AMIS.→

Dissimuler, c'est tromper, et celui qui flatte vend la vérité.

CALLIMAQUE.→

Puisque vous me refusez votre secours, j'irai trouver Drusiana, et par mes discours passionnés je persuaderai à son cœur de m'accorder son amour.

LES AMIS.→

Vous n'y parviendrez pas.

CALLIMAQUE.→

C'est qu'alors j'aurai les destins contraires[35].

LES AMIS.→

Nous verrons à l'épreuve.

SCÈNE III.→

CALLIMAQUE, DRUSIANA[36].

CALLIMAQUE.→

C'est à vous que je parle, Drusiana, à vous mon plus cher et mon plus cordial amour.

DRUSIANA.→

Je cherche avec surprise, Callimaque, ce que vous voulez de moi en m'adressant la parole.

CALLIMAQUE.→

Vous le cherchez avec surprise?

DRUSIANA.→

Oui, vraiment.

CALLIMAQUE.→

Je veux, avant tout, vous parler de mon amour.

DRUSIANA.→

Que voulez-vous dire par votre amour?

CALLIMAQUE.→

Je veux dire que je vous chéris plus que toutes choses au monde.

DRUSIANA.→

Quels sont les liens étroits du sang, quels sont les nœuds formés par les lois qui vous portent à m'aimer?

CALLIMAQUE.→

Votre beauté.

DRUSIANA.→

Ma beauté!

CALLIMAQUE.→

Oui, certes.

DRUSIANA.→

Quel rapport y a-t-il entre ma beauté et vous?

CALLIMAQUE.→

Hélas! il y en a eu bien peu jusqu'à ce jour; mais j'espère qu'il en sera bientôt différemment.

DRUSIANA.→

Loin de moi! loin de moi! odieux suborneur! je rougis d'échanger plus longtemps des paroles avec vous. Je sens que vous êtes rempli des ruses du démon.

CALLIMAQUE.→

Ma Drusiana, ne repoussez pas un homme qui vous aime, un homme qui vous est attaché de toute son âme! Répondez plutôt à son amour.

DRUSIANA.→

Je ne fais pas le moindre cas de votre langage corrupteur; je n'ai que du dégoût pour vos désirs lascifs, et je méprise profondément votre personne.

CALLIMAQUE.→

Je n'ai pas voulu jusqu'ici me livrer à la colère, parce que je pense que peut-être la pudeur vous empêche d'avouer l'effet que ma tendresse produit sur vous.

DRUSIANA.→

Votre tendresse n'excite en moi que l'indignation.

CALLIMAQUE.→

Je crois que vous ne tarderez pas à changer de sentiment.

DRUSIANA.→

Je n'en changerai jamais, soyez-en certain.

CALLIMAQUE.→

Peut-être.

DRUSIANA.→

O homme insensé! amant égaré! pourquoi te tromper toi-même? pourquoi t'abuser par un vain espoir? Par quelle raison, par quel aveuglement peux-tu espérer que je cède à tes folles avances, moi qui depuis longtemps me suis abstenue de partager la couche de mon légitime époux?

CALLIMAQUE.→

J'en atteste Dieu et les hommes, Drusiana! si tu ne cèdes pas à mon amour, je n'aurai ni repos ni relâche, que je ne t'aie enveloppée et prise dans mes piéges.

SCÈNE IV.→

DRUSIANA, ANDRONIQUE.

DRUSIANA, se croyant seule.→

Hélas! Seigneur Jésus-Christ! que me sert d'avoir fait profession de chasteté, puisque ma beauté n'en a pas moins séduit ce jeune fou? Voyez mon effroi, Seigneur; voyez de quelle douleur je suis pénétrée. Je ne sais ce que je dois faire: si je dénonce l'audace de Callimaque, je causerai des discordes civiles; si je me tais, je ne pourrai, sans votre secours, éviter ces embûches diaboliques. Ordonnez plutôt, ô Christ! que je meure en vous bien vite, afin que je ne devienne pas une occasion de chute pour ce jeune voluptueux! (Elle meurt).

ANDRONIQUE.→

Infortuné que je suis! Drusiana vient de trépasser subitement. Je cours appeler saint Jean.

———

SCÈNE V.→

ANDRONIQUE, JEAN.

JEAN.→

Pourquoi vous affligez-vous avec tant d'excès, Andronique? pour quelle raison coulent vos larmes?

ANDRONIQUE.→

Hélas! hélas! seigneur! la vie m'est devenue un fardeau.

JEAN.→

Quel malheur vous a frappé?

ANDRONIQUE.→

Drusiana, votre élève....

JEAN.→

A-t-elle quitté son enveloppe humaine?

ANDRONIQUE.→

Hélas! vous l'avez dit.

JEAN.→

Il n'est nullement convenable de verser des pleurs sur la mort de ceux dont nous croyons les âmes heureuses dans le repos céleste.

ANDRONIQUE.→

Bien que je ne doute pas que son âme, comme vous l'assurez, ne goûte les joies éternelles, et que son corps inaccessible à la corruption ne ressuscite un jour, cependant une chose me pénètre de douleur: c'est que par ses vœux elle ait, devant moi, invité la mort à venir la prendre.

JEAN.→

Avez-vous su quel a été son motif?

ANDRONIQUE.→

Je l'ai su, et je vous l'apprendrai, si jamais je parviens à me guérir de ma tristesse.

JEAN.→

Allons, et employons tous nos soins à célébrer ses obsèques.

ANDRONIQUE.→

Il y a non loin d'ici un tombeau de marbre; nous y déposerons ses restes. Je chargerai Fortunatus, un de mes serviteurs, du soin de garder ce monument.

JEAN.→

Il est convenable que Drusiana soit inhumée avec honneur. Puisse Dieu donner à son âme la joie et le repos!

————

SCÈNE VI.→

CALLIMAQUE, FORTUNATUS(37).

CALLIMAQUE.→

Qu'arrivera-t-il de tout ceci, Fortunatus? La mort même de Drusiana ne peut éteindre mon amour.

FORTUNATUS.→

Votre situation est digne de pitié.

CALLIMAQUE.→

Je meurs si ton adresse ne me vient en aide.

FORTUNATUS.→

En quoi puis-je vous aider?

CALLIMAQUE.→

En faisant que je la voie, quoique morte.

FORTUNATUS.→

Son corps, je le pense, est encore intact, parce qu'il n'a pas été flétri par de longues souffrances, et qu'elle a, vous le savez, été enlevée par une fièvre légère.

CALLIMAQUE.→

O plût à Dieu que j'en pusse faire l'épreuve!

FORTUNATUS.→

Si vous me payez généreusement, je livrerai le corps de Drusiana à vos désirs.

CALLIMAQUE.→

Prends d'abord tout ce que j'ai sous la main, et sois sûr que tu recevras de moi beaucoup plus ensuite.

FORTUNATUS.→

Allons vite à la tombe.

CALLIMAQUE.→

Ce n'est pas moi qui tarderai.

SCÈNE VII.→

LES PRECEDENTS, DRUSIANA, couchée dans son cercueil.

FORTUNATUS.→

Voici le corps. (Écartant le linceul.) Ces traits ne sont pas ceux d'une morte; ces membres ont toute la fraîcheur de la vie; faites d'elle selon vos désirs.

CALLIMAQUE.→

O Drusiana! Drusiana! quelle tendresse de cœur je t'avais vouée! comme je t'aimais sincèrement et du fond de mes entrailles! Et toi, tu m'as toujours repoussé! toujours tu as contredit mes vœux! (Il l'enlève hors de la tombe.) Maintenant il est en mon pouvoir de pousser contre toi mes violences aussi loin que je voudrai.

FORTUNATUS.→

Ah! ah! un horrible serpent s'élance sur nous!

CALLIMAQUE.→

Malheur à moi! Fortunatus, pourquoi m'as-tu séduit? pourquoi m'as-tu conseillé ce crime détestable? Voici que tu meurs sous la blessure de ce serpent, et moi j'expire avec toi de terreur.

SCÈNE VIII.→

JEAN, ANDRONIQUE, ensuite DIEU.

JEAN.→

Andronique, allons au tombeau de Drusiana, afin de recommander son âme au Christ par nos prières.

ANDRONIQUE.→

Il est digne de votre sainteté de ne pas oublier celle qui avait mis toute sa confiance en vous.

(Dieu apparaît.)

JEAN.→

Voyez! le Dieu invisible se montre à nous sous une forme visible. Il a pris les traits d'un très-beau jeune homme.

ANDRONIQUE, aux spectateurs[38].→

Tremblez!

JEAN.→

Seigneur Jésus! pourquoi avez-vous daigné vous manifester en ce lieu à vos serviteurs?

DIEU.→

C'est pour la résurrection de Drusiana et de ce jeune homme étendu près de sa tombe, que je vous apparais. Mon nom doit être glorifié en eux.

ANDRONIQUE, à Jean.→

Avec quelle promptitude il est remonté au ciel[39]!

JEAN.→

Je ne comprends pas entièrement la cause de tout ceci.

ANDRONIQUE.→

Hâtons notre marche; peut-être, quand nous serons arrivés, trouverons-nous, à la vue des faits, l'explication de ce que vous assurez ne pas bien comprendre.

SCÈNE IX.→

LES PRECEDENTS, les trois corps de DRUSIANA, de FORTUNATUS et de CALLIMAQUE.

JEAN.→

Au nom du Christ, quel prodige vois-je ici? Le sépulcre est ouvert, le corps de Drusiana a été jeté hors de sa tombe; à côté gisent deux cadavres enlacés dans les nœuds d'un serpent!

ANDRONIQUE.→

Je devine ce que cela signifie. Durant sa vie, le jeune Callimaque aima Drusiana d'un amour criminel. Drusiana en fut contristée; le chagrin qu'elle en conçut la fit tomber dans la fièvre, et elle invita la mort à venir la visiter.

JEAN.→

L'amour de la chasteté a-t-il pu la pousser jusque-là?

ANDRONIQUE.→

Après la mort de celle qu'il aimait, ce jeune insensé, tourmenté à la fois par l'amour et par le chagrin de n'avoir pu commettre le crime qu'il méditait, s'abandonna au désespoir et sentit s'irriter le feu de ses désirs.

JEAN.→

Obstination déplorable!

ANDRONIQUE.→

Je ne doute pas qu'il n'ait séduit à prix d'argent ce méchant esclave, pour obtenir de lui l'occasion d'accomplir son dessein criminel.

JEAN.→

O forfait sans exemple!

ANDRONIQUE.→

Aussi, tous les deux, je le vois, ont-ils été frappés de mort, afin de les empêcher de consommer leur entreprise scélérate.

JEAN.→

Juste châtiment!

ANDRONIQUE.→

Ce qui dans tout ceci m'étonne le plus, c'est que la voix de Dieu ait plutôt annoncé la résurrection de celui dont la volonté fut coupable, que celle de l'homme qui n'a été que son complice; cela vient peut-être de ce que l'un, entraîné par les séductions de la chair, a failli sans discernement, tandis que l'autre a péché par pure méchanceté.

JEAN.→

Avec quel scrupule l'Arbitre suprême juge les actions humaines, et dans quelle juste balance il pèse les mérites de chacun, c'est ce qu'il est difficile de savoir, et ce que personne ne peut expliquer; car le mystère des jugements divins passe de bien loin la sagacité de l'esprit de l'homme.

ANDRONIQUE.→

Aussi n'avons-nous pas pour les jugements de Dieu assez d'admiration: nous voyons les événements; mais la science nous manque pour en discerner les causes.

JEAN.→

Ce n'est d'ordinaire qu'après les faits accomplis que l'événement nous révèle le secret des choses.

ANDRONIQUE.→

Mais, faites donc, bienheureux Jean, ce que vous avez reçu la mission de faire: ressuscitez Callimaque, pour que nous arrivions au dénoûment de cette mystérieuse aventure.

JEAN.→

Je pense devoir invoquer d'abord le nom du Christ pour chasser le serpent; ensuite je ressusciterai Callimaque.

ANDRONIQUE.→

Vous avez raison; c'est le moyen qu'il ne soit pas blessé de nouveau par la morsure du reptile.

JEAN, au serpent.→

Éloigne-toi de ce jeune homme, bête cruelle! car il doit dorénavant servir le Christ.

ANDRONIQUE.→

Quoique cette brute soit sans raison, son oreille au moins n'est pas sourde; elle a entendu votre ordre.

JEAN.→

Ce n'est pas à ma puissance, mais à celle du Christ qu'elle a obéi.

ANDRONIQUE.→

Aussi a-t-elle disparu plus vite que la parole[40].

JEAN.→

Dieu infini et que nul espace ne peut contenir; être simple et incommensurable, qui seul es ce que tu es; qui, réunissant deux substances dissemblables, as de l'une et de l'autre créé l'homme, et qui, désunissant ces deux principes, sépares ce qui formait un tout; ordonne que le souffle de vie rentre dans ce corps, que l'union rompue se rétablisse, et que Callimaque ressuscite homme parfait comme auparavant, afin que tu sois glorifié par toutes les créatures, toi qui peux seul opérer de tels miracles!

ANDRONIQUE.→

Amen.—Tenez! voici Callimaque qui respire l'air vital! Seulement la stupeur le retient encore immobile.

JEAN.→

Callimaque, au nom du Christ, levez-vous! et quoi que vous ayez fait, confessez-le; à quelques tentations coupables que vous ayez succombé, proclamez-les, pour que la vérité ne nous reste en rien cachée.

CALLIMAQUE.→

Je ne puis nier que je ne sois venu ici dans une intention criminelle. J'étais consumé par une mélancolie funeste et je ne pouvais apaiser le feu de mon amour illicite.

JEAN.→

Quelle démence, quelle frénésie s'était emparée de vous, pour oser vouloir faire subir à ces chastes restes un si honteux outrage?

CALLIMAQUE.→

J'étais entraîné par ma propre folie et par les suggestions captieuses de ce Fortunatus.

JEAN.→

Avez-vous eu, trois fois infortuné, le malheur de parvenir à commettre le mal que vous désiriez?

CALLIMAQUE.→

Nullement. J'ai eu la possibilité de vouloir; mais le pouvoir d'exécuter m'a tout à fait manqué.

JEAN.→

Quel obstacle vous arrêta?

CALLIMAQUE.→

A peine avais-je écarté le suaire et essayé d'odieux attentats sur le corps inanimé de Drusiana, que ce Fortunatus, le fauteur et l'instigateur du crime, périt sous le venin d'un serpent.

ANDRONIQUE.→

O punition bien méritée!

CALLIMAQUE.→

Alors m'apparut un jeune homme d'un aspect terrible; sa main recouvrit respectueusement le corps; de sa face rayonnante jaillirent des étincelles sur le tombeau; une d'elles atteignit mon visage, et en même temps se fit entendre une voix qui dit: «Callimaque, meurs pour vivre!» Ayant ouï ces mots, j'expirai.

JEAN.→

Bienfait de la grâce céleste, qui ne se complaît pas dans la perte des impies!

CALLIMAQUE.→

Vous avez entendu la misère de ma chute, daignez ne pas ajourner le remède de votre miséricorde.

JEAN.→

Je ne l'ajournerai point.

CALLIMAQUE.→

Car je suis confus et contristé jusqu'au fond de l'âme, je souffre, je gémis, je pleure sur mon horrible sacrilége.

JEAN.→

Ce n'est pas sans raison; un aussi grave délit exige le remède d'une pénitence qui ne soit point légère.

CALLIMAQUE.→

Oh! plût à Dieu que je pusse vous ouvrir les plus profonds replis de mon cœur! vous y verriez l'amertume du regret que je souffre, et vous compatiriez à ma douleur.

JEAN.→

Je me réjouis de cette douleur; car je sens que la tristesse vous est salutaire.

CALLIMAQUE.→

Je n'ai que dégoût pour ma vie passée, je n'ai que dégoût pour les voluptés coupables.

JEAN.→

Ce n'est point à tort.

CALLIMAQUE.→

Je me repens du crime que j'ai commis.

JEAN.→

La raison le veut.

CALLIMAQUE.→

J'ai tant de déplaisir de ce que j'ai fait, que je ne puis éprouver ni le désir ni le bonheur de vivre, à moins que, renaissant en Jésus-Christ, je ne mérite de devenir meilleur.

JEAN.→

Je ne doute pas que la grâce d'en-haut ne se manifeste en vous.

CALLIMAQUE.→

Ne tardez donc pas, ne différez pas à relever mon abattement, à adoucir ma tristesse par vos consolations, afin qu'aidé de vos avis et sous votre direction, de gentil je devienne chrétien, et que de débauché je devienne chaste; et qu'entré, sous votre conduite, dans le chemin de la vérité, je vive selon les préceptes de la promission divine.

JEAN.→

Béni soit le fils unique de Dieu, qui a bien voulu participer à notre faiblesse, et dont la clémence, ô mon fils Callimaque, vous a tué et en vous tuant vous a vivifié! Béni soit celui qui, par ce faux semblant de trépas, a délivré sa créature de la mort de l'âme!

ANDRONIQUE.→

Chose inouïe et digne de toute notre admiration!

JEAN.→

O Christ! rédemption du monde, holocauste offert pour nos péchés! je ne sais par quelles louanges assez éclatantes te célébrer dignement. J'adore avec crainte ta bénigne clémence et ta clémente patience, toi qui tantôt traites les pécheurs avec une bonté de père, tantôt les châties avec une juste sévérité et les forces à la pénitence.

ANDRONIQUE.→

Gloire à sa divine miséricorde!

JEAN.→

Qui aurait osé le croire? qui l'aurait espéré? La mort surprend ce jeune homme tout occupé de satisfaire ses désirs coupables; elle l'enlève au moment du crime, et ta miséricorde, ô Seigneur! daigne le rappeler à la vie et lui rendre des chances de pardon! Béni soit ton saint nom dans tous les siècles, ô toi qui seul opères de si admirables prodiges!

ANDRONIQUE.→

Et moi donc, bienheureux Jean! ne tardez pas à me consoler; car la tendresse conjugale que je porte à Drusiana ne permet à mon âme aucun repos, jusqu'à ce que je l'aie vue, elle aussi, ressuscitée au plus vite.

JEAN.→

Drusiana, que Jésus-Christ, notre Seigneur, vous ressuscite!

DRUSIANA.→

Gloire et honneur à toi, Christ, qui me fais revivre.

CALLIMAQUE.→

O ma Drusiana! grâces soient rendues à celui qui vous sauve, à celui qui vous fait renaître dans la joie, vous qui aviez atteint votre dernier jour dans la tristesse.

DRUSIANA.→

O mon vénérable père, bienheureux Jean, il est digne de votre sainteté qu'après avoir ressuscité Callimaque qui m'aima d'un amour coupable, vous ressuscitiez aussi l'esclave qui lui a livré mon corps enseveli.

CALLIMAQUE.→

Apôtre du Christ, ne croyez point qu'il soit digne de vous de délivrer des liens de la mort ce traître, ce malfaiteur qui m'a trompé, qui m'a séduit, qui m'a provoqué à oser cet horrible attentat.

JEAN.→

Vous ne devez point lui envier la grâce de la clémence divine.

CALLIMAQUE.→

Non, il n'est pas digne de la résurrection celui qui fut cause de la perte de son prochain.

JEAN.→

La loi de notre religion nous enseigne qu'un homme doit remettre ses offenses à un autre homme, s'il souhaite que Dieu lui remette les siennes[41].

ANDRONIQUE.→

Cela est juste.

JEAN.→

Car le fils unique de Dieu, le premier né de la Vierge, qui seul est venu au monde innocent, immaculé et exempt de la tache du péché originel, a trouvé tous les hommes courbés sous le lourd fardeau du péché.

ANDRONIQUE.→

Cela est vrai.

JEAN.→

Certes, il ne pouvait rencontrer aucun juste, aucun homme digne de sa miséricorde; cependant il ne méprisa personne, il n'excepta personne de sa grâce et de sa charité; mais il s'offrit lui-même pour tous, et donna sa vie précieuse pour le salut de tous.

ANDRONIQUE.→

Si l'innocent n'eût pas été mis à mort, nul homme n'eût été justement sauvé.

JEAN.→

Aussi ne se réjouit-il pas de la perte des hommes, lui qui se rappelle les avoir rachetés de son sang précieux.

ANDRONIQUE.→

Grâces lui soient rendues!

JEAN.→

C'est pourquoi nous ne devons pas envier aux autres la grâce divine, que nous voyons avec joie abonder en nous, sans que nous l'ayons méritée.

CALLIMAQUE.→

Votre remontrance m'a effrayé.

JEAN.→

Néanmoins, pour ne pas paraître repousser vos désirs, cet homme ne sera pas ressuscité par moi, mais par Drusiana, qui a reçu de Dieu le pouvoir de le faire.

DRUSIANA.→

Substance divine, qui seule es vraiment immatérielle et sans forme! toi qui as créé et modelé l'homme à ton image[42], et qui as inspiré à ta créature le souffle de vie, permets que le corps matériel de Fortunatus recouvre sa chaleur et redevienne une âme vivante, afin que notre triple résurrection tourne à ta louange, vénérable Trinité!

JEAN.→

Amen.

DRUSIANA.→

Réveillez-vous, Fortunatus, et, par l'ordre du Christ, rompez les liens de la mort!

FORTUNATUS.→

Qui me prend par la main et me relève? qui a parlé pour me faire revivre?

JEAN.→

Drusiana.

FORTUNATUS.→

Quoi! c'est Drusiana qui m'a ressuscité?

JEAN.→

Elle-même.

FORTUNATUS.→

N'avait-elle pas succombé, il y a quelques jours, à une mort imprévue?

JEAN.→

Oui, mais elle vit en Jésus-Christ.

FORTUNATUS.→

Et pourquoi Callimaque a-t-il ce maintien grave et modeste? pourquoi ne laisse-t-il pas éclater, selon sa coutume, son amour effréné pour Drusiana?

JEAN.→

Parce que, renonçant à cette mauvaise pensée, il s'est transformé en un vrai disciple du Christ.

FORTUNATUS.→

Non; cela n'est pas.

JEAN.→

Il en est ainsi.

FORTUNATUS.→

Eh bien! si, comme vous l'assurez, Drusiana m'a ressuscité, et si Callimaque croit au Christ, je rejette la vie, et fais volontairement choix de la mort; car j'aime mieux ne pas exister que de sentir continuellement en eux une telle abondance de grâce et de vertus.

JEAN.→

O étonnante envie du démon! ô malice de l'antique serpent, qui fit goûter la coupe de la mort à nos premiers pères, et qui ne cesse de gémir sur la gloire des justes! Ce malheureux Fortunatus, tout rempli d'un fiel diabolique, ressemble à un mauvais arbre qui ne produit que des fruits amers. Qu'il soit donc retranché du collége des justes et rejeté de la société de ceux qui craignent le Seigneur; qu'il soit précipité dans le feu de l'éternel supplice, pour y être torturé sans un seul intervalle de rafraîchissement.

ANDRONIQUE.→

Voyez comme les blessures que le serpent lui a faites se gonflent: il tourne de nouveau à la mort; il trépassera plus vite que je n'aurai parlé.

JEAN.→

Qu'il meure, et devienne un des habitants de l'enfer, lui qui, par haine du bonheur d'autrui, a refusé de vivre.

ANDRONIQUE.→

Punition effroyable!

JEAN.→

Rien n'est plus effroyable que l'envieux; nul n'est plus criminel que le superbe.

ANDRONIQUE.→

L'un et l'autre sont misérables.

JEAN.→

Un seul et même homme est toujours en proie à ces deux vices, parce qu'ils ne vont jamais l'un sans l'autre.

ANDRONIQUE.→

Expliquez-vous plus clairement.

JEAN.→

Oui, le superbe est envieux et l'envieux est superbe, parce qu'un esprit rongé par l'envie, ne pouvant souffrir d'entendre l'éloge d'autrui et désirant voir déprimer ceux qui le surpassent en perfection, dédaigne d'être placé au-dessous des plus dignes et s'efforce orgueilleusement d'être mis au-dessus de ses égaux.

ANDRONIQUE.→

Évidemment.

JEAN.→

De là vint que ce misérable se trouva blessé au fond du cœur, et ne put supporter l'humiliation de se reconnaître inférieur à ceux dans lesquels il voyait briller avec plus d'éclat la grâce divine.

ANDRONIQUE.→

Je comprends enfin, maintenant, pourquoi Dieu n'avait pas compté Fortunatus au nombre de ceux qui devaient ressusciter; c'est qu'il devait mourir presque aussitôt.

JEAN.→

Il méritait ce double trépas, d'abord pour avoir outragé une sépulture qui lui était confiée, ensuite pour avoir poursuivi de sa haine injuste ceux qui étaient ressuscités.

ANDRONIQUE.→

Le malheureux a cessé de vivre.

JEAN.→

Retirons-nous et laissons le démon reprendre son fils. Nous, cependant, pour célébrer dignement la conversion merveilleuse de Callimaque et cette double résurrection, passons ce jour dans la joie[43], rendant grâces à Dieu, ce juge équitable, ce pénétrant scrutateur de toutes les consciences, qui seul voit tout, et, disposant toutes choses comme il convient, distribuera à chacun, selon qu'il l'en aura reconnu digne, les récompenses ou les châtiments. A lui seul l'honneur, la vertu, la force, la victoire! à lui seul la gloire et le triomphe pendant la durée infinie des siècles! Amen.

IV.
ABRAHAM.

ARGUMENT D'ABRAHAM.→

Chute et conversion de Marie, nièce d'Abraham, ermite. Marie, après avoir vécu vingt années en solitude, se laisse séduire, rentre dans le siècle, et ne craint pas de se mêler à une troupe de courtisanes. Au bout de deux ans, les prières d'Abraham, qui s'était présenté à elle comme un amant, la rappellent à la vertu. Elle effaça par des larmes abondantes, par des jeûnes, des veilles et des prières continuées pendant vingt ans, les souillures de ses péchés[44].

ABRAHAM.→

PERSONNAGES.

ABRAHAM,
ÉPHREM[45], } ermites.

MARIE,
nièce
d'Abraham.

UN AMI
D'ABRAHAM.

UN
HÔTELIER.

SCÈNE PREMIÈRE.→

ABRAHAM, ÉPHREM.

ABRAHAM.→

Éphrem, mon frère et le compagnon de ma solitude, vous convient-il de vous entretenir avec moi, ou dois-je attendre que vous ayez fini de louer le Seigneur?

ÉPHREM.→

La conversation doit avoir pour unique objet, entre nous, la louange de celui qui a promis de se trouver au milieu de ceux qui s'assemblent en son nom.

ABRAHAM.→

Je ne suis venu que pour m'entretenir de ce que je sais être agréable à la divine volonté.

ÉPHREM.→

C'est pourquoi je ne différerai pas cet entretien d'un seul moment, et je me donne tout à votre désir.

ABRAHAM.→

Un projet fermente dans mon esprit, et je souhaite ardemment que votre volonté réponde à mes vœux.

ÉPHREM.→

Avec un même cœur, avec une même âme, nous devons vouloir ou ne vouloir pas les mêmes choses.

ABRAHAM.→

J'ai une nièce toute jeune, privée de l'appui de son père et de sa mère. La compassion que m'inspire son isolement me donne pour elle la plus vive affection, et j'éprouve à son sujet de continuelles inquiétudes.

ÉPHREM.→

Que vous font les soucis du monde, à vous qui avez triomphé du siècle?

ABRAHAM.→

Mon seul souci est que l'éclatante beauté de ma nièce ne soit un jour ternie par la souillure du péché.

ÉPHREM.→

Peut-on blâmer une telle crainte?

ABRAHAM.→

J'espère que non.

ÉPHREM.→

Quel est son âge?

ABRAHAM.→

Qu'une révolution de douze mois s'accomplisse, et elle aura respiré l'air vital pendant deux olympiades.

ÉPHREM.→

Votre pupille est loin de la maturité.

ABRAHAM.→

Aussi ne suis-je pas sans inquiétude.

ÉPHREM.→

Où habite-t-elle?

ABRAHAM.→

Dans mon ermitage; car, à la prière de ses parents, je l'ai prise chez moi pour l'élever; de plus, j'ai résolu de distribuer ses richesses aux pauvres.

ÉPHREM.→

Le mépris des biens temporels convient à un esprit tourné vers le ciel.

ABRAHAM.→

Je brûle du désir de fiancer ma nièce au Christ et de la soumettre à sa discipline.

ÉPHREM.→

Ce désir est louable.

ABRAHAM.→

Le nom qu'elle porte m'en fait une loi.

ÉPHREM.→

Quel est son nom?

ABRAHAM.→

Marie.

ÉPHREM.→

Il est vrai que la couronne de la virginité sied bien à l'excellence d'un tel nom.

ABRAHAM.→

Je ne doute pas que, si nous lui adressons de douces exhortations, nous ne la trouvions facile à céder à nos conseils.

ÉPHREM.→

Allons près d'elle, et tâchons de faire comprendre à son esprit la paisible douceur du célibat.

―――――

SCÈNE II.→

LES PRÉCÉDENTS, MARIE.

ABRAHAM.→

O ma fille adoptive! ô partie de mon âme! Marie, cède à mes avis paternels et aux instructions salutaires de mon compagnon Éphrem; tâche d'imiter par la chasteté la patronne de la virginité, à qui tu ressembles déjà par le nom.

ÉPHREM.→

Il ne convient pas, ma fille, que vous qui, par le mystère de votre nom, vous élevez sur l'axe du monde près de Marie, la mère de Dieu, au milieu des astres qui ne doivent jamais tomber, vous rampiez, inférieure en mérite, parmi les plus infimes créatures de la terre.

MARIE.→

J'ignore le mystère de mon nom; de là vient que je ne puis comprendre ce que signifient les circonlocutions dont vous vous servez[46].

ÉPHREM.→

Marie signifie *l'étoile de la mer*, autour de laquelle roule le monde, et sont appelés les peuples.

MARIE.→

Pourquoi l'appelle-t-on *l'étoile de la mer*?

ÉPHREM.→

Parce qu'elle ne se couche jamais et indique aux navigateurs le sentier du droit chemin.

MARIE.→

Et comment pourrait-il se faire que moi, si faible créature, formée de boue, je pusse atteindre aux mérites dont brille le mystère de mon nom?

ÉPHREM.→

Vous le pourrez par une virginale pureté de corps et une entière sainteté d'esprit.

MARIE.→

C'est un honneur bien grand pour un être mortel, que d'égaler les rayons des astres[47].

ÉPHREM.→

Oui, si vous restez vierge et pure, vous deviendrez l'égale des anges de Dieu. Entourée de leur phalange, quand vous aurez déposé votre grossière enveloppe corporelle, traversant les airs, franchissant les nuages, vous parcourrez le cercle du zodiaque et ne vous arrêterez que dans les bras du fils de la Vierge, sur la couche radieuse de sa mère.

MARIE.→

Qui ne sait pas apprécier ce bonheur vit comme la brute[48]; aussi je méprise les biens terrestres, et je renonce à moi-même, pour mériter d'être admise à jouir d'une si grande félicité.

ÉPHREM.→

En vérité, nous trouvons dans le cœur de cette enfant la maturité d'esprit d'un vieillard.

ABRAHAM.→

C'est à la grâce divine qu'elle le doit.

ÉPHREM.→

On ne peut le nier.

ABRAHAM.→

Mais, bien qu'elle soit éclairée par la grâce, il n'est pas bon, cependant, que, dans un âge aussi faible, elle soit abandonnée à sa propre volonté.

ÉPHREM.→

Cela est vrai.

ABRAHAM.→

Je lui construirai, auprès de mon ermitage, une cellule dont l'entrée sera très-étroite, et par la fenêtre de laquelle je lui apprendrai, dans mes fréquentes visites, les psaumes et les autres parties de la loi divine.

ÉPHREM.→

Cela est convenable.

MARIE.→

Éphrem, mon père, je m'abandonne à votre direction.

ÉPHREM.→

Que l'époux céleste à l'amour duquel vous vous êtes vouée dans un âge si tendre, vous protége, ma fille, contre toutes les ruses du démon!

SCÈNE III.→

ABRAHAM, ÉPHREM.

ABRAHAM.→

Éphrem, mon frère, si quelque coup de la bonne ou de la mauvaise fortune vient à m'atteindre, c'est vous que je vais trouver le premier, vous seul que je consulte. Ne repoussez donc pas les plaintes que je profère; mais assistez-moi dans ma douleur.

ÉPHREM.→

Abraham, Abraham, quel chagrin éprouvez-vous? pourquoi cette tristesse qui passe toutes les bornes? Un solitaire doit-il être agité des mêmes troubles que les séculiers?

ABRAHAM.→

Un immense sujet de deuil m'a frappé, une douleur intolérable m'accable.

ÉPHREM.→

Ne me fatiguez pas par de longs détours; dites-moi ce que vous souffrez.

ABRAHAM.→

Marie, ma fille adoptive, que j'ai pendant quatre lustres nourrie avec tant de soin, instruite avec tant de zèle...

ÉPHREM.→

Eh bien? Elle....

ABRAHAM.→

Hélas! elle est perdue.

ÉPHREM.→

Comment?

ABRAHAM.→

D'une manière déplorable. Après sa faute, elle s'est échappée secrètement.

ÉPHREM.→

De quels piéges l'a donc environnée la ruse de l'antique serpent?

ABRAHAM.→

Il s'est servi de la passion perverse d'un imposteur qui, lui rendant souvent d'hypocrites visites sous un habit de moine[49], a enfin amené le cœur rétif de cette jeune fille à partager son amour; elle en est venue à s'échapper par la fenêtre pour commettre le crime.

ÉPHREM.→

Ce récit me fait frémir.

ABRAHAM.→

Mais lorsque l'infortunée se sentit perdue, elle se frappa la poitrine, se meurtrit le visage, déchira ses vêtements, s'arracha les cheveux et jeta des cris lamentables.

ÉPHREM.→

Ce n'était pas sans raison; une ruine semblable doit être pleurée par un torrent de larmes.

ABRAHAM.→

Elle gémissait de n'être plus ce qu'elle avait été.

ÉPHREM.→

Malheur à elle!

ABRAHAM.→

Elle pleurait d'avoir agi contrairement à nos préceptes.

ÉPHREM.→

Oui, grandement.

ABRAHAM.→

Elle répandait d'abondantes larmes, en pensant qu'elle avait perdu le fruit de ses veilles, de ses jeûnes et de ses prières.

ÉPHREM.→

Si elle persévérait dans un tel repentir, elle serait sauvée.

ABRAHAM.→

Elle n'y a point persévéré; mais à une première faute elle a ajouté des fautes plus graves.

ÉPHREM.→

Je suis troublé jusqu'au fond du cœur; tous mes membres perdent leur force.

ABRAHAM.→

Après s'être punie par ses larmes, vaincue par l'excès de la douleur, elle se précipita dans l'abîme du désespoir.

ÉPHREM.→

Hélas! quelle perte funeste!

ABRAHAM.→

Désespérant de mériter jamais son pardon, elle est rentrée dans le siècle, et a résolu de se faire un instrument des vanités du monde.

ÉPHREM.→

Hélas! jamais jusqu'à ce jour les mauvais esprits n'avaient remporté une pareille victoire sur un solitaire.

ABRAHAM.→

Nous sommes maintenant la proie des démons.

ÉPHREM.→

Il est étonnant qu'elle ait pu s'échapper à votre insu.

ABRAHAM.→

J'avais déjà l'esprit troublé; déjà une vision effrayante, si mon esprit n'eût pas été frappé d'aveuglement[50], me présageait la ruine de Marie.

ÉPHREM.→

Je voudrais entendre les détails de cette vision.

ABRAHAM.→

Il me semblait que j'étais devant la porte de ma cellule, lorsqu'un dragon énorme et qui répandait l'odeur la plus fétide, s'abattit avec impétuosité sur une jeune et blanche colombe qui se trouvait auprès de moi, la saisit, la dévora et disparut aussitôt.

ÉPHREM.→

Cette vision était bien claire.

ABRAHAM.→

A mon réveil, réfléchissant à ce que j'avais vu, je craignis que l'Église ne fût menacée d'une persécution qui fit tomber quelques fidèles dans l'erreur.

ÉPHREM.→

Cela était à craindre.

ABRAHAM.→

Ensuite, me prosternant pour prier, je suppliai celui dont la prescience connaît l'avenir, de me découvrir les suites que devait avoir ce songe.

ÉPHREM.→

Vous avez bien agi.

ABRAHAM.→

Enfin, la troisième nuit, lorsque je reposais dans le sommeil mes membres fatigués, je crus voir le même dragon rouler mort à mes pieds et la colombe reparaître à mes yeux sans la moindre blessure.

ÉPHREM.→

Ce récit me comble de joie; car je ne doute pas que votre chère Marie ne revienne un jour près de vous.

ABRAHAM.→

A mon réveil, en me rappelant ce songe, je me consolais du malheur que me présageait le premier. Je me recueillis alors pour penser à ma pupille. Je me souvins aussi, non sans tristesse, que depuis deux jours je ne l'entendais plus chanter, selon sa coutume, les louanges du Seigneur.

ÉPHREM.→

Ce souvenir était bien tardif.

ABRAHAM.→

Je l'avoue. Je m'approchai, je frappai de la main à la fenêtre de Marie, je l'appelai plusieurs fois en la nommant ma fille.

ÉPHREM.→

Hélas! vous l'appeliez en vain.

ABRAHAM.→

Cette idée ne me vint pas encore; je lui demandai la cause de sa négligence à remplir ses devoirs pieux; mais je ne reçus pas le plus faible murmure pour réponse.

ÉPHREM.→

Que fîtes-vous alors?

ABRAHAM.→

Dès que je m'aperçus que celle que je cherchais était absente, mes entrailles furent émues de crainte, tout mon corps trembla.

ÉPHREM.→

On ne peut s'en étonner; moi aussi j'éprouve le même trouble en vous écoutant.

ABRAHAM.→

Puis je remplis les airs de cris lamentables, demandant quel loup m'avait ravi mon agneau, quel brigand retenait ma fille captive?

ÉPHREM.→

Vous déploriez avec raison la perte de celle que vous avez nourrie.

ABRAHAM.→

Enfin arrivèrent des gens qui, sachant la vérité, me dirent ce que je vous ai raconté et m'apprirent qu'elle s'était faite la servante des vaines passions du siècle.

ÉPHREM.→

Où demeure-t-elle?

ABRAHAM.→

On l'ignore.

ÉPHREM.→

Que ferez-vous?

ABRAHAM.→

J'ai un ami fidèle qui parcourt les villes et les campagnes et ne prendra pas de repos, qu'il n'ait appris quelle terre a reçu Marie.

ÉPHREM.→

Et s'il découvre sa retraite?

ABRAHAM.→

Je changerai d'habits et j'irai la trouver sous l'extérieur d'un amant; j'essaierai si mes exhortations peuvent la faire rentrer, après ce triste naufrage, dans le port de son premier repos.

ÉPHREM.→

Bien; mais que ferez-vous si on vous offre à manger des viandes et à vider des coupes de vin?

ABRAHAM.→

Je ne refuserai point, de peur d'être reconnu.

ÉPHREM.→

Ce sera user d'un sage et louable discernement, que de relâcher pour quelques moments le frein étroit de la discipline, afin de regagner une âme à Jésus-Christ.

ABRAHAM.→

Je m'enhardis d'autant plus à tenter cette entreprise, que votre pensée se trouve sur ce point conforme à la mienne.

ÉPHREM.→

Celui qui connaît les replis des cœurs sait l'intention qui dirige chacune de nos actions; dans son examen équitable, il ne regarde point comme coupable de prévarication celui qui, s'affranchissant pour un moment de la rigueur d'une stricte observance, ne dédaigne point de s'assimiler aux créatures les plus faibles, afin de ramener plus sûrement une âme égarée.

ABRAHAM.→

C'est à vous cependant de m'aider de vos prières, pour empêcher que la malice du démon n'entrave mes desseins.

ÉPHREM.→

Que l'être souverainement bon, sans lequel aucune chose bonne n'est faisable, permette que votre projet tourne à bien!

SCÈNE IV.→

ABRAHAM, UN AMI D'ABRAHAM.

ABRAHAM.→

Ne vois-je pas cet ami que j'envoyai il y a plus de deux ans à la recherche de Marie? C'est lui-même.

L'AMI.→

Salut, mon vénérable père!

ABRAHAM.→

Salut, obligeant ami! Je vous ai attendu longtemps, mais j'avais fini par désespérer de votre retour.

L'AMI.→

J'ai tardé ainsi, parce que je ne voulais pas prolonger votre inquiétude par des renseignements incertains; mais aussitôt que j'ai eu découvert la vérité, j'ai hâté mon retour.

ABRAHAM.→

Avez-vous vu Marie?

L'AMI.→

Je l'ai vue.

ABRAHAM.→

Où?

L'AMI.→

Quelle chose déplorable à dire!

ABRAHAM.→

Dites-la moi, je vous en supplie.

L'AMI.→

Elle a choisi pour demeure la maison d'un homme qui fait un métier honteux; cet homme a pour elle beaucoup de soins et d'attachement, et ce n'est pas sans raison, car chaque jour il reçoit de grosses sommes des amants de Marie.

ABRAHAM.→

Des amants de Marie!

L'AMI.→

Oui.

ABRAHAM.→

Et qui sont ces amants?

L'AMI.→

Ils sont très-nombreux.

ABRAHAM.→

Hélas! ô bon Jésus! quelle monstruosité! Celle que j'avais élevée pour être ton épouse se livre, me dit-on, à des amants étrangers!

L'AMI.→

Ce fut de tout temps la coutume des courtisanes de se plaire à l'amour des étrangers.

ABRAHAM.→

Procurez-moi un cheval léger et un habit militaire; je veux déposer mon vêtement de religion, et me présenter à elle sous les dehors d'un amant.

L'AMI.→

Voici tout ce que vous m'avez demandé.

ABRAHAM.→

Apportez-moi encore, je vous prie, un grand chapeau pour voiler ma tonsure.

L'AMI.→

Cette précaution est surtout nécessaire, pour que vous ne soyez pas reconnu.

ABRAHAM.→

Si j'emportais avec moi une pièce d'or que je possède, afin de payer l'hôtelier?

L'AMI.→

Autrement vous ne pourriez parvenir à converser avec Marie.

———————

SCÈNE V.→

ABRAHAM, L'HÔTELIER.

ABRAHAM.→

Salut, bon hôtelier.

L'HÔTELIER.→

Qui me parle? Hôte, salut.

ABRAHAM.→

Avez-vous de la place pour un voyageur qui veut passer la nuit chez vous?

L'HÔTELIER.→

Oui, sans doute; nous ne devons refuser notre humble hôtellerie à personne.

ABRAHAM.→

C'est très-louable.

L'HÔTELIER.→

Entrez, on va vous préparer à souper.

ABRAHAM.→

Je vous dois beaucoup pour ce gracieux accueil; mais j'ai à vous demander un plus grand service.

L'HÔTELIER.→

Dites ce que vous désirez, vous l'obtiendrez, à coup sûr.

ABRAHAM.→

Acceptez ce petit présent que je vous offre, et faites en sorte que cette très-belle fille qui, je le sais, demeure chez vous, vienne prendre place à notre table.

L'HÔTELIER.→

Pourquoi avez-vous envie de la voir?

ABRAHAM.→

Parce que je me fais une grande joie de connaître cette femme dont j'ai entendu louer si souvent la beauté.

L'HÔTELIER.→

Ceux qui vantent ses charmes ne mentent point; car par les grâces de son visage elle éclipse toutes les autres femmes.

ABRAHAM.→

De là vient que je brûle d'amour pour elle.

L'HÔTELIER.→

Je m'étonne que vous puissiez, vieux et décrépit comme vous êtes, soupirer d'amour pour une jeune femme.

ABRAHAM.→

Il est très-certain que je ne suis venu ici que pour la voir[51].

―――――――

SCÈNE VI.→

LES PRECEDENTS, MARIE.

L'HÔTELIER.→

Avancez, avancez, Marie, et faites admirer votre beauté à ce néophyte.

MARIE.→

Me voici.

ABRAHAM, à part.→

De quelle constance, de quelle fermeté d'esprit ne dois-je pas m'armer, quand je vois celle que j'ai nourrie dans la solitude de mon ermitage, chargée des parures d'une courtisane? Mais il n'est pas temps que mon visage révèle ce qui se passe dans mon âme. Je retiens avec un mâle courage mes larmes prêtes à s'échapper, et je couvre sous une feinte gaieté la profonde amertume de ma douleur.

L'HÔTELIER.→

Heureuse Marie, réjouissez-vous, car, non-seulement, comme de coutume, les jeunes gens de votre âge, mais les vieillards eux-mêmes vous recherchent et accourent en foule pour vous témoigner leur amour.

MARIE.→

Tous ceux qui m'aiment reçoivent de moi en retour un amour égal.

ABRAHAM.→

Approchez, Marie, et donnez-moi un baiser.

MARIE.→

Non-seulement je vous donnerai les plus doux baisers, mais je caresserai et j'entourerai de mes bras ce col que les ans ont courbé.

ABRAHAM.→

Volontiers.

MARIE, à part.→

Quelle est l'odeur que je sens? quel est le parfum extraordinaire que je respire? Cette saveur particulière me rappelle celle de mon ancienne abstinence.

ABRAHAM, à part.→

C'est à présent qu'il faut feindre, à présent qu'il faut me livrer à de joyeux ébats comme un jeune étourdi, de peur que ma gravité ne me fasse reconnaître, et que la honte ne la pousse à rentrer dans sa retraite.

MARIE.→

Hélas! malheureuse! D'où suis-je tombée? et dans quel abîme de perdition ai-je roulé?

ABRAHAM.→

Ce lieu où se rassemble la foule des convives n'est pas fait pour entendre des plaintes.

L'HÔTELIER.→

Dame Marie, pourquoi soupirez-vous? pourquoi versez-vous des larmes? N'habitez-vous pas ici depuis deux ans? et jamais je ne vous ai entendu gémir; jamais je n'ai remarqué que vos propos aient été plus tristes.

MARIE.→

Oh! plût à Dieu que la mort m'eût enlevée il y a trois ans! Je ne serais point descendue à une vie aussi criminelle.

ABRAHAM.→

Je ne suis pas venu pour pleurer vos péchés avec vous, mais pour partager votre amour.

MARIE.→

Un léger repentir m'attristait et me faisait ainsi parler; mais soupons et livrons-nous à la joie; car, comme vous m'en faites souvenir, ce n'est ni le moment ni le lieu de pleurer mes péchés. (Ils se mettent à table.)

ABRAHAM.→

Nous avons largement soupé, largement bu, grâce à votre libérale hospitalité, ô digne hôtelier. Permettez-moi de me lever de table, pour aller étendre dans un lit mon corps fatigué et refaire mes forces par un doux repos.

L'HÔTELIER.→

Comme il vous plaira.

MARIE.→

Levez-vous, mon seigneur, levez-vous; je vais me rendre avec vous dans la chambre à coucher.

ABRAHAM.→

Je le désire; rien ne m'aurait fait sortir d'ici, si vous n'aviez dû m'accompagner.

SCÈNE VII.→

MARIE, ABRAHAM.

MARIE.→

Voici une chambre où nous serons commodément; voici un lit qui n'est point composé de pauvres matelas. Asseyez-vous, que je vous épargne la fatigue d'ôter votre chaussure.

ABRAHAM.→

Fermez d'abord les verroux avec soin, pour que personne ne puisse entrer.

MARIE.→

Que cela ne vous inquiète pas; je saurai faire en sorte que personne n'arrive aisément jusqu'à nous.

ABRAHAM, à part.→

Il est temps maintenant d'ôter le grand chapeau qui couvre ma tête et de montrer qui je suis. (Haut.) O ma fille d'adoption! ô moitié de mon âme, Marie, reconnaissez-vous en moi le vieillard qui vous a nourrie avec la tendresse d'un père et qui vous a fiancée au fils unique du Roi céleste?

MARIE.→

O Dieu! c'est mon père et mon maître Abraham qui me parle!
(Elle demeure frappée de crainte[52].)

ABRAHAM.→

Que t'est-il arrivé, ma fille?

MARIE.→

Un grand malheur.

ABRAHAM.→

Qui t'a trompée? qui t'a séduite?

MARIE.→

Celui qui a fait tomber nos premiers pères.

ABRAHAM.→

Où est la vie angélique que tu menais sur la terre?

MARIE.→

Tout à fait perdue.

ABRAHAM.→

Où est ta pudeur virginale? où est ton admirable chasteté?

MARIE.→

Perdue!

ABRAHAM.→

Si tu ne rentres dans la voie du salut, quel prix peux-tu espérer
recevoir de tes jeûnes, de tes veilles, de tes prières, lorsque, tombée
de la hauteur du ciel, tu t'es comme noyée dans les profondeurs de
l'enfer?

MARIE.→

Hélas!

ABRAHAM.→

Pourquoi m'as-tu méprisé? pourquoi m'as-tu abandonné?
pourquoi ne m'as-tu pas instruit de ta chute? Aidé de mon cher
Éphrem, j'aurais fait pour toi une complète pénitence.

MARIE.→

Après que je fus tombée dans le péché, souillée comme je l'étais, je n'osai plus m'approcher de votre sainteté.

ABRAHAM.→

Qui jamais fut exempt de péché, si ce n'est le fils de la Vierge?

MARIE.→

Personne.

ABRAHAM.→

Pécher est le propre de l'humanité; ce qui est du démon, c'est de persévérer dans ses fautes. On doit blâmer non pas celui qui tombe par surprise, mais celui qui néglige de se relever aussitôt.

MARIE.→

Malheureuse que je suis! (Elle se prosterne.)

ABRAHAM.→

Pourquoi te laisses-tu abattre? pourquoi rester ainsi immobile, prosternée à terre? Relève-toi et écoute ce que je vais dire.

MARIE.→

Je suis tombée frappée de terreur; je n'ai pu soutenir le poids de vos remontrances paternelles.

ABRAHAM.→

Songe, ma fille, à ma tendresse pour toi, et cesse de craindre.

MARIE.→

Je ne puis.

ABRAHAM.→

N'est-ce pas pour toi que j'ai quitté mon désert si regrettable et renoncé à l'observance de presque toute discipline régulière? n'est-ce pas pour toi, que moi, véritable ermite, je me suis fait le compagnon de table de gens débauchés? Moi, qui depuis si longtemps m'étais voué au silence, n'ai-je pas proféré des paroles joviales pour ne pas être reconnu? Pourquoi baisser les yeux et regarder la terre? pourquoi dédaignes-tu de me répondre et d'échanger avec moi tes pensées?

MARIE.→

La conscience de mon crime m'accable; je n'ose lever les yeux vers le ciel, ni mêler mes paroles aux vôtres.

ABRAHAM.→

Ne te défie pas ainsi du ciel, ma fille; ne désespère pas; mais sors de cet abîme de désespoir et mets ton espérance en Dieu.

MARIE.→

L'énormité de mes péchés m'a plongée dans le plus profond désespoir.

ABRAHAM.→

Vos péchés sont bien grands, je l'avoue; mais la miséricorde divine est plus grande que toutes les choses créées[53]. Bannissez donc cette tristesse, et profitez du peu de temps qui vous est donné pour vous repentir; car la grâce divine abonde où ont le plus abondé l'abomination et les désordres.

MARIE.→

Si on avait le moindre espoir de mériter son pardon, on ne manquerait pas de se livrer avec ardeur à la pénitence.

ABRAHAM.→

Ayez pitié, ma fille, des fatigues auxquelles je me suis exposé pour vous; renoncez à ce funeste découragement qui est, je le déclare, plus coupable que toutes les fautes; car celui qui désespère de la miséricorde de Dieu envers les pécheurs, commet un péché irrémissible. En effet, comme l'étincelle qui jaillit du caillou ne peut embraser la mer, l'amertume de nos péchés ne saurait altérer la douceur de la clémence divine.

MARIE.→

Je ne nie pas la grandeur de la bonté suprême; mais quand je considère l'énormité de mon crime, j'ai peur qu'il n'y ait pas de pénitence qui puisse suffire à l'expier.

ABRAHAM.→

Je me charge de votre iniquité; seulement retournez au lieu que vous avez quitté et reprenez le genre de vie que vous avez abandonné.

MARIE.→

Je ne m'opposerai jamais à aucun de vos désirs; j'obéis respectueusement à vos ordres.

ABRAHAM.→

Je vois bien à présent que j'ai retrouvé ma fille, celle que j'ai nourrie; à présent c'est vous que je dois chérir par-dessus toutes choses.

MARIE.→

Je possède un peu d'or et quelques vêtements précieux; j'attends ce que votre autorité décidera à cet égard.

ABRAHAM.→

Ce que vous avez acquis par le péché, il faut l'abandonner avec le péché.

MARIE.→

Je pensais à distribuer ces objets aux pauvres ou bien à les offrir aux saints autels.

ABRAHAM.→

Le produit du crime n'est certainement point une offrande agréable à Dieu(54).

MARIE.→

Je ne me préoccuperai plus de cette idée.

ABRAHAM.→

L'aurore paraît; le jour est venu; partons.

MARIE.→

C'est à vous, père chéri, de précéder, comme le bon pasteur, la brebis que vous avez retrouvée, et moi, marchant derrière, je suivrai vos traces.

ABRAHAM.→

Il n'en sera pas ainsi; j'irai à pied et vous monterez sur mon cheval, de peur que l'aspérité du chemin ne blesse la plante de vos pieds délicats(55).

MARIE.→

Oh! comment vous louer dignement? par quelle reconnaissance payer tant de bonté? Loin de me forcer au repentir par la terreur, vous m'y amenez, moi indigne de pitié, par les plus douces, par les plus tendres exhortations.

ABRAHAM.→

Je ne vous demande rien autre chose que de demeurer fidèle au Seigneur pendant le reste de votre vie.

MARIE.→

Je m'attacherai à Dieu de toute ma volonté, de toutes mes forces; et si le pouvoir me manque, du moins jamais la volonté ne me manquera.

ABRAHAM.→

Il convient maintenant de servir Dieu avec la même ardeur que vous aviez mise au service des vanités du monde.

MARIE.→

Je demande à Dieu que, par vos mérites, sa volonté s'accomplisse en moi.

ABRAHAM.→

Hâtons notre retour.

MARIE.→

Oui, hâtons-le; car tout délai m'est pénible.

SCÈNE VIII.→

LES MEMES.

ABRAHAM.→

Avec quelle rapidité nous avons surmonté les difficultés de ce rude voyage[56]!

MARIE.→

Ce qu'on fait avec dévotion se fait aisément.

ABRAHAM.→

Voici votre cellule déserte.

MARIE.→

Hélas! elle fut témoin et confidente de mon crime, je n'ose y entrer[57].

ABRAHAM.→

Vous avez raison; il convient de fuir un lieu où le triomphe a été du côté de l'ennemi.

MARIE.→

Et où m'ordonnez-vous de faire pénitence?

ABRAHAM.→

Entrez dans cette cellule plus retirée, afin que le vieux serpent ne trouve plus désormais l'occasion de vous tromper.

MARIE.→

Je ne résiste pas, et je me soumets à vos ordres.

ABRAHAM.→

Je vais aller trouver mon compagnon Éphrem, afin qu'il se réjouisse avec moi de ce que je vous ai retrouvée, lui qui seul a pleuré avec moi votre perte.

MARIE.→

Cela est juste.

SCÈNE IX.→

ABRAHAM, ÉPHREM.

ÉPHREM.→

M'apportez-vous d'heureuses nouvelles?

ABRAHAM.→

Oui; de très-heureuses.

ÉPHREM.→

Je m'en félicite; je ne doute pas que vous n'ayez retrouvé Marie.

ABRAHAM.→

Je l'ai retrouvée, en effet, et je l'ai ramenée avec joie au bercail.

ÉPHREM.→

C'est l'œuvre de l'assistance divine; je le crois.

ABRAHAM.→

Il n'en faut pas douter.

ÉPHREM.→

Je voudrais savoir de quelle manière elle a maintenant réglé ses mœurs et sa vie.

ABRAHAM.→

Suivant ma volonté.

ÉPHREM.→

Rien ne peut lui être plus utile.

ABRAHAM.→

Elle s'est soumise à tout ce que je lui ai ordonné de faire, quelque difficile, quelque pénible que cela fût.

ÉPHREM.→

Cette obéissance est digne d'éloge.

ABRAHAM.→

Revêtue d'un cilice, se mortifiant par des veilles et par un jeûne continuel, elle observe la discipline la plus austère et force son corps délicat à subir l'empire de l'âme.

ÉPHREM.→

Il est juste que les souillures d'une volupté criminelle ne puissent se laver que par les plus rudes macérations.

ABRAHAM.→

Quand on l'entend gémir, on a le cœur déchiré; quand on voit son repentir, on se livre soi-même à la contrition.

ÉPHREM.→

Il en est presque toujours ainsi.

ABRAHAM.→

Elle travaille de toutes ses forces à devenir pour le monde un exemple de conversion, comme elle a été une cause de chute.

ÉPHREM.→

Cela est bien pensé.

ABRAHAM.→

Plus elle a été souillée, plus elle s'efforce de se montrer pure.

ÉPHREM.→

Ce récit me comble de joie et fait pénétrer la satisfaction jusqu'au fond de mon cœur.

ABRAHAM.→

Et avec raison, car les phalanges angéliques se réjouissent et louent le Très-Haut pour la conversion d'un pécheur.

ÉPHREM.→

On ne peut s'en étonner, car Dieu ressent peut-être moins de joie de la persévérance du juste que du repentir de l'impie.

ABRAHAM.→

Aussi devons-nous louer d'autant plus la bonté du Seigneur envers Marie, que nous espérions moins qu'elle pût revenir jamais à la vertu.

ÉPHREM.→

Félicitons et louons, louons et glorifions l'unique, le vénérable, le bien-aimé et le clément fils de Dieu, qui ne veut pas laisser périr ceux qu'il a rachetés de son sang divin.

ABRAHAM.→

A lui honneur, gloire, louange et jubilation pendant les siècles sans fin! Amen.

V.

PAPHNUCE.

ARGUMENT DE PAPHNUCE.→

Conversion de la courtisane Thaïs, que l'ermite Paphnuce va trouver, comme Abraham, sous les dehors d'un amant. Paphnuce la convertit et lui impose pour pénitence de rester pendant cinq ans renfermée dans une étroite cellule. Thaïs, par cette juste expiation, est réconciliée à Dieu, et, quinze jours après avoir accompli sa pénitence, elle s'endort dans le Christ[58].

PAPHNUCE.→

PERSONNAGES.

PAPHNUCE, ermite.
DISCIPLES DE PAPHNUCE.
THAÏS, courtisane.
JEUNES GENS, amoureux de Thaïs.
ANTOINE et PAUL, ermites de la Thébaïde.
UNE ABBESSE.

SCÈNE PREMIÈRE.→

PAPHNUCE, LES DISCIPLES.

LES DISCIPLES.→

Pourquoi ce sombre visage, Paphnuce notre père? Pourquoi ne nous montrez-vous pas un air serein, comme de coutume?

PAPHNUCE.→

Celui dont le cœur est contristé ne peut montrer qu'un sombre visage.

LES DISCIPLES.→

Quelle est la cause de votre tristesse?

PAPHNUCE.→

L'injure qu'on fait au Créateur.

LES DISCIPLES.→

De quelle injure parlez-vous?

PAPHNUCE.→

De celle que lui fait souffrir sa propre créature, formée à son image.

LES DISCIPLES.→

Vos paroles nous ont effrayés.

PAPHNUCE.→

Quoique son impassible majesté ne puisse être atteinte par aucun outrage, cependant, s'il m'est permis de transporter métaphoriquement à Dieu les sentiments propres à notre faible nature, quelle plus sensible injure peut-on lui faire, que de mettre le monde mineur en révolte contre sa volonté, quand le monde majeur obéit avec soumission à sa toute-puissance?

LES DISCIPLES.→

Qu'est-ce que le monde mineur[59]?

PAPHNUCE.→

L'homme.

LES DISCIPLES.→

L'homme?

PAPHNUCE.→

Sans doute.

LES DISCIPLES.→

Quel homme?

PAPHNUCE.→

L'homme en général.

LES DISCIPLES.→

Comment cela peut-il se faire?

PAPHNUCE.→

Comme il a plu au Créateur.

LES DISCIPLES.→

Nous ne comprenons pas.

PAPHNUCE.→

C'est qu'en effet cette matière n'est pas accessible à tous les esprits.

LES DISCIPLES.→

Expliquez-nous cela.

PAPHNUCE.→

Prêtez-moi votre attention.

LES DISCIPLES.→

Oui, et la plus complète.

PAPHNUCE.→

Comme le monde majeur est formé de quatre éléments opposés, mais qui, par la volonté du Créateur, s'accordent entre eux selon les lois de l'harmonie, de même l'homme est composé non-seulement de ces quatre éléments, mais d'autres parties, qui sont encore plus contraires entre elles.

LES DISCIPLES.→

Et qu'y a-t-il de plus contraire que les éléments?

PAPHNUCE.→

Le corps et l'âme. Car les éléments, bien que contraires, ont cependant un point commun, qui est d'être matériels; au lieu que l'âme n'est pas mortelle comme le corps, ni le corps spirituel comme l'âme.

LES DISCIPLES.→

Cela est vrai.

PAPHNUCE.→

Cependant, si nous suivons la méthode des dialecticiens, nous ne conviendrons pas même que le corps et l'âme soient contraires.

LES DISCIPLES.→

Et qui peut le nier?

PAPHNUCE.→

Ceux qui sont exercés aux discussions de la dialectique. Rien, suivant eux, n'est contraire à la substance (οὐσία), qui est le réceptacle de tous les contraires.

LES DISCIPLES.→

Qu'entendiez-vous tout à l'heure par cette expression: suivant les lois de l'harmonie[60]?

PAPHNUCE.→

Le voici. Comme les sons graves et les sons aigus[61] produisent un résultat musical, s'ils sont unis suivant des rapports harmoniques, de même des éléments dissonant forment un seul monde, s'ils sont convenablement mis d'accord.

LES DISCIPLES.→

Il est étonnant que des choses dissonantes puissent concorder, ou qu'il soit possible d'appeler concordantes des choses dissonantes.

PAPHNUCE.→

C'est que rien ne peut se composer d'éléments semblables, non plus que d'éléments qui n'ont entre eux aucun rapport de proportion et qui diffèrent entièrement de substance et de nature.

LES DISCIPLES.→

Qu'est-ce que la musique?

PAPHNUCE.→

Une des sciences du quadrivium de la philosophie.

LES DISCIPLES.→

Qu'appelez-vous *quadrivium*?

PAPHNUCE.→

L'arithmétique, la géométrie, la musique et l'astronomie[62].

LES DISCIPLES.→

Pourquoi ce nom de *quadrivium*?

PAPHNUCE.→

Parce que, comme d'un carrefour, d'où partent quatre chemins, ces quatre sciences découlent directement d'un seul et même principe de philosophie.

LES DISCIPLES.→

Nous n'osons pas vous questionner sur les trois autres sciences; car à peine la faible portée de notre esprit peut-elle atteindre la hauteur de la discussion que vous avez commencée.

PAPHNUCE.→

Cela est, en effet, d'une difficile intelligence.

LES DISCIPLES.→

Donnez-nous quelques notions superficielles de la science dont nous nous occupons en ce moment.

PAPHNUCE.→

Je ne saurais vous en parler que très-succinctement, car elle est peu connue des solitaires.

LES DISCIPLES.→

De quoi s'occupe-t-elle?

PAPHNUCE.→

La musique?

LES DISCIPLES.→

Oui.

PAPHNUCE.→

Elle traite des sons.

LES DISCIPLES.→

Y en a-t-il une ou plusieurs?

PAPHNUCE.→

On en compte trois, mais qui sont tellement liées entre elles par des rapports de proportion, que ce qui est dans l'une ne peut manquer d'être dans les autres.

LES DISCIPLES.→

Et quelle différence y a-t-il entre les trois?

PAPHNUCE.→

La première se nomme la musique du monde ou musique céleste, la seconde la musique humaine, et la troisième l'instrumentale[63].

LES DISCIPLES.→

En quoi consiste la céleste?

PAPHNUCE.→

Dans les sept planètes et la sphère céleste.

LES DISCIPLES.→

Comment cela?

PAPHNUCE.→

Parce qu'il en est de la musique céleste comme de l'instrumentale. Car on trouve dans les planètes et dans la sphère le même nombre d'intervalles, les mêmes degrés et les mêmes consonnances que dans les cordes.

LES DISCIPLES.→

Qu'est-ce que les intervalles?

PAPHNUCE.→

Les espaces appréciables qui sont entre les planètes ou entre les cordes.

LES DISCIPLES.→

Et les degrés?

PAPHNUCE.→

La même chose que les tons[64].

LES DISCIPLES.→

Nous n'avons aucune notion de ceux-ci.

PAPHNUCE.→

Le ton se compose de deux sons: il est proportionnel au nombre *epogdous* ou *sesquioctave* (c'est-à-dire dans le rapport de 9 à 8).

LES DISCIPLES.→

Plus nous faisons d'efforts pour comprendre et franchir rapidement vos premières propositions, plus vous nous en apportez sans cesse d'une difficulté croissante.

PAPHNUCE.→

Cela est inévitable dans ces sortes de discussions.

LES DISCIPLES.→

Dites-nous quelques mots des consonnances en général, pour qu'au moins nous sachions le sens de ce terme.

PAPHNUCE.→

La consonnance est une certaine combinaison harmonique[65].

PAPHNUCE.→

LES DISCIPLES.→

Comment cela?

PAPHNUCE.→

Parce qu'elle est composée tantôt de quatre, tantôt de cinq, et tantôt de huit sons.

LES DISCIPLES.→

A présent que nous savons qu'il y a trois consonnances, nous voudrions connaître le nom de chacune d'elles.

PAPHNUCE.→

La première se nomme *diatessaron*, comme formée de quatre sons; elle est en proportion *épitrite* ou *sesquitierce* (dans le rapport de 4 à 3). La seconde se nomme *diapente*, ou composée de cinq sons; elle est en proportion *hémiole* ou *sesquialtère* (dans le rapport de 3 à 2). La troisième se nomme *diapason*; elle est en raison double (c'est-à-dire formée par l'union de la quarte et de la quinte)[66], et se compose de huit sons.

LES DISCIPLES.→

La sphère et les planètes rendent-elles donc des sons, pour qu'on puisse les comparer aux cordes?

PAPHNUCE.→

Oui, et des sons très-forts.

LES DISCIPLES.→

Pourquoi ne les entendons-nous pas?

PAPHNUCE.→

On en donne plusieurs raisons. Les uns pensent qu'on ne peut entendre les sons de la sphère céleste à cause de leur continuité. Les autres croient que cela [301] vient de la densité de l'air. Quelques-uns pensent qu'un aussi énorme volume de son ne peut pénétrer dans notre étroit conduit auditif[67]. Quelques personnes enfin soutiennent que la sphère produit un son si doux, si enchanteur, que si les hommes pouvaient l'entendre, ils se réuniraient en foule, négligeraient toutes leurs affaires, et, s'oubliant eux-mêmes, suivraient le son conducteur de l'Orient en Occident.

LES DISCIPLES.→

Il vaut mieux ne pas l'entendre.

PAPHNUCE.→

La prescience du Créateur en a jugé ainsi.

LES DISCIPLES.→

Cela peut suffire sur la musique céleste; passons à la musique humaine.

PAPHNUCE.→

Que voulez-vous en savoir?

LES DISCIPLES.→

En quoi elle consiste.

PAPHNUCE.→

Non-seulement elle consiste, comme je vous l'ai dit, dans l'union du corps et de l'âme, ainsi que dans l'émission de la voix tantôt grave et tantôt aiguë; mais on la retrouve encore dans la pulsation des artères et dans la mesure de certains membres, tels que les articulations des doigts, qui nous offrent, quand nous les mesurons, les mêmes proportions que nous avons signalées dans les consonnances; car la musique est non-seulement la convenance des voix, mais encore celle des autres choses dissemblables.

[303] LES DISCIPLES.→

Si nous avions prévu que le nœud de cette question dût être si difficile à dénouer pour des ignorants, nous aurions mieux aimé ne rien savoir du monde mineur, que de nous jeter dans de telles difficultés.

PAPHNUCE.→

La peine que vous avez prise n'est rien, à présent que vous savez ce que vous ignoriez auparavant.

LES DISCIPLES.→

Il est vrai; mais nous n'avons aucun goût pour les discussions philosophiques. Notre intelligence ne peut saisir la subtilité de votre argumentation.

PAPHNUCE.→

Pourquoi vous moquez-vous? je ne suis qu'un ignorant, et non pas un philosophe.

LES DISCIPLES.→

Et d'où avez-vous tiré ces connaissances dont nous n'avons pu suivre l'exposition sans fatigue?

PAPHNUCE.→

C'est une faible goutte que, par hasard et sans m'être assis au banquet de la science, j'ai vue, en passant, tomber de la pleine coupe des sages; je l'ai recueillie, et j'ai voulu vous en faire part.

LES DISCIPLES.→

Nous rendons grâce à votre bonté; mais cette maxime de l'Apôtre nous effraie: «Dieu choisit les insensés suivant le monde, pour confondre les prétendus sages[68].»

[305] PAPHNUCE.→

Sages ou insensés mériteront d'être confondus devant le Seigneur, s'ils font le mal.

LES DISCIPLES.→

Sans doute.

PAPHNUCE.→

Toute la science qu'il est possible d'avoir n'est pas ce qui offense Dieu, mais l'injuste orgueil de celui qui sait.

LES DISCIPLES.→

Cela est vrai.

PAPHNUCE.→

Et à quoi la connaissance des arts serait-elle plus justement et plus dignement employée qu'à la louange de celui qui a créé tout ce qu'on peut savoir, et qui nous fournit la matière et l'instrument de la science?

LES DISCIPLES.→

On n'en saurait faire un meilleur emploi.

PAPHNUCE.→

Car mieux l'homme comprend par quelle loi admirable Dieu a réglé le nombre, la proportion et l'équilibre de toutes choses, plus il brûle d'amour pour lui.

LES DISCIPLES.→

Et c'est avec justice[69].

PAPHNUCE.→

Mais pourquoi m'appesantir sur ce sujet, qui nous apporte peu de plaisir?

LES DISCIPLES.→

Apprenez-nous la cause de votre tristesse, pour que nous ne soyons pas oppressés plus longtemps sous le poids de la curiosité.

[307] PAPHNUCE.→

Quand vous m'aurez entendu, vous n'aurez pas lieu de vous réjouir.

LES DISCIPLES.→

Trop souvent on ne trouve qu'un chagrin au fond de la curiosité satisfaite[70]. Toutefois, nous ne pouvons surmonter la nôtre: car c'est un défaut inhérent à la faiblesse humaine.

PAPHNUCE.→

Une femme impudique habite dans notre pays.

LES DISCIPLES.→

C'est un grand danger pour les habitants.

PAPHNUCE.→

Cette femme, en qui brille une admirable beauté, se souille des impuretés les plus horribles.

LES DISCIPLES.→

Malheur déplorable! Quel est son nom?

PAPHNUCE.→

Thaïs.

LES DISCIPLES.→

Thaïs, la courtisane?

PAPHNUCE.→

Elle-même.

LES DISCIPLES.→

Sa vie infâme est connue de tous.

PAPHNUCE.→

Il ne faut pas s'en étonner, car il ne lui suffit pas de courir à sa perte avec un petit nombre d'amants; il n'y a personne qu'elle ne s'efforce de séduire par ses charmes et d'entraîner à sa perte.

[309] LES DISCIPLES.→

Calamité funeste!

PAPHNUCE.→

Non-seulement les étourdis dissipent avec elle le peu de biens qui leur reste; mais les riches citoyens de la ville consument ce qu'ils possèdent de plus précieux, pour l'enrichir à leurs dépens.

LES DISCIPLES.→

Cela fait frémir d'horreur.

PAPHNUCE.→

Des troupeaux d'amants affluent chez elle.

LES DISCIPLES.→

Ils se perdent eux-mêmes.

PAPHNUCE.→

Ces insensés, aveuglés par leurs désirs, se disputent l'entrée de sa maison, et s'emportent en querelles.

LES DISCIPLES.→

Un vice en engendre un autre.

PAPHNUCE.→

Puis ils en viennent aux mains; tantôt ils se meurtrissent le visage à coups de poing, tantôt ils se repoussent les uns les autres par les armes et inondent de sang le seuil de cette demeure impure.

LES DISCIPLES.→

O excès détestables!

PAPHNUCE.→

Voilà l'injure au Créateur que je déplorais; voilà la cause de ma douleur.

LES DISCIPLES.→

Ce n'est pas sans motif que vous vous affligez, et nous ne doutons pas que les citoyens de la patrie céleste n'en soient contristés comme vous.

PAPHNUCE.→

Si j'allais la trouver sous les dehors d'un amant, peut-être pourrais-je l'amener à renoncer à ces désordres?

LES DISCIPLES.→

Puisse celui qui a versé ce dessein dans votre pensée vous donner le pouvoir de l'accomplir!

PAPHNUCE.→

Prêtez-moi cependant l'appui de vos prières assidues, pour que je puisse vaincre les ruses du serpent maudit.

LES DISCIPLES.→

Que celui qui a terrassé le roi des habitants des ténèbres vous fasse triompher de l'ennemi du genre humain!

SCÈNE II.→

PAPHNUCE, LES AMANTS DE THAÏS.

PAPHNUCE.→

J'aperçois des jeunes gens dans le forum. Je vais les aborder et leur demander où je trouverai celle que je cherche.

LES JEUNES GENS.→

Cet inconnu semble vouloir nous aborder; voyons ce qu'il nous veut.

PAPHNUCE.→

Holà! jeunes gens, qui êtes-vous?

LES JEUNES GENS.→

Des habitants de cette ville.

PAPHNUCE.→

Je vous salue.

LES JEUNES GENS.→

Nous vous saluons aussi, qui que vous soyez, étranger ou citoyen.

PAPHNUCE.→

Je suis étranger.

LES JEUNES GENS.→

Pourquoi venez-vous ici? que cherchez vous?

PAPHNUCE.→

Ce n'est pas une chose à dire.

LES JEUNES GENS.→

Pourquoi?

PAPHNUCE.→

C'est mon secret.

LES JEUNES GENS.→

Vous feriez mieux de nous parler avec confiance; car, n'étant pas de cette ville, vous aurez de la peine à faire ce que vous désirez, sans les conseils des habitants.

PAPHNUCE.→

Et si je parle, et qu'en parlant j'élève un obstacle à mes desseins?

LES JEUNES GENS.→

Aucun ne viendra de nous.

PAPHNUCE.→

Je cède à vos promesses bienveillantes et me fie à votre loyauté. Je vais vous communiquer mon secret.

LES JEUNES GENS.→

Vous ne rencontrerez de notre part ni infidélité ni entrave.

PAPHNUCE.→

J'ai appris, par de nombreux rapports, qu'il habite parmi vous une femme que tout le monde est forcé d'aimer, et qui est affable pour tout le monde.

LES JEUNES GENS.→

Savez-vous son nom?

PAPHNUCE.→

Oui.

LES JEUNES GENS.→

Comment s'appelle-t-elle?

PAPHNUCE.→

Thaïs.

LES JEUNES GENS.→

C'est le feu qui embrase nos concitoyens.

PAPHNUCE.→

On la dit la plus belle et la plus voluptueuse de toutes les femmes.

LES JEUNES GENS.→

Ceux qui vous ont ainsi parlé d'elle ne vous ont pas trompé.

PAPHNUCE.→

C'est pour elle que j'ai supporté la longueur d'un pénible voyage. Je ne suis venu que pour la voir.

LES JEUNES GENS.→

Rien ne s'oppose à ce que vous la voyiez.

PAPHNUCE.→

Où demeure-t-elle?

LES JEUNES GENS.→

Voyez, son logis est tout proche.

PAPHNUCE.→

Est-ce cette maison que vous me montrez du doigt?

LES JEUNES GENS.→

Oui.

PAPHNUCE.→

J'y vais.

LES JEUNES GENS.→

Si vous voulez, nous vous accompagnerons.

PAPHNUCE.→

Je préfère y aller seul.

LES JEUNES GENS.→

Comme il vous plaira.

SCÈNE III.→

PAPHNUCE, THAIS.

PAPHNUCE.→

Êtes-vous ici dedans, Thaïs, vous que je cherche?

THAÏS.→

Qui est là? quel inconnu me parle?

PAPHNUCE.→

Un homme qui vous aime.

THAÏS.→

Quiconque m'aime est payé de retour.

PAPHNUCE.→

O Thaïs! Thaïs! quel long et pénible voyage j'ai entrepris, pour avoir le bonheur de vous parler et de contempler votre beauté!

THAÏS.→

Je ne me dérobe point à vos regards; je ne refuse pas de m'entretenir avec vous.

PAPHNUCE.→

Une conversation aussi intime que celle que je désire demande un lieu plus solitaire.

THAÏS.→

Voici une chambre bien meublée, et qui offre une agréable habitation.

PAPHNUCE.→

N'y a-t-il pas un réduit plus retiré, où nous puissions causer plus secrètement?

THAÏS.→

Oui, il y a encore dans ce logis un lieu plus reculé, et si secret, qu'avec moi il n'y a que Dieu qui le connaisse.

PAPHNUCE.→

Quel Dieu?

THAÏS.→

Le vrai Dieu.

PAPHNUCE.→

Vous croyez donc que Dieu sait quelque chose de ce qui nous concerne?

THAÏS.→

Je n'ignore pas que rien ne lui est caché.

PAPHNUCE.→

Pensez-vous qu'il reste indifférent aux actions des pécheurs, ou qu'il les juge, au contraire, avec équité?

THAÏS.→

Je crois que, dans la balance de sa justice, il pèse les actions de tous les hommes, et qu'il dispense le châtiment ou la récompense à chacun suivant ses œuvres.

PAPHNUCE.→

O Christ! combien ta bonté pour nous est admirable et patiente! Ceux même qui te connaissent, et que tu vois pécher, tu tardes encore à les punir.

THAÏS.→

Pourquoi tremblez-vous et changez-vous de couleur? Pourquoi versez-vous des larmes?

PAPHNUCE.→

Votre présomption me fait horreur, je déplore votre chute; car vous saviez ces vérités, et, cependant, vous avez perdu un si grand nombre d'âmes!

THAÏS.→

Malheur, malheur à moi!

PAPHNUCE.→

Vous serez damnée, avec d'autant plus de justice que vous avez, avec une plus grande présomption, offensé sciemment la Majesté divine!

THAÏS.→

Hélas! hélas! que dites-vous? Quelles menaces adressez-vous à une malheureuse femme?

PAPHNUCE.→

Les supplices de l'enfer vous atteindront, si vous persévérez dans le crime.

THAÏS.→

La sévérité de vos réprimandes ébranle profondément mon cœur effrayé.

PAPHNUCE.→

Oh! plût à Dieu qu'une si grande terreur pénétrât jusqu'au fond de vos entrailles, que vous n'eussiez plus l'audace de céder à de dangereuses voluptés!

THAÏS.→

Et quelle place peut-il rester à présent pour les plaisirs corrompus dans un cœur où règnent sans partage un repentir amer et l'épouvante nouvelle que m'inspirent des crimes dont je connais l'énormité?

PAPHNUCE.→

Ce que je souhaite, c'est que, coupant les épines du vice, vous fassiez couler sur vos fautes le torrent de la componction.

THAÏS.→

Oh! si vous pouviez croire, oh! si vous pouviez espérer qu'une pécheresse souillée, comme je le suis, par la fange de mille et mille impuretés, pût jamais expier ses crimes et mériter son pardon par une pénitence, quelque dure qu'elle fût!...

PAPHNUCE.→

Il n'est point de péché si grave, point de crime si énorme, que ne puissent expier les larmes du repentir, pourvu qu'elles soient suivies d'œuvres effectives.

THAÏS.→

Montrez-moi, je vous prie, mon père, par quelles œuvres méritoires je puis obtenir le bienfait de ma réconciliation.

PAPHNUCE.→

Méprisez le siècle, et fuyez la compagnie de vos amants dissolus.

THAÏS.→

Et que me faudra-t-il faire ensuite?

PAPHNUCE.→

Vous retirer dans un lieu solitaire, où, en faisant votre examen intérieur, vous puissiez pleurer sur l'énormité de votre péché.

THAÏS.→

Si vous espérez que cela puisse être utile à mon salut, je ne tarde pas un seul instant.

PAPHNUCE.→

Je ne doute pas que cela ne vous soit utile.

THAÏS.→

Accordez-moi seulement un court délai, pour réunir les richesses que j'ai si mal acquises et que j'ai trop longtemps conservées.

PAPHNUCE.→

Ne vous inquiétez pas de ces choses; il ne manquera pas de gens qui s'en serviront, quand ils les auront trouvées.

THAÏS.→

Je ne m'inquiète de ces biens ni pour les garder, ni pour les donner à mes amis: je ne songe pas même à les distribuer aux indigents; car je ne crois pas que le prix de ce qui demande une expiation puisse être convenablement employé en bonnes œuvres[71].

PAPHNUCE.→

Vous avez raison. Et qu'avez-vous résolu de faire de ces monceaux de richesses?

THAÏS.→

Je veux les livrer aux flammes et les réduire en cendres.

PAPHNUCE.→

Pourquoi?

THAÏS.→

Pour ne rien laisser dans le monde de ce que je n'ai acquis qu'en péchant et en outrageant le Créateur du monde.

PAPHNUCE.→

Oh! que vous êtes différente de cette Thaïs qui brûlait naguère de passions impures, et qui était altérée d'or[72]!

THAÏS.→

Peut-être deviendrai-je meilleure, si cela plaît à Dieu.

PAPHNUCE.→

Il n'est pas difficile à son essence immuable de changer toutes choses à son gré.

THAÏS.→

Je vais mettre à exécution le projet que j'ai conçu.

PAPHNUCE.→

Allez en paix, et hâtez-vous de revenir vers moi.

———

SCÈNE IV.→

THAÏS, SES AMANTS.

THAÏS.→

Venez tous ici; accourez, amants insensés!

LES AMANTS.→

C'est la voix de Thaïs qui nous appelle; allons vite, pour ne pas l'offenser par nos lenteurs.

THAÏS.→

Approchez! accourez! j'ai à échanger avec vous quelques paroles.

LES AMANTS.→

O Thaïs! Thaïs! que signifie ce bûcher que vous élevez?
Pourquoi y entassez-vous ce nombre infini d'objets précieux?

THAÏS.→

Vous le demandez?

LES AMANTS.→

Nous sommes frappés de surprise.

THAÏS.→

Je vais vous le dire sans délai.

LES AMANTS.→

Nous le désirons.

THAÏS.→

Regardez! (Elle met le feu au bûcher.)

LES AMANTS.→

Arrêtez! arrêtez, Thaïs! que faites-vous? Avez-vous perdu la raison?

THAÏS.→

Je ne l'ai pas perdue; je l'ai recouvrée!

LES AMANTS.→

Pourquoi sacrifiez-vous ainsi quatre cents livres d'or et tant de richesses de toutes sortes?

THAÏS.→

Je veux consumer dans les flammes tout ce que j'ai arraché de vous par de mauvaises actions, afin qu'il ne vous reste plus la moindre espérance de me voir jamais céder à votre amour.

LES AMANTS.→

Arrêtez, un moment! arrêtez! et découvrez-nous la cause du trouble où vous êtes.

THAÏS.→

Je ne veux ni rester, ni vous parler plus longtemps.

LES AMANTS.→

D'où viennent ces dédains et ce mépris? Nous reprochez-vous quelque infidélité? N'avons-nous pas toujours satisfait vos désirs? et voilà que vous nous accablez injustement d'une haine imméritée!

THAÏS.→

Laissez-moi; ne déchirez pas mes vêtements pour me retenir! Qu'il vous suffise que jusqu'à ce jour j'aie consenti à pécher avec vous. Il est temps de mettre un terme à mes fautes. Le moment de nous séparer est venu.

LES AMANTS.→

Où va-t-elle?

THAÏS.→

Dans un lieu où nul d'entre vous ne me verra.

LES AMANTS.→

Grand Dieu! quel est ce prodige? Thaïs, nos délices, elle qui ne songeait qu'à s'enrichir, elle qui n'eut jamais d'autre pensée que le plaisir, et qui s'était livrée tout entière à la volupté, voilà qu'elle sacrifie sans retour tant de monceaux d'or et de pierreries! Elle nous méprise, nous ses amants, et nous a privés tout à coup de sa présence!

———

SCÈNE V.→

THAÏS, PAPHNUCE.

THAÏS.→

Me voici, Paphnuce mon père. Je viens à vous toute prête à vous obéir.

PAPHNUCE.→

Votre retard commençait à m'inquiéter; je craignais que vous ne vous fussiez engagée de nouveau dans les distractions du siècle.

THAÏS.→

N'ayez pas cette crainte: les pensées qui roulent dans mon esprit sont bien différentes. J'ai disposé de ma fortune comme je le voulais, et j'ai renoncé publiquement à mes amants.

PAPHNUCE.→

Puisque vous avez renoncé à eux, vous pouvez maintenant vous unir à votre amant qui est au ciel.

THAÏS.→

C'est à vous de me tracer, comme avec une règle, la conduite que je dois tenir.

PAPHNUCE.→

Suivez-moi.

Mes pas vous suivront, et plût à Dieu que je pusse vous suivre de même par mes actions!

SCÈNE VI.→

LES PRECEDENTS.

PAPHNUCE.→

Vous voyez ce monastère; il est habité par un noble collége de vierges consacrées à Dieu. C'est là que je désire que vous passiez le temps de votre pénitence.

THAÏS.→

Je ne résiste point à vos ordres.

PAPHNUCE.→

Je vais entrer et prier l'abbesse, directrice de cette maison, de vouloir bien vous y recevoir.

THAÏS.→

Que dois-je faire en attendant?

PAPHNUCE.→

Entrez avec moi.

THAÏS.→

J'obéis.

PAPHNUCE.→

L'abbesse vient à notre rencontre. Je ne comprends pas qui l'a si promptement instruite de notre arrivée.

THAÏS.→

C'est la renommée, dont nul retard n'arrête la course.

SCÈNE VII.→

LES MEMES, L'ABBESSE.

PAPHNUCE.→

Je vous rencontre à propos, illustre abbesse; c'est vous que je cherche.

L'ABBESSE.→

Vous êtes le bien-venu, Paphnuce notre vénérable père. Bénie soit votre arrivée, vous que chérit le Seigneur!

PAPHNUCE.→

Que la grâce du souverain Créateur répande sur vous la béatitude de sa bénédiction éternelle!

L'ABBESSE.→

D'où me vient ce bonheur, que votre Sainteté daigna visiter aujourd'hui mon humble habitation?

PAPHNUCE.→

J'ai besoin de votre assistance dans une nécessité pressante.

L'ABBESSE.→

Vous n'avez qu'à m'apprendre, d'un mot, ce que vous désirez de moi; je m'empresserai de vous obéir et de satisfaire à vos vœux, selon mon pouvoir.

PAPHNUCE.→

Je vous apporte une chèvre demi-morte, que j'ai arrachée à la dent du loup; je vous prie de lui accorder, pour la guérir, votre miséricordieuse sollicitude, jusqu'à ce qu'elle ait échangé sa rude peau de chèvre contre une douce toison de brebis.

L'ABBESSE.→

Expliquez-vous plus clairement.

PAPHNUCE.→

Cette femme que vous voyez a mené la vie d'une courtisane.

L'ABBESSE.→

Cela est déplorable.

PAPHNUCE.→

Elle s'est abandonnée tout entière aux plaisirs sensuels.

L'ABBESSE.→

Elle s'est perdue elle-même.

PAPHNUCE.→

Mais enfin, par mes conseils, et avec le secours du Christ, elle n'a plus à présent que de l'aversion pour les vanités qui la séduisaient, et elle a résolu de vivre chaste.

L'ABBESSE.→

Grâces soient rendues à l'auteur de cette conversion!

PAPHNUCE.→

Les maladies de l'âme, comme celles du corps, se guérissent par l'emploi des contraires. Il faut donc que cette pécheresse, séquestrée des agitations du siècle, soit renfermée seule dans une cellule étroite, où elle puisse, avec plus de loisir, méditer sur ses fautes.

L'ABBESSE.→

Rien n'est plus utile.

PAPHNUCE.→

Donnez des ordres pour qu'une cellule soit construite le plus tôt possible.

L'ABBESSE.→

Elle le sera dans un court délai.

PAPHNUCE.→

Il faut n'y laisser ni entrée, ni sortie, mais seulement une petite fenêtre, par laquelle elle puisse recevoir un peu de nourriture, que vous lui ferez donner discrètement à des jours et des heures marqués.

L'ABBESSE.→

Je crains que la faiblesse de cette femme habituée au luxe n'ait peine à supporter la rigueur d'une pénitence aussi dure.

PAPHNUCE.→

N'ayez pas cette inquiétude: il faut pour de grandes fautes recourir à des remèdes proportionnés.

L'ABBESSE.→

Cela est vrai.

PAPHNUCE.→

Ce qui m'inquiète davantage, ce sont les délais; je crains qu'elle ne retombe dans la société corrompue des hommes.

L'ABBESSE.→

Pourquoi cette inquiétude? Que ne la renfermez-vous? La cellule que vous avez demandée est prête.

PAPHNUCE.→

Tant mieux. Entrez, Thaïs, dans ce réduit, où vous pourrez convenablement pleurer vos désordres.

THAÏS.→

Que cette cellule est étroite et obscure! Que ce séjour est incommode pour une femme délicate!

PAPHNUCE.→

Pourquoi maudissez-vous cette habitation? Pourquoi frémissez-vous d'y entrer? Indomptée jusqu'à ce jour, vous avez erré sans contrainte; il convient aujourd'hui que vous receviez un frein dans la solitude.

THAÏS.→

L'âme accoutumée aux plaisirs des sens ne peut se défendre de quelques retours vers sa première vie.

PAPHNUCE.→

C'est pourquoi les rênes de la discipline doivent la retenir, jusqu'à ce que la révolte ait cessé.

THAÏS.→

Avilie, comme je le suis, je ne refuse pas d'obéir aux ordres de votre paternité; mais il y a dans cette habitation un inconvénient bien difficile à supporter pour ma faiblesse.

PAPHNUCE.→

Quel est cet inconvénient?

THAÏS.→

Je rougis de le dire.

PAPHNUCE.→

Ne rougissez pas, et parlez sans détour.

THAÏS.→

Qu'y a-t-il de plus pénible, de plus révoltant que d'être forcée de satisfaire dans un même lieu à toutes les nécessités corporelles? Il est certain que cette cellule sera bientôt infecte et inhabitable.

PAPHNUCE.→

Craignez les douleurs de la torture éternelle, et ne redoutez pas les maux passagers.

THAÏS.→

C'est ma faiblesse qui me force à craindre.

PAPHNUCE.→

Il est convenable que vous expiiez par des incommodités rebutantes la mollesse et les jouissances coupables de votre vie passée.

THAÏS.→

Je ne résiste pas: je conviens qu'il est juste que, souillée par l'impureté, j'habite une fosse impure et fétide. Je gémis seulement de voir qu'il ne me restera aucune place où je puisse convenablement et décemment invoquer le nom de la redoutable Majesté.

PAPHNUCE.→

Et d'où vous vient cette présomption d'oser prononcer de vos lèvres salies le nom de la Divinité sans tache?

THAÏS.→

Et de qui puis-je espérer mon pardon? qui me sauvera par sa miséricorde, s'il m'est défendu d'invoquer celui contre qui seul j'ai péché, et à qui seul je dois offrir mes prières ferventes?

PAPHNUCE.→

Vous devez prier non par des paroles, mais par des larmes; non par le son plaintif de votre voix, mais par le râle de votre cœur repentant.

THAÏS.→

S'il n'est pas permis à ma voix de prier Dieu, comment puis-je espérer mon pardon?

PAPHNUCE.→

Vous l'obtiendrez d'autant plus vite, que votre humilité sera plus parfaite. Dites seulement: «O mon Créateur, ayez pitié de moi!»

THAÏS.→

J'ai bien besoin qu'il m'accorde sa pitié, pour n'être pas vaincue dans ce périlleux combat.

PAPHNUCE.→

Combattez avec courage, et vous obtiendrez une heureuse victoire.

THAÏS.→

C'est à vous de prier pour me faire obtenir la palme du triomphe.

PAPHNUCE.→

Cette recommandation n'est pas nécessaire.

THAÏS.→

J'ai l'espérance. (Elle entre dans la cellule.)

PAPHNUCE.→

Il est temps de reprendre le chemin désiré de ma solitude, et d'aller revoir mes disciples chéris. Vénérable abbesse, je confie cette captive à votre sollicitude et à votre charité. Je vous prie de lui donner le nécessaire, avec un peu d'indulgence pour son corps délicat, et de régénérer abondamment son âme par vos salutaires exhortations.

L'ABBESSE.→

Soyez sans inquiétude, j'aurai pour elle une tendresse et des soins de mère.

PAPHNUCE.→

Je pars.

L'ABBESSE.→

Allez en paix[73].

SCÈNE VIII.→

PAPHNUCE, LES DISCIPLES.

LES DISCIPLES.→

Qui heurte à la porte?

PAPHNUCE.→

Moi.

LES DISCIPLES.→

C'est la voix de Paphnuce notre père!

PAPHNUCE.→

Otez le verrou.

LES DISCIPLES.→

Salut, ô notre père!

PAPHNUCE.→

Salut.

LES DISCIPLES.→

La durée de votre absence nous inquiétait beaucoup.

PAPHNUCE.→

Je me félicite de m'être absenté.

LES DISCIPLES.→

Qu'avez-vous fait de Thaïs?

PAPHNUCE.→

Ce que j'avais projeté.

LES DISCIPLES.→

Où l'avez-vous conduite?

PAPHNUCE.→

Dans une étroite cellule, où elle pleure ses péchés.

LES DISCIPLES.→

Gloire à la sainte Trinité!

PAPHNUCE.→

Et que béni soit son nom redoutable, maintenant et dans tous les siècles!

LES DISCIPLES.→

Amen.

SCÈNE IX.→

PAPHNUCE, seul.→

Il y a trois ans[74] que Thaïs subit sa pénitence, et j'ignore si son repentir est agréable à Dieu. Je vais aller trouver mon frère Antoine, afin que, par son intervention, la vérité se manifeste à moi.

SCÈNE X.→

LE MÊME, ANTOINE.

ANTOINE.→

Quel bonheur inespéré! quel sujet imprévu de joie! ne vois-je pas Paphnuce, mon frère et mon compagnon de solitude? C'est lui-même.

PAPHNUCE.→

C'est moi, en effet.

ANTOINE.→

Vous êtes le bien-venu, mon frère, votre bonne arrivée me comble de joie.

PAPHNUCE.→

Je ne suis pas moins joyeux de vous voir que vous ne l'êtes de ma venue.

ANTOINE.→

Quel événement si heureux, si agréable pour nous, vous a fait sortir de votre retraite et vous amène ici?

PAPHNUCE.→

Je vais vous le dire.

ANTOINE.→

Je le souhaite.

PAPHNUCE.→

Il y a plus de trois ans qu'une courtisane nommée Thaïs était venue s'établir dans notre voisinage. Non-seulement elle courait à sa perte, mais elle entraînait une foule d'âmes à la mort.

ANTOINE.→

Oh! déplorable désordre!

PAPHNUCE.→

J'allai la trouver sous les dehors d'un amant. Tantôt je m'efforçais de ramener par de douces remontrances ce cœur livré à la volupté, tantôt je l'effrayais par d'énergiques conseils et de terribles menaces.

ANTOINE.→

Un semblable mélange était bien approprié à ce genre de faiblesse[75].

PAPHNUCE.→

Elle céda enfin, et, renonçant à ses habitudes honteuses, elle se voua à la chasteté et consentit à s'enfermer dans une étroite cellule.

ANTOINE.→

Ce que vous m'apprenez me cause tant de satisfaction, que toutes les fibres de mon cœur en ont tressailli de joie.

PAPHNUCE.→

De tels sentiments sont dignes de votre sainteté. Pour moi, quoique je me réjouisse infiniment de cette conversion, j'éprouve cependant une fort grave inquiétude. Je crains que cette femme délicate n'ait trop de peine à supporter une pénitence si longue.

ANTOINE.→

La vraie charité est toujours accompagnée d'une pieuse compassion.

PAPHNUCE.→

Je vous demande ces tendres sentiments pour Thaïs. Daignez, vous et vos disciples, unir vos prières aux miennes, jusqu'à ce que le ciel nous fasse connaître si les larmes de notre pénitente ont attendri et amené à l'indulgence la miséricorde divine.

ANTOINE.→

Nous consentons bien volontiers à votre demande.

PAPHNUCE.→

Dieu dans sa clémence vous exaucera, j'en suis certain.

SCÈNE XI.→

LES MEMES, ensuite PAUL.

ANTOINE.→

Déjà la promesse évangélique s'est accomplie en nous.

PAPHNUCE.→

Quelle promesse?

ANTOINE.→

Celle qui nous assure qu'en unissant nos prières nous pourrons tout obtenir de Jésus-Christ[76].

PAPHNUCE.→

Qu'est-il arrivé?

ANTOINE.→

Mon disciple Paul vient d'avoir une vision.

PAPHNUCE.→

Appelez-le.

ANTOINE.→

Paul, approchez, et racontez à Paphnuce ce que vous avez vu.

PAUL.→

J'ai vu dans le ciel un lit magnifique, tendu de blanc, auprès duquel se tenaient debout et comme en sentinelle, quatre jeunes vierges brillantes de clarté. En admirant cette réjouissante splendeur, je disais à part moi: une telle gloire n'appartient à personne autant qu'à mon père et à mon maître Antoine.

ANTOINE.→

Je ne me crois pas digne d'une semblable béatitude.

PAUL.→

A peine avais-je achevé cette réflexion, qu'une voix divine et tonnante me dit: «Ce n'est pas à Antoine, comme tu l'espères, mais à Thaïs la courtisane, que cette gloire est réservée.»

PAPHNUCE.→

Grâces soient rendues à la douceur de ta miséricorde, Christ, fils unique de Dieu, qui as daigné accorder cette consolation à ma tristesse!

ANTOINE.→

Louons le Seigneur; il en est digne.

PAPHNUCE.→

Je vais visiter ma captive.

ANTOINE.→

Le temps est venu de lui faire espérer son pardon et de la consoler par la promesse de la béatitude éternelle.

———

SCÈNE XII.→

PAPHNUCE, THAÏS.

PAPHNUCE.→

Thaïs! ma fille adoptive! ouvrez votre fenêtre, que je vous voie.

THAÏS.→

Qui me parle?

PAPHNUCE.→

Paphnuce, votre père.

THAÏS.→

D'où me vient un si grand bonheur, que vous daigniez me visiter, moi, pauvre pécheresse?

PAPHNUCE.→

Quoique depuis ces trois ans j'aie été absent de corps, je n'ai pas moins éprouvé une constante sollicitude pour votre salut.

THAÏS.→

Je n'en doute pas.

PAPHNUCE.→

Exposez-moi l'histoire de votre régime intérieur et les degrés de votre repentir.

THAÏS.→

Je ne puis vous dire qu'une seule chose, c'est que je sais n'avoir rien fait qui soit digne du Seigneur.

PAPHNUCE.→

Si Dieu scrutait toutes nos iniquités, nul ne pourrait soutenir cet examen.

THAÏS.→

Si cependant vous voulez savoir ce que j'ai fait: j'ai réuni dans ma pensée, comme en un faisceau, la multitude de mes fautes; je n'ai pas cessé de les contempler et de les repasser dans mon esprit. Aussi, comme l'odeur infecte de ma cellule ne quittait point mes narines, de même la crainte de l'enfer ne s'est pas éloignée un moment des yeux de ma conscience.

PAPHNUCE.→

Parce que vous vous êtes punie vous-même par le repentir, vous avez mérité votre pardon.

THAÏS.→

Oh! plût au ciel!

PAPHNUCE.→

Donnez-moi la main, que je vous aide à sortir.

THAÏS.→

Non, mon vénérable père! non, ne me retirez pas de ce fumier, souillée comme je suis: laissez-moi dans ce lieu bien digne de mes mérites.

PAPHNUCE.→

Le temps est venu pour vous de déposer la crainte et de commencer à espérer la vie éternelle, car votre pénitence est agréable à Dieu.

THAÏS.→

Que tous les anges louent sa miséricorde, puisqu'il n'a pas repoussé l'humble repentir d'un cœur contrit!

PAPHNUCE.→

Persistez dans la crainte de Dieu et maintenez-vous dans son amour; car lorsque quinze jours se seront écoulés, vous dépouillerez votre enveloppe humaine, et, votre course ici-bas étant heureusement achevée, vous irez, avec le secours de la grâce suprême, habiter les astres.

THAÏS.→

Oh! puissé-je échapper aux tourments de l'enfer, ou du moins être brûlée par des flammes moins ardentes! car je ne saurais obtenir par mes mérites la béatitude éternelle.

PAPHNUCE.→

La grâce, ce don gratuit de la divinité, ne pèse point le mérite des hommes; car, si elle n'était accordée qu'aux mérites, on ne l'appellerait pas la grâce[77].

THAÏS.→

Que le concert des cieux, que tous les arbrisseaux de la terre, que toutes les espèces d'animaux, que les gouffres même des lacs et des mers s'unissent pour louer celui qui non-seulement supporte les pécheurs, mais qui prodigue encore généreusement des récompenses gratuites à ceux qui se repentent!

PAPHNUCE.→

Il a, de toute éternité, préféré la miséricorde aux châtiments[78].

SCÈNE XIII.→

Les mêmes.

THAÏS.→

Ne me quittez pas, mon vénérable père! restez auprès de moi, pour me consoler à l'heure où mon corps va se dissoudre.

PAPHNUCE.→

Non, je ne m'en irai point, je ne m'éloignerai point, jusqu'au moment où votre âme se sera élancée triomphante au ciel, et où j'aurai livré votre corps à la sépulture.

THAÏS.→

Voici que je commence à mourir.

PAPHNUCE.→

C'est à présent l'heure de prier.

THAÏS.→

Vous qui m'avez formée, ayez pitié de moi, et permettez que l'âme que vous avez soufflée dans mon sein retourne heureusement vers vous.

PAPHNUCE.→

Toi qui n'as point eu de créateur, forme vraiment immatérielle, dont l'essence simple a formé de diverses parties l'homme qui n'est pas, comme toi, celui qui est, permets que les éléments dont cette créature humaine est composée rejoignent sans obstacle le principe de leur origine; que l'âme venue du ciel participe aux joies célestes, et que le corps trouve une couche paisible au sein de la terre d'où il est sorti, jusqu'au jour où cette poussière se réunissant et le souffle de la vie animant de nouveau ces membres, cette même Thaïs ressuscitera, créature complète comme autrefois, pour prendre place parmi les blanches brebis du Seigneur et entrer dans la joie de l'éternité[79]; ô toi, qui seul es ce que tu es, qui règnes dans l'unité de la Trinité, et qui es perpétuellement glorifié dans les siècles des siècles.

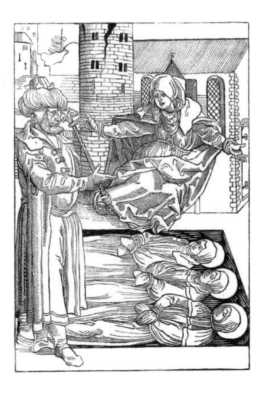

VI.
SAPIENCE.

ARGUMENT.→

———————

Passion des vierges saintes, Foi, Espérance et Charité, que l'empereur Hadrien[80] fait périr par divers supplices sous les yeux de Sapience, leur vénérable mère, qui les exhorte, au nom de l'autorité maternelle, à supporter les tortures. Dès que le martyre est consommé, la sainte mère réunit les corps de ses filles, les embaume et leur donne une sépulture honorable à cinq milles de Rome. Elle-même, au bout de quarante jours, rend son âme au ciel, en prononçant auprès de leurs tombes les derniers mots d'une pieuse oraison[81].

SAPIENCE,→
ou
FOI, ESPÉRANCE ET CHARITÉ.

———————

PERSONNAGES.

ANTIOCHUS,
préfet de
Rome[82].

HADRIEN,
empereur.

SAPIENCE,
princesse
grecque.

FOI,

ESPÉRANCE,} filles de Sapience.

CHARITÉ,

MATRONES
ROMAINES.

SOLDATS et
BOURREAUX,
personnages
muets.

———————

SCÈNE PREMIÈRE.→

ANTIOCHUS, HADRIEN.

ANTIOCHUS.→

Dans mon désir, ô empereur Hadrien, de voir tout succéder au gré de vos vœux et les fondements de votre empire à l'abri des perturbations, je m'efforce d'arracher promptement et d'anéantir dans leurs racines toutes les causes de troubles qui pourraient ébranler la république et porter atteinte au calme de votre esprit.

HADRIEN.→

Et vous n'avez pas tort; car votre bonheur est attaché à ma prospérité. Je vous élève, chaque jour, à de plus grands honneurs.

ANTIOCHUS.→

J'en rends grâces à votre bonté paternelle. Aussi à peine vois-je surgir quelque obstacle à votre pouvoir, que, loin de le dissimuler, je vous le dénonce sans retard.

HADRIEN.→

Et vous agissez comme il convient pour n'être pas accusé de lèse-majesté, en cachant ce qui ne doit point être caché.

ANTIOCHUS.→

Je n'ai jamais eu à craindre une pareille accusation.

HADRIEN.→

Assurément; mais dites-moi si vous ne savez rien de nouveau.

ANTIOCHUS.→

Une femme étrangère est arrivée depuis peu dans Rome, accompagnée de trois jeunes enfants qui sont nés d'elle.

HADRIEN.→

De quel sexe sont ces enfants?

ANTIOCHUS.→

Tous trois du sexe féminin.

HADRIEN.→

Pensez-vous que l'arrivée de ces faibles femmes puisse amener quelques résultats nuisibles à la république?

ANTIOCHUS.→

Oui; de très-grands.

HADRIEN.→

Lesquels?

ANTIOCHUS.→

Le renversement de la paix publique.

HADRIEN.→

Comment?

ANTIOCHUS.→

Et qu'y a-t-il de plus capable de rompre la concorde civile que les différences de religion?

HADRIEN.→

Il n'y a rien de plus fâcheux, rien de plus funeste, comme le prouve assez la situation du monde romain, qui est partout souillé par des flots impurs de sang chrétien.

ANTIOCHUS.→

Cette femme donc, que je vous signale, exhorte les citoyens à abandonner le culte de nos ancêtres et à se vouer à la religion chrétienne.

HADRIEN.→

Est-ce que ses exhortations font des prosélytes?

ANTIOCHUS.→

Beaucoup trop; car déjà nos femmes nous traitent avec tant de hauteur et de mépris, qu'elles ne daignent plus prendre place à nos tables, encore bien moins partager nos lits.

HADRIEN.→

Je l'avoue, le péril est sérieux.

ANTIOCHUS.→

C'est votre devoir, empereur, de veiller au salut de l'État[83].

HADRIEN.→

J'en conviens. Qu'on appelle cette femme, et nous verrons si, en ma présence, elle ne consent pas à se soumettre.

ANTIOCHUS.→

Vous désirez que je la fasse venir?

HADRIEN.→

Oui, sans aucun doute.

SCÈNE II.→

ANTIOCHUS, SAPIENCE, FOI, ESPÉRANCE ET CHARITÉ.

ANTIOCHUS.→

Quel est votre nom, femme étrangère?

SAPIENCE.→

Je me nomme Sapience.

ANTIOCHUS.→

L'empereur Hadrien vous ordonne de comparaître devant lui dans son palais.

SAPIENCE.→

Je n'ai aucune crainte d'entrer dans le palais, avec la noble escorte de mes filles; et je ne redoute nullement de voir de près le visage menaçant de l'empereur.

ANTIOCHUS.→

Cette odieuse race des sectateurs du Christ est toujours prête à résister aux princes.

SAPIENCE.→

Le prince de l'univers, qui l'emporte sur tous, ne permet pas que ses serviteurs soient vaincus par l'ennemi.

ANTIOCHUS.→

Trêve à ce flux de paroles, et venez sur-le-champ au palais.

SAPIENCE.→

Marchez devant, et montrez-nous la route; nous vous suivrons en toute hâte.

SCÈNE III.→

LES MEMES, HADRIEN, GARDES.

ANTIOCHUS, à Sapience.→

Voici l'empereur en personne: vous le voyez assis sur son trône. Pesez bien vos paroles.

SAPIENCE.→

Les préceptes du Christ nous défendent d'user de telles précautions et nous promettent, en retour, le don d'une invincible sagesse[84].

HADRIEN.→

Approchez, Antiochus.

ANTIOCHUS.→

Me voici à vos ordres, seigneur.

HADRIEN.→

Sont-ce là les femmes que vous m'avez dénoncées comme chrétiennes?

ANTIOCHUS.→

Oui, ce sont elles.

HADRIEN.→

Je suis frappé de leur beauté, et je ne puis surtout assez admirer la sage dignité de leur maintien.

ANTIOCHUS.→

Cessez, ô mon seigneur, de vous livrer à l'admiration, et forcez-les d'adorer les dieux.

HADRIEN.→

Si je commençais à leur demander avec douceur si elles ne voudraient pas céder?

ANTIOCHUS.→

C'est là le meilleur moyen; car la fragilité de leur sexe ne cède jamais plus facilement qu'à l'impression des douces paroles.

HADRIEN.→

Illustre matrone, je vous invite doucement et sans colère à revenir au culte des dieux; vous pourrez par là jouir des avantages de mon amitié.

SAPIENCE. →

Je n'ai envie ni de satisfaire vos désirs en revenant au culte de vos dieux, ni de contracter avec vous aucune amitié.

HADRIEN. →

Jusqu'ici je retiens ma colère, et loin de donner cours à mon indignation, je montre une affectueuse et paternelle sollicitude pour votre bien et celui de vos enfants.

SAPIENCE. →

Gardez-vous, mes filles, d'ouvrir vos cœurs aux fallacieuses et sataniques paroles de ce serpent tentateur; méprisez-les, à mon exemple.

FOI. →

Nous dédaignons et nous méprisons de toute notre âme ces propos frivoles.

HADRIEN. →

Que murmurez-vous?

SAPIENCE. →

J'adressais quelques mots à mes filles.

HADRIEN. →

Vous me semblez d'une haute naissance; mais je voudrais que vous me fissiez connaître plus complétement votre patrie, votre famille et votre nom.

SAPIENCE. →

Quoiqu'il faille mépriser l'orgueil du sang, je ne nie pas, néanmoins, que je ne sois sortie d'une souche illustre.

HADRIEN. →

Je le crois volontiers.

SAPIENCE. →

J'ai eu, en effet, pour parents les plus grands princes de la Grèce[85]. Mon nom est Sapience.

HADRIEN. →

L'éclat de votre naissance brille dans tous vos traits, et la vertu dont vous portez le nom éclate sur votre visage.

SAPIENCE.→

En vain vous me flattez; nous ne céderons pas à vos séductions.

HADRIEN.→

Dites-moi ce qui vous amène et pourquoi vous venez parmi nos concitoyens.

SAPIENCE.→

La seule cause de mon voyage est le désir de connaître la vérité, d'apprendre plus à fond la croyance que vous combattez, et de consacrer mes filles au Christ.

HADRIEN.→

Apprenez-moi le nom de chacune d'elles.

SAPIENCE.→

La première s'appelle Foi, la seconde Espérance et la troisième Charité.

HADRIEN.→

Combien ont-elles accompli d'années?

SAPIENCE.→

Ne vous plaît-il pas, ô mes filles! que je fatigue cet esprit grossier par quelques problèmes d'arithmétique[86]?

FOI.→

Oui, ma mère, et nous vous prêterons l'oreille avec grand plaisir.

SAPIENCE.→

O empereur! puisque vous désirez savoir l'âge de ces jeunes filles, Charité a accompli un nombre d'années diminué pairement pair; Espérance un nombre aussi diminué, mais pairement impair; Foi, au contraire, un nombre superflu et impairement pair.

HADRIEN.→

Par une semblable réponse, vous me laissez complétement ignorer ce que je vous demandais.

SAPIENCE.→

Cela n'est pas étonnant, car une définition de cette sorte ne s'applique pas à un seul nombre, mais à plusieurs.

HADRIEN.→

Expliquez-vous avec plus de clarté; sans cela, mon esprit ne vous peut comprendre.

SAPIENCE.→

Charité a vu la révolution de deux olympiades, Espérance de deux lustres et Foi de trois olympiades.

HADRIEN.→

Et pourquoi appelez-vous diminué le nombre huit, qui forme deux olympiades, ainsi que le nombre dix, qui compose deux lustres? Enfin, pourquoi le nombre douze, qui contient trois olympiades, reçoit-il le nom de superflu?

SAPIENCE.→

C'est qu'on appelle diminué tout nombre dont les parties additionnées forment un total inférieur au nombre qu'elles composent, comme 8, par exemple; car la moitié de 8 est 4, le quart 2 et le huitième 1; or 4, 2 et 1 réunis font 7. De même, la moitié de 10 est 5, le cinquième 2, le dixième 1; additionnez, vous obtiendrez 8. On appelle, au contraire, superflu le nombre dont les parties additionnées forment un total supérieur à ce nombre même, comme 12. En effet, la moitié de 12 est 6, le tiers 4, le quart 3, le sixième 2, le douzième 1, lesquels additionnés donnent 16. Et pour ne point passer sous silence le nombre principal, qui tient le milieu entre les deux inégalités contraires, on appelle parfait le nombre que ses parties additionnées reproduisent exactement, sans différence en plus ni en moins, comme 6, dont les parties, c'est-à-dire 3, 2 et 1, forment le nombre 6. Par la même raison, 28, 496 et 8128 sont des nombres parfaits[87].

HADRIEN.→

Et les autres nombres?

SAPIENCE.→

Sont ou superflus ou diminués.

HADRIEN.→

Quel est le nombre pairement pair?

SAPIENCE.→

Celui qu'on peut diviser en deux parties égales, qui elles-mêmes peuvent se diviser en deux autres parties, et ainsi de suite, jusqu'à ce qu'on atteigne l'unité indivisible, comme 8, 16 et les nombres qu'on obtient en doublant ceux-là.

HADRIEN.→

Et quel est le nombre pairement impair?

SAPIENCE.→

Celui qu'on peut diviser en parties égales, lesquelles sont indivisibles, comme 10 et tous les nombres qu'on obtient en doublant un nombre impair; car ce nombre est d'une nature contraire à celui dont nous venons de parler, en ce sens que dans le premier (*le pairement pair*), le terme mineur est divisible, et que dans le second (*le pairement impair*), le terme majeur peut seul être divisé. De plus, dans celui-là toutes les parties sont pairement paires, quant à la dénomination et à la quantité des parties; et dans celui-ci, lorsque la dénomination est paire, la quantité des parties est impaire, et si la quantité des parties est paire, la dénomination est impaire.

HADRIEN.→

Je ne sais ce que signifie le mot terme que vous venez d'employer, ni ceux de dénomination ou de quantité des parties.

SAPIENCE.→

Lorsque des nombres aussi grands qu'on voudra sont rangés dans un ordre croissant, le premier est appelé terme mineur et le dernier terme majeur; et lorsque faisant une division nous disons que tel nombre forme telle partie d'un autre nombre, nous faisons une dénomination[88]; et quand nous énumérons combien il y a d'unités dans chaque partie, nous exposons ce qu'on appelle la quantité des parties.

HADRIEN.→

Et quel est le nombre impairement pair?

SAPIENCE.→

Celui qui est non-seulement divisible une fois, mais deux fois, trois fois et plus, comme le nombre pairement pair, et dont cependant la division ne peut descendre jusqu'à l'unité indivisible.

HADRIEN.→

Oh! quelle difficile et inextricable question s'est élevée à propos de l'âge de ces petites filles!

SAPIENCE.→

C'est en cela qu'il faut admirer la suprême sagesse du Créateur et la science merveilleuse de l'auteur de l'univers, qui non-seulement au commencement des choses a créé le monde du néant, et en a disposé toutes les parties avec nombre, équilibre et mesure; mais qui encore nous a permis d'arriver à l'admirable connaissance des arts, à travers la série des temps et des générations qui se succèdent.

HADRIEN.→

Longtemps j'ai supporté vos divagations, dans l'espoir que je vous trouverais plus docile.

SAPIENCE.→

A quoi?

HADRIEN.→

Au culte des dieux.

SAPIENCE.→

Je n'y consens pas, assurément.

HADRIEN.→

Si vous résistez, vous subirez la torture.

SAPIENCE.→

Vous pourrez tourmenter mon corps par des supplices; mais vous n'aurez pas le pouvoir de forcer mon âme à fléchir.

ANTIOCHUS.→

Le jour disparaît, la nuit étend ses voiles; ce n'est plus le moment de discuter, car l'heure du souper est venue.

HADRIEN.→

Qu'on enferme ces femmes dans la prison attenante au palais. Je leur accorde trois jours pour réfléchir.

ANTIOCHUS.→

Soldats! veillez soigneusement sur elles, et ne leur laissez aucune occasion de s'évader.

SCÈNE IV.→

SAPIENCE, FOI, ESPÉRANCE ET CHARITE.

SAPIENCE.→

O mes tendres filles, enfants bien aimées! que le séjour de cette étroite prison ne vous contriste pas! que les menaces d'un prochain supplice ne vous inspirent point d'effroi!

FOI.→

Nos faibles corps pourront pâlir devant les tortures; mais nos âmes ne cesseront d'aspirer à la récompense céleste.

SAPIENCE.→

Que la maturité de votre courageuse raison triomphe de la faiblesse enfantine de votre âge.

ESPÉRANCE.→

C'est à vous de nous aider de vos prières, pour que nous puissions vaincre.

SAPIENCE.→

Ma prière continuelle et la plus instante est de vous voir persévérer dans la foi, qu'au milieu même des jouets de l'enfance je n'ai cessé de faire pénétrer dans votre entendement.

CHARITÉ.→

Ce qu'enfants à votre mamelle nous avons appris dans notre berceau, nous ne pourrons jamais l'oublier.

SAPIENCE.→

Je vous ai nourries de mon lait maternel, je vous ai prodigué les plus tendres soins, dans la pensée de vous donner, non à un époux terrestre, mais à l'époux céleste, et de mériter, à cause de vous, le titre de belle-mère du roi éternel.

FOI.→

Pour l'amour de cet époux, nous sommes toutes prêtes à mourir.

SAPIENCE.→

J'ai plus de plaisir à vous voir dans cette disposition qu'à savourer le plus doux nectar[89].

ESPÉRANCE.→

Envoyez-nous devant le tribunal du juge, et vous verrez combien l'amour de cet époux nous donnera d'intrépidité.

SAPIENCE.→

Mon plus vif désir est de me parer de la couronne de votre virginité et de la gloire de votre martyre.

CHARITÉ.→

Marchons en enlaçant nos mains, et faisons rougir le front du tyran!

SAPIENCE.→

Attendez que vienne l'heure où l'on nous appellera.

FOI.→

Quoique les retards nous soient pénibles, nous devons nous résigner à attendre.

SCÈNE V.→

HADRIEN, ANTIOCHUS, ensuite SAPIENCE, FOI, ESPÉRANCE ET CHARITÉ.

HADRIEN.→

Antiochus, faites venir devant nous ces captives grecques.

ANTIOCHUS.→

Approchez, Sapience, et comparaissez devant l'empereur avec vos filles.

SAPIENCE.→

Marchez courageusement avec moi, mes filles; unies de cœur, persévérez dans la foi, afin de pouvoir obtenir heureusement la palme du martyre.

ESPÉRANCE.→

Marchons; nous aurons à nos côtés pour compagnon celui pour l'amour duquel on nous mène à la mort.

HADRIEN.→

Notre Sérénité vous a accordé trois jours; si vous avez su mettre ce délai à profit, cédez à nos ordres.

SAPIENCE.→

Ce délai nous a été très-profitable; il nous a affermies dans la résolution de ne vous point obéir.

ANTIOCHUS à Hadrien.→

Pourquoi daignez-vous parler à cette femme obstinée, qui vous fatigue de son insolente présomption?

HADRIEN.→

Dois-je donc la renvoyer impunie?

ANTIOCHUS.→

Non, assurément.

HADRIEN.→

Et que ferai-je?

ANTIOCHUS.→

Exhortez ces jeunes filles; et si elles vous résistent, sans pitié pour leur âge, faites-les périr. La vue de la mort de ses enfants sera le plus cruel supplice pour cette mère rebelle.

HADRIEN.→

Je ferai ce que vous me conseillez.

ANTIOCHUS.→

Vous n'avez que ce moyen de la dompter.

HADRIEN.→

Foi, regardez cette image vénérable de la grande Diane, et offrez des libations à la déesse, afin d'obtenir sa protection.

FOI.→

O l'absurde commandement de l'empereur, et bien digne de tout mon mépris!

HADRIEN.→

Que murmurez-vous d'un air railleur? De qui vous moquez-vous, en fronçant le sourcil?

FOI.→

Je me ris de votre sottise, je me moque de votre folie.

HADRIEN.→

De ma folie?

FOI.→

De votre folie.

ANTIOCHUS.→

De la folie de l'empereur?

FOI.→

De lui-même.

ANTIOCHUS.→

O crime!

FOI.→

Que peut-on voir de plus absurde, de plus insensé? Il nous exhorte à adorer un vil métal, au mépris du Créateur de l'univers!

ANTIOCHUS.→

Foi, vous extravaguez.

FOI.→

Antiochus, vous mentez.

ANTIOCHUS.→

N'est-ce pas le comble de l'extravagance et du délire, que de traiter d'insensé le maître du monde?

FOI.→

Je l'ai dit, je le répète, et je le redirai aussi longtemps que je vivrai.

ANTIOCHUS.→

Ce temps sera court; vous allez mourir sur-le-champ.

FOI.→

Je ne souhaite que la mort en Jésus-Christ.

HADRIEN.→

Que douze centurions lui déchirent les membres à coups de fouet; s'ils sont fatigués, qu'ils se relayent.

ANTIOCHUS.→

Elle mérite ce châtiment.

HADRIEN.→

Braves centurions! approchez, et vengez l'insulte qu'elle m'a faite.

ANTIOCHUS.→

La justice le commande.

HADRIEN.→

Demandez-lui, Antiochus, si elle veut céder.

ANTIOCHUS.→

Foi, persistez-vous à vouloir insulter l'empereur avec vos torrents d'injures accoutumées?

FOI.→

Pourquoi moins à présent que d'ordinaire?

ANTIOCHUS.→

Parce que les coups de fouet vous en empêcheront.

FOI.→

Vos coups ne peuvent me contraindre au silence, car ils ne me font aucun mal.

ANTIOCHUS.→

O déplorable obstination! incorrigible audace!

HADRIEN.→

Son corps succombe sous les supplices, et son âme est toujours gonflée d'orgueil.

FOI.→

Vous vous trompez, Hadrien, si vous croyez lasser mon courage par les tortures; ce n'est pas moi, ce sont vos faibles bourreaux qui succombent; la fatigue inonde leurs membres de sueur.

HADRIEN.→

Antiochus, ordonnez qu'on lui coupe les seins; peut-être que la honte la fera céder.

ANTIOCHUS.→

O plût aux dieux qu'il y eût un moyen de la contraindre!

HADRIEN.→

Peut-être se soumettra-t-elle.

FOI.→

Vous avez déchiré mon chaste sein; mais vous ne m'avez pas blessée. Voyez, au lieu de sang, il en jaillit une source de lait.

HADRIEN.→

Qu'on l'étende sur un gril placé au-dessus d'un feu ardent, pour que la violence de la chaleur la brûle et l'étouffe.

ANTIOCHUS.→

Elle est digne de la mort la plus misérable, cette fille obstinée, qui ne craint pas de résister à vos ordres.

FOI.→

Tout ce que vous inventez pour me faire souffrir se change pour moi en douceur et en repos. Je me trouve aussi commodément étendue sur ce gril que dans une barque tranquille.

HADRIEN.→

Mettez sur ce brasier ardent une chaudière pleine de poix et de cire, et plongez cette fille rebelle dans le liquide bouillant.

FOI.→

Je m'y précipite moi-même.

HADRIEN.→

J'y consens.

FOI.→

Que deviennent vos menaces? Voyez, je nage en me jouant et sans blessure dans ce liquide enflammé. Au lieu de brûlures, je ressens la douce fraîcheur de la rosée du matin.

HADRIEN.→

Antiochus, que faire après cela?

ANTIOCHUS.→

Il faut empêcher qu'elle n'échappe.

HADRIEN.→

Qu'on lui tranche la tête.

ANTIOCHUS.→

Vous ne pourrez la vaincre autrement.

FOI.→

Le moment est venu de me réjouir, et de triompher dans le Seigneur.

SAPIENCE.→

Christ, vainqueur tout-puissant du démon, donne à ma fille la force de supporter jusqu'au bout la douleur.

FOI.→

O ma vénérable mère! dites un dernier adieu à votre enfant; donnez un baiser à l'aînée de vos filles, et ne vous abandonnez à aucune tristesse de cœur, car je vais recevoir la couronne de l'éternité.

SAPIENCE.→

O ma fille, ma fille! je n'éprouve ni trouble, ni chagrin; au contraire, je te dis adieu avec allégresse; je baise tes yeux et tes joues en pleurant de joie, et je prie le ciel que, sous le fer du bourreau, tu conserves intact le mystère de ton nom.

FOI.→

O mes sœurs sorties du même sein! donnez-moi le baiser de paix, et préparez-vous à soutenir le combat qui approche.

ESPÉRANCE.→

Aidez-nous continuellement de vos prières, pour que nous méritions de suivre vos traces.

FOI.→

Soyez dociles aux conseils de notre sainte mère, qui nous a toujours enseigné le mépris des biens présents, pour mériter de jouir de ceux qui n'ont pas de fin.

CHARITÉ.→

Nous obéissons de grand cœur aux avis de notre mère, qui nous feront obtenir la félicité éternelle.

FOI.→

Avance, bourreau, et remplis l'office qui t'est imposé, en me donnant la mort.

SAPIENCE.→

O Christ! en embrassant la tête coupée de ma fille expirante, en la couvrant de mes plus tendres baisers, je vous remercie d'avoir accordé la victoire à cette faible vierge.

HADRIEN.→

Espérance, cédez à mes exhortations; je vous le conseille avec les sentiments d'un père.

ESPÉRANCE.→

A quoi m'exhortez-vous? Que me conseillez-vous?

HADRIEN.→

Je vous conseille de ne pas imiter l'obstination de votre sœur, afin de ne point mourir dans les mêmes supplices.

ESPÉRANCE.→

Puisse Dieu m'accorder d'imiter son courage, pour que j'obtienne un prix égal au sien!

HADRIEN.→

Déposez cette dureté de cœur, prosternez-vous et offrez de l'encens à la grande Diane; et je vous élève aux honneurs et je vous comble de tendresse, comme mes propres enfants.

ESPÉRANCE.→

Je répudie les sentiments de père que vous m'offrez; vos bienfaits n'excitent nullement mes désirs; aussi vous flattez-vous d'un vain espoir, si vous pensez que je vous cède.

HADRIEN.→

Ménagez vos paroles, pour ne pas m'irriter.

ESPÉRANCE.→

Je me soucie peu de votre colère.

ANTIOCHUS.→

Je m'étonne, auguste empereur, de vous voir supporter si longtemps les injures de cette jeune fille. Pour moi, je sens éclater ma fureur, quand je l'entends aboyer aussi insolemment contre vous.

HADRIEN.→

Jusqu'ici j'ai eu pitié de son enfance; mais je ne l'épargnerai pas davantage, et je lui infligerai le châtiment qu'elle mérite.

ANTIOCHUS.→

Oh! plût aux dieux!

HADRIEN.→

Licteurs, approchez et déchirez à coups de fouet cette fille rebelle, jusqu'à ce qu'elle expire.

ANTIOCHUS.→

Il convient qu'elle ressente les effets de votre sévérité, puisqu'elle dédaigne le bienfait de votre indulgence.

ESPÉRANCE.→

Je souhaite cette douceur; je désire cette indulgence.

ANTIOCHUS.→

O Sapience, quelles paroles murmurez vous, les yeux levés au ciel, et debout auprès du corps inanimé de votre fille?

SAPIENCE.→

J'invoque le Créateur de l'univers pour qu'il accorde à Espérance autant de fermeté et de courage qu'il en a donné à sa sœur.

ESPÉRANCE.→

O ma mère, ma mère! j'éprouve en ce moment combien vos prières sont efficaces. Elles sont exaucées: voyez, pendant que vous priez, les bourreaux hors d'haleine me frappent à coups redoublés, et je ne sens aucune atteinte.

HADRIEN.→

Si vous êtes insensible aux coups de fouet, nous vous infligerons des supplices plus pénétrants.

ESPÉRANCE.→

Employez, employez tout ce que vous pourrez inventer d'atroce et de mortel! plus vous aurez été cruel, plus grande sera la confusion de votre défaite.

HADRIEN.→

Qu'on la suspende en l'air, et qu'on la déchire avec des ongles de fer, jusqu'à ce que, les entrailles arrachées et les os mis à nu, elle expire membre par membre.

ANTIOCHUS.→

Ordre digne d'un empereur, et punition proportionnée au délit!

ESPÉRANCE.→

Antiochus, vous parlez avec la fausseté du renard, et vous flattez avec l'astuce du caméléon.

ANTIOCHUS.→

Silence, malheureuse! il est temps de mettre fin à votre bavardage.

ESPÉRANCE.→

L'événement trompera votre espoir. Vous et votre maître, vous allez être couverts de confusion.

HADRIEN.→

Qu'est ceci? Je sens une odeur nouvelle et suave; je respire un parfum d'une surprenante douceur.

ESPÉRANCE.→

Les lambeaux de mon corps déchiré exhalent les plus délicieux aromes du Paradis, pour vous contraindre à confesser, en dépit de vous-même, que vos supplices me trouvent invulnérable.

HADRIEN.→

Antiochus, que dois-je faire?

ANTIOCHUS.→

Il faut avoir recours à de nouvelles tortures.

HADRIEN.→

Qu'on pose sur ce brasier un vase d'airain rempli d'huile et de graisse, de cire et de poix, et qu'on l'y plonge, les pieds et les mains liés.

ANTIOCHUS.→

Si on la livre au pouvoir de Vulcain, peut-être ne trouvera-t-elle pas d'issue pour lui échapper.

ESPÉRANCE.→

Le Christ a prouvé souvent qu'il a le pouvoir d'ôter au feu sa violence et de changer sa nature.

HADRIEN.→

Qu'est-ce? Antiochus, j'entends comme le bruit d'un torrent qui cause une inondation.

ANTIOCHUS.→

Hélas! hélas! seigneur.

HADRIEN.→

Que nous est-il arrivé?

ANTIOCHUS.→

L'eau bouillante a fait éclater le vase; elle a brûlé vos serviteurs, et cette magicienne est demeurée sans blessure.

HADRIEN.→

Je le confesse, nous sommes vaincus.

ANTIOCHUS.→

Complétement.

HADRIEN.→

Qu'on lui tranche la tête.

ANTIOCHUS.→

C'est le seul moyen de lui ôter la vie.

ESPÉRANCE.→

O Charité! ô ma sœur bien-aimée et maintenant unique, ne vous effrayez pas des menaces de ce tyran; ne redoutez pas les supplices; tâchez d'imiter l'inébranlable fidélité de vos sœurs, qui vous précèdent dans le palais du ciel.

CHARITÉ.→

Je n'ai que dégoût pour la vie présente, dégoût pour cette habitation terrestre, qui me sépare encore de vous pour un peu de temps.

ESPÉRANCE.→

Oubliez ces dégoûts, et ne pensez qu'à la palme que vous allez cueillir; car nous ne serons pas longtemps séparées, et nous allons tout à l'heure être réunies dans le ciel.

CHARITÉ. →

Arrive, arrive ce moment!

ESPÉRANCE. →

Courage et joie, ô mon illustre mère! Que la douleur de mon martyre n'afflige pas votre cœur maternel. L'espoir doit l'emporter sur la tristesse, quand vous me voyez mourir pour le Christ.

SAPIENCE. →

Oui, je me livre à la joie; mais cette joie pourtant ne sera complète que lorsque j'aurai envoyé au ciel votre plus jeune sœur, morte pour la même cause que vous, et que je vous suivrai la dernière.

ESPÉRANCE. →

La Trinité immortelle vous rendra pour l'éternité autant de filles que vous en aurez perdu.

SAPIENCE. →

Affermissez votre courage, ma fille; le bourreau s'élance vers nous l'épée nue.

ESPÉRANCE. →

Je me livre avec joie au glaive; et vous, Christ, recevez mon âme, qui, pour confesser votre nom, est chassée de son habitation corporelle.

SAPIENCE. →

O Charité, ma sainte fille, aujourd'hui unique espoir de mes flancs, n'affligez pas votre mère, qui attend une heureuse issue du combat que vous allez soutenir. Méprisez le bien-être présent, pour parvenir à la joie éternelle, dans laquelle déjà vos sœurs resplendissent couronnées de leur virginité sans tache.

CHARITÉ. →

Mère, soutenez-moi par vos saintes prières, jusqu'au moment où j'aurai mérité de partager les joies de mes sœurs!

SAPIENCE. →

Je demande à Dieu que vous persévériez jusqu'au bout dans la foi, et je ne doute pas que vous ne soyez admise aux fêtes éternelles.

HADRIEN.→

Charité, je suis excédé de l'insolence de vos sœurs et fort courroucé de leurs prolixes arguties. Je ne disputerai donc pas longuement avec vous. Si vous obtempérez à mes désirs, je vous comblerai de toutes sortes de biens; si vous me résistez, je vous accablerai de mille maux.

CHARITÉ.→

C'est le bien que j'embrasse de toute mon âme; j'ai le mal en horreur.

HADRIEN.→

Rien ne peut vous être plus salutaire et n'est plus propre à m'apaiser. Aussi, dans ma clémence, je n'exigerai de vous qu'une chose très-facile.

CHARITÉ.→

Quoi?

HADRIEN.→

Dites seulement: «Grande Diane!» et je ne vous force plus à lui sacrifier.

CHARITÉ.→

Très-certainement je ne le dirai pas.

HADRIEN.→

Pourquoi?

CHARITÉ.→

Parce que je ne veux point mentir. Mes sœurs et moi, nous sommes nées des mêmes parents, nous avons reçu l'onction des mêmes sacrements; nous nous reposons fermes et constantes dans une seule et même foi. Sachez donc que nous n'avons aussi qu'une seule volonté, une seule et même manière de sentir et de connaître nos devoirs, et que jamais je ne diffèrerai d'elles en rien.

HADRIEN.→

O honte! une si jeune et si faible créature me brave!

CHARITÉ.→

Quoique je sois d'un âge bien tendre, je suis cependant assez savante pour vous confondre par mes arguments.

HADRIEN.→

Emmenez-la, Antiochus; faites-la hisser sur un chevalet, et qu'on la batte de verges sans pitié.

ANTIOCHUS.→

Je crains que les coups ne puissent point la faire céder.

HADRIEN.→

S'il en est ainsi, que pendant trois jours et trois nuits on tienne une fournaise continuellement allumée, et qu'on la jette au milieu des flammes.

CHARITÉ.→

O impuissance de ce juge, qui craint de ne pouvoir vaincre un enfant de huit ans sans le secours du feu!

HADRIEN.→

Allez, Antiochus, et exécutez l'ordre dont je vous ai chargé.

CHARITÉ.→

Oui, il obéira et fera ce que votre cruauté exige; mais il ne me causera aucun mal: car les coups ne pourront déchirer mon faible corps, et les flammes ne noirciront ni mes cheveux ni mes vêtements.

HADRIEN.→

C'est ce qu'il faudra voir.

CHARITÉ.→

Soit; vous verrez.

SCÈNE VI.→

HADRIEN, ANTIOCHUS.

HADRIEN.→

Antiochus, quel mal vous est-il arrivé? Pourquoi revenez-vous plus triste que de coutume?

ANTIOCHUS.→

Vous ne serez pas moins affligé que moi, quand vous connaîtrez la cause de ma tristesse.

HADRIEN.→

Parlez, ne me cachez rien.

ANTIOCHUS.→

Cette fille impudente que vous m'aviez donnée à torturer, a été flagellée en ma présence; mais elle n'a pas même eu l'épiderme effleuré. Ensuite, je l'ai fait jeter dans une fournaise, que l'excès de la chaleur avait fait devenir rouge....

HADRIEN.→

Pourquoi hésitez-vous à continuer. Exposez-moi la fin de tout ceci.

ANTIOCHUS.→

La flamme s'est élancée, et a consumé cinq mille hommes.

HADRIEN.→

Et que lui est-il arrivé?

ANTIOCHUS.→

A Charité?

HADRIEN.→

Oui.

ANTIOCHUS.→

Elle se promenait, comme en se jouant, au milieu des tourbillons de flammes et de fumée, et chantait les louanges de son Dieu. Ceux qui l'ont observée avec le plus d'attention, prétendaient que trois jeunes hommes vêtus de blanc se promenaient avec elle.

HADRIEN.→

Je rougirais de la rappeler en ma présence, puisque je n'ai pas le pouvoir de la punir.

ANTIOCHUS.→

Il ne reste plus qu'à la faire périr par le glaive[(90)].

HADRIEN.→

Faites-le sans différer.

SCÈNE VII.→

ANTIOCHUS, CHARITÉ, SAPIENCE, LE BOURREAU.

ANTIOCHUS.→

Charité, découvrez votre tête aussi dure que le marbre, et livrez-la à l'épée du bourreau.

CHARITÉ.→

Pour cela, loin de vous résister, j'obéis avec joie à vos ordres.

SAPIENCE.→

C'est à présent, ma fille, à présent qu'il faut nous réjouir dans le Christ. Pour moi, je n'ai plus aucun souci au cœur, assurée comme je le suis de votre victoire.

CHARITÉ.→

Donnez-moi un baiser, ma mère, et recommandez au Christ mon âme qui doit retourner vers lui.

SAPIENCE.→

Que celui qui vous a donné la vie dans mes entrailles daigne reprendre votre âme, souffle céleste, qu'il a fait descendre en vous.

CHARITÉ.→

Gloire vous soit rendue, ô Christ, qui m'appelez à vous avec la palme du martyre!

SAPIENCE.→

Adieu, ma fille bien-aimée; et, lorsque dans le ciel tu seras l'épouse du Christ, souviens-toi de ta mère, qui t'a enfantée quand déjà tes sœurs aînées avaient épuisé ses forces.

SCÈNE VIII.→

SAPIENCE, MATRONES ROMAINES, les corps des trois jeunes filles.

SAPIENCE.→

Venez, illustres matrones, et ensevelissez avec moi les restes mortels de mes filles.

- 359 -

LES MATRONES.→

Nous répandons des aromates sur ces corps délicats, et nous leur rendons les honneurs funèbres.

SAPIENCE.→

Grande est la bonté, admirable est la compassion que vous me témoignez à moi et à mes mortes.

LES MATRONES.→

Nous faisons avec dévouement tout ce qui peut alléger votre peine.

SAPIENCE.→

Je n'en doute pas.

LES MATRONES.→

Quel lieu avez-vous choisi pour la sépulture?

SAPIENCE.→

Un lieu à trois milles de Rome, si la longueur du chemin ne vous effraie pas.

LES MATRONES.→

Nullement; nous désirons les suivre jusqu'à l'endroit que vous avez choisi.

***

SCÈNE IX.→

Les mêmes.

SAPIENCE.→

Voici le lieu.

LES MATRONES.→

Il est convenable pour conserver leurs reliques.

SAPIENCE.→

O terre! je te confie ces tendres fleurs nées de mes entrailles; conserve-les avec tendresse dans ton sein formé de même matière qu'elles, jusqu'au jour de la résurrection, où elles reverdiront, je l'espère, avec plus de gloire. Et toi, Christ, remplis, en attendant, leurs âmes des splendeurs célestes, et donne paix et repos à leurs ossements!

LES MATRONES.→

Amen.

SAPIENCE.→

Je rends grâces à votre humanité pour les consolations que vous m'avez données, après la mort de mes enfants.

LES MATRONES.→

Voulez-vous que nous restions ici avec vous?

SAPIENCE.→

Non.

LES MATRONES.→

Pourquoi ce refus?

SAPIENCE.→

De peur que l'intérêt que vous me témoignez ne vous cause trop de fatigue. N'est-ce pas assez que vous ayez passé trois nuits avec moi? Allez en paix, et retournez chez vous heureusement.

LES MATRONES.→

Ne voulez-vous pas revenir avec nous à Rome?

SAPIENCE.→

Nullement.

LES MATRONES.→

Et qu'avez-vous dessein de faire?

SAPIENCE.→

De rester ici, pour voir si ma prière et mes vœux seront exaucés.

LES MATRONES.→

Que demandez-vous? que désirez-vous?

SAPIENCE.→

Seulement de mourir en Jésus-Christ, aussitôt que j'aurai fini ma prière.

LES MATRONES.→

Notre devoir est d'attendre, jusqu'à ce que nous vous ayons donné aussi la sépulture.

SAPIENCE. →

Faites selon votre désir.—Adonaï Emmanuel, toi qu'avant le commencement des temps la divinité du Créateur de toutes choses a engendré, et qui, dans le temps, es né du sein d'une vierge; toi, dont les deux natures forment miraculeusement un seul Christ, sans que la diversité de ces natures détruise l'unité de ta personne, ni que l'unité de ta personne confonde la diversité des natures; ô Christ! que l'aimable sérénité des anges et la douce harmonie des astres te réjouissent! Que la science de tout ce qu'on peut savoir et que tout ce qui est composé de la matière des éléments, se réunissent pour te louer! car, seul avec le Père et le Saint-Esprit, tu es une forme immatérielle. Par la volonté du Père et la coopération du Saint-Esprit, tu n'as pas dédaigné de te faire homme, passible comme homme, et impassible comme Dieu. Et pour qu'aucun de ceux qui croient en toi ne périssent, et que tous, au contraire, jouissent de la vie éternelle, tu n'as pas dédaigné d'approcher, comme un de nous, tes lèvres de la coupe de mort et de consommer les prophéties par ta résurrection. Dieu parfait, homme véritable, je me rappelle que tu as promis à tous ceux qui, par respect pour ton saint nom, renonceraient à la jouissance des biens terrestres et te préféreraient aux affections de parenté charnelle, qu'ils seraient récompensés au centuple et recevraient pour couronne le don de la vie éternelle[91]. Encouragée par cette promesse, j'ai fait ce que tu avais ordonné, et j'ai perdu sans murmure les enfants à qui j'avais donné le jour. Ne tarde donc pas, ô Christ, de tenir fidèlement ta promesse; fais qu'au plus tôt délivrée des liens corporels, j'aie la joie de voir mes filles reçues dans le ciel, elles que, sans balancer, je t'ai offertes en sacrifice, espérant que tandis qu'elles te suivraient, ô agneau de la Vierge, et chanteraient le nouveau cantique, j'aurais la joie de les entendre et de jouir de leur gloire; espérant même que, bien que je ne puisse chanter comme elles le cantique de virginité, je pourrais au moins mériter de te louer avec elles éternellement; ô toi qui n'es point le Père, mais qui es de même nature que lui; qui, avec le Père et le Saint-Esprit, es le seul maître de l'univers, et qui, régulateur unique du système supérieur, moyen et inférieur, règnes et gouvernes pendant la durée infinie des siècles[92]! (Elle expire.)

LES MATRONES. →

Recevez-la, Seigneur, dans votre sein! Amen.

FIN.

NOTES
ET
ÉCLAIRCISSEMENTS.

NOTES ET ÉCLAIRCISSEMENTS.

PROLOGUE.

Note 1, Page 3.

Par ces mots *le livre qui précède*, Hrotsvitha désigne le recueil de ses légendes en vers, qui remplit les 76 premiers feuillets de ses œuvres dans le manuscrit de la bibliothèque royale de Munich. Ce court avertissement occupe dans le manuscrit une partie du verso de la page 77, entre le premier livre, qui contient les légendes, et le second qui contient les drames. Conrad Celtes, en intervertissant l'ordre du manuscrit et en commençant son édition par les comédies, a détruit le sens de ce petit morceau, qui précède chez lui le poëme sur les Othons, tandis qu'il était destiné à lier le livre des légendes à celui des drames, et devait servir tout à la fois d'*épilogue* au premier et de *prologue* au second.

Note 2, Page 3.

Si nous avons placé ici cette espèce d'avis aux lecteurs, c'est surtout pour constater, par la déclaration même de Hrotsvitha, qu'elle n'a aucune prétention à l'invention des sujets qu'elle traite. Bien au contraire, comme tous les poëtes des époques religieuses, elle s'interdit soigneusement de rien inventer, dans la crainte de profaner ce qu'elle vénère. Elle se contente de reproduire, en les ornant avec discrétion, les récits les plus accrédités des agiographes. Aussi, pourrons-nous très-aisément reconnaître et indiquer les sources authentiques où elle a puisé les sujets de ses six drames.

PRÉFACE DES COMÉDIES.

Note 3, Page 5.

Nulle part l'auteur ne donne à ses pièces le nom de *comédies*. C'est une main plus moderne, probablement celle de Conrad Celtes, qui a inséré dans le manuscrit les mots *Præfatio in comœdias*. On sait, d'ailleurs, que dans le latin du moyen âge le mot *comœdia* avait un sens très-étendu et très-complexe, et qu'il s'appliquait plus ordinairement à un récit épique qu'à une action en dialogue. De là le titre de *commedia* donné par Dante à son épopée.

Note 4, Page 5.

Le manuscrit porte partout *Gandesheim*, et nous avons respecté cette orthographe dans le texte; mais nous avons dans la traduction adopté *Gandersheim*, dont l'usage a prévalu.

Note 5, Page 9.

Il faut se garder de confondre ce que Hrotsvitha appelle ses vers héroïques, c'est-à-dire, les huit histoires qu'elle a tirées des légendes, et qui composent le premier livre de ses œuvres, avec le poëme ou panégyrique des Othons, dont un fragment de 837 vers forme la dernière partie du manuscrit de Munich.

ÉPITRE A CERTAINS SAVANTS.

Note 6, Page 11.

Nous trouvons, dès ces premières pages, un exemple frappant du pédantisme et des subtilités aristotéliques, dans lesquels se complaît la docte religieuse. On voit combien elle affectionne la langue de l'école, et qu'elle ne s'abstient même pas de la terminologie la plus prétentieusement scolastique.

GALLICANUS.

Note 7, Page 17.

Le primicier (*primus in cera*, ou le premier sur le tableau) était, au Bas-Empire, le chef de la chapelle impériale. Il en fut de même chez les princes francs et saxons. Cette dignité répondait à celle de l'officier appelé depuis grand aumônier. Alcuin, dans sa 42e lettre, donne à Angelbert le titre de primicier du palais du roi Pépin. Hrotsvitha suppose Paul et Jean tous les deux primiciers de la princesse Constance, quoiqu'il ne pût y avoir, ce nous semble, auprès d'une même personne, qu'un seul primicier. Notre auteur n'a pas suivi dans ce détail l'autorité des Actes. Ceux-ci font de Paul le *præpositus* et de Jean le *primicerius* de la princesse Constance.

Note 8, Page 17.

L'histoire de la conversion de Gallicanus par Paul et Jean est consignée dans les récits de plusieurs agiographes que les Bollandistes ont discutés et insérés dans leur collection, sous la date du 24 juin. Voyez *Acta Sanctorum*, Junii t. V, p. 35. On ne peut douter que Hrotsvitha n'ait eu sous les yeux une de ces relations. La légende ayant pour titre *Acta præfixa passioni S. S. Johannis et Pauli*, présente non-seulement une complète ressemblance quant à l'ordre des faits, mais jusqu'à des phrases entières empruntées textuellement par notre auteur. La seconde partie, qui se rapporte à la résistance des deux frères Paul et Jean et à la réaction tentée par l'empereur Julien, est tirée d'une relation qu'on peut lire dans les Bollandistes, sous la date du 25 juin (*Acta*

Sanctorum, Junii t. V, p. 158). On la trouve également dans le martyrologe romain, dans *Bede*, *Usuardus*, *Ado*, etc.

Note 9, Page 19.

J'ai dans cette pièce et dans les suivantes complété la liste des personnages, qui est très-abrégée dans le texte. J'ai, de plus, coupé le dialogue en scènes, et indiqué au commencement de chacune d'elles, le nom des acteurs qui y figurent, suivant l'usage actuel.

Note 10, Page 29.

Jamais l'auteur n'indique le lieu de la scène, qui d'ailleurs change fort souvent. L'usage des tapisseries, très-répandu au Xe siècle, rendait les changements de décorations assez faciles. J'ajouterai qu'alors, comme aux XVIe et XVIIe siècles, l'imagination des spectateurs dut suppléer facilement à l'imperfection de la mise en scène. Les graves personnages réunis pour ces pieux divertissements dans la grande salle du Chapitre de Gandersheim, ne durent pas se montrer plus exigeants que les turbulents spectateurs du théâtre du *Globe* à Londres ou du théâtre *Del Principe* à Madrid.

Note 11, Page 31.

Peut-être serais-je entré davantage dans l'esprit et la couleur de l'original, en traduisant *Gallicanus dux* par *le duc* Gallicanus. En effet, Hrotsvitha se sert volontiers des qualifications introduites par la chancellerie byzantine et par les usages de la féodalité.

Note 12, Page 43.

Les notes indicatives du jeu des acteurs, que les grammairiens grecs appelaient *didascalies*, se rencontrent, comme on sait, fort rarement dans les ouvrages dramatiques anciens. Ces indications de mise en scène sont également fort peu nombreuses dans le théâtre de Hrotsvitha. Cependant, nous en signalerons dans *Gallicanus* deux, qui ont échappé à Celtes. Nous attachons, pour notre part, une grande importance à ces *didascalies*, parce qu'elles prouvent, de la manière la plus formelle, que ces drames n'ont pas été écrits seulement pour la lecture, comme le prétend M. Price, un des récents éditeurs de Warton (*History of English poetry*, édit. de 1824, t. II, p. 68).

Note 13, Page 47.

Le mot *ingenuitas* a deux sens: vertu, puis noblesse de race. J'ai préféré dans ce passage la première de ces significations, parce que l'humilité toute chrétienne de la princesse qui l'emploie, ne permet pas de supposer qu'elle attachât un grand prix aux avantages de la naissance. Par la raison contraire, dans la dernière comédie de Hrotsvitha, intitulée *Sapience*, où l'empereur

Hadrien se sert du même mot, j'ai cru devoir préférer la seconde acception. Voyez p. 390.

Note 14, Page 51.

Voici une nouvelle indication d'un jeu de théâtre.

Note 15, Page 55.

Le lieu de la scène change ici brusquement; nous passons, en un clin d'œil, des rues de Rome dans les campagnes de la Thrace, près de Philippopolis, où, suivant les Actes et Eusèbe (*Vit. Constantini*, lib. IV, cap. 5–7) eut lieu la bataille gagnée par Gallicanus sur les Sarmates. On voit que Hrostvitha n'a imité de Térence ni l'unité de lieu, ni l'unité de temps. La nouvelle forme de drame qu'elle emploie, est, en quelque sorte, narrative et calquée sur les légendes. Cette forme a commencé, chose remarquable, à se montrer dans les premiers essais dramatiques, tirés des traditions chrétiennes ou bibliques, et elle est restée celle de Lope de Vega, de Calderon, de Shakespeare et de Schiller.

Note 16, Page 57.

C'est ici une allusion au fameux *labarum* de Constantin: *In hoc signo vinces.*

Note 17, Page 61.

Hrotsvitha, toujours préoccupée de plaire aux yeux, ménage aux spectateurs l'appareil d'un triomphe romain.

Note 18, Page 67.

C'est le mot de Jules César renversé: *Veni, vidi, vici.*

Note 19, Page 81.

Ce projet de répartition charitable est emprunté textuellement aux Actes; mais il n'est pas moins surprenant que Hrotsvitha n'ait ajouté aux dispositions de Gallicanus aucune libéralité pour les églises ou les couvents. Une semblable réserve a lieu d'étonner de la part d'une religieuse, qui écrivait un peu avant l'an 1000. Nous aurons occasion de renouveler cette remarque.

DEUXIÈME PARTIE DE GALLICANUS.

Note 20, Page 85.

Le premier éditeur de Hrotsvitha, Conrad Celtes, a intitulé cette seconde partie *Actus secundus*, sans y être autorisé par aucune indication du manuscrit. J'ai rejeté cette division, avant même d'avoir eu sous les yeux la copie du manuscrit de Munich (voy. *Revue des Deux-Mondes*, numéro du 15 novembre 1839 et *Biographie universelle*, supplément, t. 67, p. 388). Je pensais, comme J. Chr. Gottsched (*Nöthiger Vorrath zur Geschichte der deutschen dramatischen*

Dichtkunst, t. II, p. 19), que l'histoire de Gallicanus et le martyre de Jean et Paul formaient deux drames séparés, 1° parce qu'il y a dans le manuscrit, avant le martyre de Jean et Paul, une nouvelle liste de personnages; 2° que le soi-disant premier acte se termine par la formule finale *amen*, qui dans les pièces religieuses du moyen âge correspond au *plaudite* des comédies païennes. J'ajoute que les Actes de Gallicanus et de Jean et Paul, qui sont réunis en une même relation, ont été cependant coupés dans les *Acta Sanctorum* et séparés par l'intervalle d'un jour dans les cérémonies de l'Église. Je pense, en définitive, que Hrotsvitha a tiré de cette légende complexe, non pas un drame en deux actes, mais deux pièces, qui se suivent à peu près comme dans Shakspeare les diverses parties de Henri IV. Si même je n'ai pas fait de *Gallicanus* et du *martyre de Jean et Paul* deux œuvres entièrement distinctes, c'est que ces deux pièces ont un argument qui leur est commun et qui les lie, jusqu'à un certain point, l'une à l'autre.

Note 21, Page 87.

Cette raillerie sacrilége de l'empereur Julien est mot pour mot dans la légende.

Note 22, Page 89.

Les gardes parlent ici par antiphrase, selon la coutume superstitieuse des anciens, qui avaient grand soin de supprimer toutes paroles de mauvais augure.

Note 23, Page 89.

Ces détails sont empruntés aux mœurs féodales. Hrotsvitha songeait aux forteresses des vassaux indépendants.

Note 24, Page 101.

Cette scène a été fidèlement et élégamment traduite par M. Villemain, dans son *Tableau de la littérature au moyen âge* (Paris, 1830, t. II, p. 252). C'est un modèle achevé, que nous aurions été heureux de pouvoir suivre de loin. «Hrotsvitha, dit l'éloquent critique, fait habilement parler Julien. Il y a là un sentiment vrai de l'histoire. Julien ne se montre pas un féroce et stupide persécuteur comme l'auraient imaginé les légendaires du VIe siècle....» Je regrette d'avoir à atténuer un peu cet éloge donné à Hrotsvitha par un aussi excellent juge; mais la vérité m'oblige à dire que les meilleurs traits du dialogue entre Julien et les deux martyrs appartiennent au légendaire.

Note 25, Page 109.

Ce passage soudain de la frénésie à la raison offrait à la religieuse chargée de représenter le fils de Térentianus l'occasion d'un jeu muet, qui devait être plein d'énergie et d'expression. Hrotsvitha, en ne mettant pas une seule parole dans la bouche du jeune démoniaque, a montré combien elle se reposait sur la puissance de la pantomime, et prouvé, une fois de plus, qu'elle ne cherchait pas moins à faire impression sur les yeux que sur l'esprit.

Note 26, Page 109.

Nous avons ajouté la formule finale, qui manque dans le manuscrit.

DULCITIUS.

Note 27, Page 113.

Le sujet de la seconde pièce de Hrotsvitha est pris dans les *Actes du martyre des trois sœurs* (Acta trium sororum), légende fort répandue au moyen âge dans les églises grecque et latine. Le recueil des Bollandistes contient sous la date des 3 et 5 avril (*Aprilis* t. I, p. 245 et 250): 1° une notice des divers agiographes latins et grecs qui ont raconté en prose et même en vers la passion des trois vierges, mises à mort à Thessalonique l'an 290, par ordre de Dioclétien; 2° le récit latin de ce martyre, extrait des Actes très-anciens de sainte Anastasie. Hrotsvitha, dans le drame qu'on va lire, a suivi pas à pas, selon sa coutume, la relation qu'elle avait sous les yeux. Seulement, elle insiste avec une prédilection marquée, sur tout ce qui pouvait exciter le rire, et développe de préférence les suites grotesques de l'incontinence du gouverneur Dulcitius. C'est, je crois, en raison de cette prédominance de la partie comique, que Hrotsvitha a donné pour titre à cette comédie, non pas le nom vénéré des trois héroïques sœurs, mais celui du malencontreux magistrat, dont les déconvenues jettent une si étrange gaieté dans cette pièce tragi-comique.

Note 28, Page 131.

Ce rapprochement bizarre du corps noirci de Dulcitius et de la noirceur de son âme est pris textuellement de la légende.

Note 29, Page 133.

Toutes les mésaventures plaisantes qui assaillent Dulcitius, la méprise des gardes, la colère des huissiers et jusqu'à l'imperturbable et risible confiance qu'il montre dans l'élégance de sa toilette, sont autant de traits d'excellent comique fournis par le légendaire.

Note 30, Page 147.

Cette belle parole se lit dans les Actes.

Note 31, Page 153.

C'est ici pour la seconde fois que nous voyons un cheval introduit sur la scène. Dans *Gallicanus*, Paul et Jean montent à cheval pour rejoindre le général. Plus loin, nous verrons Abraham chevauchant avec sa nièce. On pensera peut-être qu'il dut être assez difficile aux novices de Gandersheim de représenter le comte Sisinnius demandant à grands cris un cheval, comme Richard III dans Shakespeare, et poursuivant sur sa monture rétive l'innocente Irène. Mais il ne faut pas oublier que le cheval de Sisinnius ne fait que tourner, comme dans un manége, ce qui simplifiait beaucoup les difficultés de cet exercice équestre.—D'ailleurs, la présence des animaux dans les divertissements hiératiques n'était point une chose rare au moyen âge. L'ânesse de Balaam, celle de notre Seigneur le jour des Rameaux, le bœuf et l'âne auprès de la crèche à Noël, étaient les accessoires habituels et nécessaires des cérémonies ecclésiastiques. Quelquefois, il est vrai, par respect pour les saints lieux, ces animaux ne figuraient qu'en effigie. Du Cange a extrait d'un ancien rituel la mention d'une ânesse peinte, qu'on plaçait, le dimanche des Rameaux, auprès du maître-autel, *Asina depicta propter altare*. De nombreux témoignages nous prouvent que des simulacres représentant le bœuf et l'âne faisaient jadis partie du mobilier de toute église épiscopale ou monastique. On voit donc, sans que j'insiste ici davantage, que la mise en scène de *Dulcitius* ne dépassait pas les moyens d'exécution dont le drame hiératique était au Xe siècle en mesure de disposer.

Note 32, Page 155.

L'emploi des expressions tirées des superstitions païennes est assez fréquent dans les auteurs ecclésiastiques. On en trouve des exemples jusque dans nos offices. Ce mélange, toutefois, ne se rencontre que rarement dans les écrits de Hrotsvitha.

CALLIMAQUE.

Note 33, Page 159.

L'aventure romanesque et touchante qui fait le sujet de *Callimaque*, est racontée dans le Ve livre d'un ouvrage dont Fabricius a publié une rédaction latine parmi les apocryphes du Nouveau Testament (*Codices apocryph. Nov. Test.*, t. II, p. 542); je veux parler de l'histoire apostolique d'Abdias, premier évêque de Babylone, ou d'un pseudo-Abdias, traduite en latin par Jules Africain.

Note 34, Page 165.

La docte religieuse prête ici au jeune amoureux et à ses amis le jargon même de l'école. Ce langage sophistiqué qui nous semble si pédantesque, devait être du meilleur air et un signe d'élégance et de bon ton, à cette époque où régnait la scolastique.

Note 35, Page 169.

La citation de Virgile qui termine l'entretien de ces étudiants est bien dans le goût et dans les habitudes des personnages.

Il est impossible de ne pas reconnaître dans la scène d'amour qu'on va lire, et surtout dans les faux-fuyants pudiques qu'emploie Drusiana, pour cacher d'assez tendres sentiments sous la colère, les premiers essais tentés dans un genre qui défraie presque uniquement la littérature moderne, et dont on trouverait difficilement des exemples dans l'antiquité, même en les demandant aux poëtes élégiaques.

Quoique les unités soient moins complétement violées dans *Callimaque* que dans les autres pièces de Hrotsvitha, et que l'action ne sorte pas de l'enceinte de la ville d'Édesse, il n'y a guère de scène, cependant, qui n'amène un changement de lieu.

Cette apostrophe aux spectateurs, que Celtes a fait disparaître par une correction malheureuse, est une preuve nouvelle et décisive qui témoigne de la représentation de ces drames.

Voilà un jeu de scène qui ne peut que donner une idée fort avantageuse de l'habileté du machiniste de Gandersheim.

Je ne puis laisser passer sans remarque ce nouveau compliment adressé par l'auteur aux talents du machiniste.

Ce sont presque les belles paroles du duc de Guise au siége de Rouen, si heureusement transportées par Voltaire dans le dénoûment d'*Alzire:*

Des dieux que nous servons connais la différence:Les tiens t'ont commandé le meurtre et la vengeance;Et le mien, quand ton bras vient de m'assassiner,M'ordonne de te plaindre et de te pardonner.

Il échappe ici à la docte théologienne une sorte de contradiction dans les termes; mais le texte est douteux, et il faut peut-être lire, comme j'ai fait plus loin, pages 368 et 446.

Cette invitation à passer le reste de la journée dans la joie m'avait porté à penser que ce drame avait été fait et représenté à l'occasion d'une réjouissance séculière, peut-être pour célébrer le mariage de quelque noble protecteur de l'abbaye. Mais on trouve absolument la même conclusion dans la légende. En apprenant que Fortunatus a succombé aux morsures du serpent, saint Jean s'écrie: «*Habes filium tuum, diabole!*» et le narrateur ajoute: «*Illam diem cum fratribus lætam exegit* (Abdias, *Histor. apostol. lib.* V, inter Fabricii *Codic. apocryph. Nov. Testam.*, t. I, p. 557).»

ABRAHAM.

Note 44, Page 217.

Ce drame, le plus pathétique que nous ait laissé Hrotsvitha, est tiré d'Actes que nous possédons tant en grec qu'en latin, et qui portent le nom de saint Éphrem. Plusieurs modernes, entre autres, Vossius et Arnauld d'Andilly, lequel a traduit cette touchante histoire dans ses *Vies des Pères des déserts* (t. I, p. 271 et 547), l'ont attribué à saint Éphrem, le solitaire, qui devint diacre d'Édesse et qui vivait au IVe siècle. D'autres pensent que les Actes d'Abraham et de Marie sont l'œuvre d'un autre Éphrem un peu postérieur à celui qui, avant d'être diacre, avait été le maître et le compagnon d'Abraham. Voyez, à la date du 16 mars, les *Acta Sanctorum* (Martii t. I, p. 433).—L'action se passe, d'après les agiographes, tantôt dans une solitude voisine de Lampsaque, sur les bords de l'Hellespont, tantôt dans la ville d'Assos, qui n'en est distante que de deux journées.

Note 45, Page 219.

C'est bien ici Éphrem, le solitaire devenu diacre, dont on peut lire la vie dans Arnauld d'Andilly (*Pères des déserts*, t. I, p. 294). On attribue à cet ermite plusieurs conversions de courtisanes, qui ont beaucoup de ressemblance avec l'histoire de Paphnuce et de Thaïs.—Hrotsvitha donne à Éphrem un rôle bien plus important que la légende, laquelle ne le cite qu'une ou deux fois en passant.

Note 46, Page 227.

Le caractère de Marie est plus encore que celui de Drusiana, une création de Hrotsvitha. Il est tracé avec beaucoup de naturel et de goût. La légende avait très-peu fait, et notre auteur a développé ce germe avec une véritable science du cœur féminin. Dès les premiers mots que cette jeune fille prononce, on sent dans ses reparties aux exhortations mystiques d'Éphrem, une sorte de matérialité et de sensualité naïves, présage de chute.

Note 47, Page 227.

Il y a dans cette pensée comme un éclair de coquetterie précoce, qui me semble un trait exquis de naturel.

Le texte dit tout crument *asinum vivit*. Cette jeune fille a quelque chose de positif et de matériel, jusque dans l'exaltation religieuse.

Note 49, Page 233.

On pourrait voir dans ce passage une satire indirecte des moines au Xe siècle, si cette particularité ne se trouvait dans la légende: *nomine dumtaxat monachus*.

Note 50, Page 237.

Hrotsvitha ne laisse guère échapper l'occasion de repasser sur la trace de Virgile.

Note 51, Page 253.

Je ne puis m'empêcher de faire remarquer combien il y a d'art délicat et de grâce pudique dans les paroles à double sens que le bon anachorète prononce durant cette scène et la suivante.

Note 52, Page 261.

La légende indique ici énergiquement le jeu de scène. Elle nous montre Marie *perterrefacta... lapidis instar immobilis.*—La situation développée dans cette scène est une des plus pathétiques que l'on ait jamais mise au théâtre.

Note 53, Page 267.

Ces belles paroles, qui ne sont qu'indiquées dans le légendaire, rappellent par la pensée, comme par le mouvement, les vers tant applaudis de l'*Hamlet* de Ducis, et que disait si admirablement Talma:

Votre crime est horrible, exécrable, odieux;Mais il n'est pas plus grand que la bonté des cieux.

Note 54, Page 269.

Voilà un blâme formel des dons pieux, regardés comme expiatoires. La légende est en cet endroit beaucoup moins explicite que le drame. Hrotsvitha reviendra encore sur ce blâme; voyez *Paphnuce*, p. 327 et note 71.

Note 55, Page 271.

Encore un doux souvenir de Virgile. Marie aura bien raison tout à l'heure de remercier le bon ermite de sa tendre compassion. Il est impossible de prêcher la pénitence à un cœur de femme avec une plus douce, plus charitable et plus consolante onction.

Note 56, Page 273.

L'auteur ne dit qu'un mot et ne décrit pas la scène, sans doute parce que le voyage se faisait sous les yeux des spectateurs. La légende, qui n'avait pas la ressource de la représentation, a soin de nous montrer Marie placée sur le cheval d'Abraham, tandis que le vieillard marche devant, conduisant par la bride la monture de sa nièce, à peu près comme on peint le bon saint Joseph et la Vierge, dans les tableaux de la fuite en Égypte.

Note 57, Page 273.

Cette crainte pudique, qu'inspire à Marie la vue du lieu où elle a failli, est un trait charmant de délicatesse féminine; il appartient en propre à Hrotsvitha.

PAPHNUCE.

Note 58, Page 283.

Le succès que n'a pu manquer d'obtenir la comédie si touchante d'*Abraham*, a probablement engagé Hrotsvitha à donner un pendant à cet ouvrage, que l'argument qu'on vient de lire rappelle avec complaisance. Il lui a été facile de trouver dans les agiographes la légende de Paphnuce, autre ermite convertisseur de pécheresses, légende qui se rapproche et diffère assez de la précédente, pour que Hrotsvitha ait pu entreprendre de la mettre en scène, sans craindre de se répéter. Cette histoire d'une autre Madeleine repentante, si propre à intéresser et à toucher un monastère de femmes, a été brièvement racontée par un écrivain grec antérieur au Vᵉ siècle (voyez Sirlet., *Græc. Menol.*, ap. Canis., *Antiq. lection.*, t. II). Une version latine, dont on ne connaît pas l'auteur, a pris place dans le recueil des Bollandistes, sous la date du 8 octobre (*Act. Sanctor.*, octobr. t. VI, p. 223). Enfin, Arnauld d'Andilly a traduit en français cette courte légende dans ses *Vies des Pères des déserts* (t. I, p. 541). L'action se passe pendant la première moitié du IVᵉ siècle, d'abord en Égypte, dans l'ermitage de Paphnuce, à l'entrée du désert, puis dans une ville voisine, que notre auteur ne nomme pas, mais que plusieurs agiographes disent être Alexandrie. Plus tard, Hrotsvitha transporte la scène dans la Thébaïde, où saint Antoine s'était retiré avec quelques disciples.

Note 59, Page 287.

Les discussions dont cette scène est remplie nous montrent beaucoup moins un paisible ermitage du IVᵉ siècle, où un simple religieux enseigne d'humbles disciples, qu'une bruyante école du Xᵉ siècle, devant laquelle un subtil controversiste étale les arguties les plus abruptes de la scolastique naissante. En effet, Hrotsvitha, comme les auteurs dramatiques de tous les temps, n'a guère peint que son propre siècle, en croyant faire revivre les siècles passés. Mais, à notre point de vue, de pareils tableaux, vrais en eux-mêmes, et dont la date seule est fautive, n'en sont pas d'un moindre intérêt.

Hrotsvitha prend prétexte du mot *harmonie*, jeté dans sa pédantesque digression sur le monde majeur et le monde mineur, pour faire montre de tout ce qu'elle avait pu apprendre sur la musique, telle qu'on l'enseignait dans les écoles monastiques.

Tous ces détails techniques ont été tirés par Hrotsvitha des écrivains alors les plus autorisés. On peut voir l'explication des mots *soni excellentes* dans le chapitre IX de Martianus Capella et dans Remigius Altisiodorensis (ap. Gerbert., *Scriptor. de musica*, t. I, p. 65). On trouvera la définition des mots *pressi soni* dans le chap. VI du traité *De musicæ disciplina* d'Aurelianus Reomensis, écrivain du IXᵉ siècle, recueilli par Gerbert (*Loco citato*, p. 35). Notre auteur emploie presque toujours textuellement les expressions de Boëce, qui traite de la musique non-seulement dans ses trois livres *De musica*, mais dans plusieurs endroits de son arithmétique.

Il est singulier que Hrotsvitha qui définit le quadrivium, ne parle pas du trivium. Le quadrivium renfermait, comme on vient de le voir, l'arithmétique, la géométrie, la musique et l'astronomie. Le trivium comprenait la grammaire, la dialectique et la rhétorique. Cette division des études au moyen âge se retrouve à peu près dans notre division actuelle en *sciences* et *lettres*. La réunion du trivium et du quadrivium constituait les sept arts libéraux, dont Cassiodore, Boëce et Martianus Capella ont traité avec étendue. Je vois déjà dans Boëce le mot quadrivium (*Arithmet.*, lib. I, cap. 1); d'ailleurs, le partage des arts libéraux en sept branches est de beaucoup antérieur au Vᵉ siècle. On se rappelle la LXXXVIIᵉ épître de Sénèque qui commence ainsi: «De liberalibus studiis quid sentiam scire desideras.» Il fallait que ces notions élémentaires fussent quelque peu tombées dans l'oubli à la fin du Xᵉ siècle, pour que Hrotsvitha ait pensé qu'il pouvait y avoir quelque mérite à les rappeler si hors de propos.

Cette bizarre division de la musique en céleste, humaine et instrumentale n'est point, comme on pourrait croire, une poétique fantaisie de Hrotsvitha; on la trouve dans tous les écrivains dogmatiques alors accrédités. Voyez, entre autres, Boëce (*De musica*, lib. I, cap. II) et Aurelianus Reomensis (ap. Gerbert., *Loc. cit.*, p. 32).

Ici doctrine et nomenclature sont tirés de Martianus Capella: «Sonum, id est tonum, productionem vocavi (lib. IX, § 955).»

Censorinus donne de la consonnance (*Symphonia*) une définition beaucoup plus claire que Hrotsvitha: «Symphonia, dit-il, est duarum vocum inter se junctarum dulcis concensus (*De die natali*, cap. X, § 5).» Suivant Cassiodore: «Symphonia est temperamentum sonitus gravis ad acutum vel acuti ad gravem modulamen efficiens (*De musica*, p. 430, ed. 1589).» C'est évidemment de cette définition abrégée que Hrotsvitha a formé la sienne, qui a le double défaut d'être obscure et incomplète.—Le mot *modulatio* qu'elle emploie, a ici une signification tout à fait différente de celle qu'a reçue chez nous le mot *modulation*. Cette expression offre dans Hrotsvitha le même sens que dans Martianus Capella, quand il dit: «Modulatio est soni multiplicis expressio.»

Cette théorie mathématique des accords et des intervalles est tirée presque textuellement de Censorinus (*De die natali*), de Macrobe (*Somnium Scipionis*), de Martianus Capella, de Cassiodore, Boëce, saint Isidore de Séville, etc. Je trouve dans le *Mystère de l'Incarnation et de la nativité*, représenté à Rouen en 1474, une scène curieuse, que M. Onésime le Roy a citée dans ses *Études sur les Mystères*, et dont on pourrait croire le dessin et les détails imités de Hrotsvitha, s'ils n'étaient tout simplement puisés aux mêmes sources. Un berger mélomane, nommé Ludin, s'obstine à donner à un berger ignorant la leçon de musique suivante:

LUDIN.

..............PremièrementPour avoir de chant l'instrument,Dont vient mainte joyeuseté,Tu trouveras dyapentéQui contient troys tons et demy.

ANATHOT.

Ludin, par ma foy, mon amy.Se je y entons ne blanc ne bis;Mais parle moi de nos brebis,Et de ce qu'il leur appartient.

LUDIN.

Puis deux tons et demy contientDyatessaron. Qui assembleLes deux consonnances ensemble,Il peut dyapason trouver.

ANATHOT.

Autant en sçay je comment hier.

LUDIN.

Numérables proportionsOnt grans participationsA ceux-cy, car avec DuplaTres grande conveniance haDyapason. Puis me souvientQu'a dyatessaron convientSexquitercia, et aprèsDe sexqualtera est prèsCelle qu'on dit dyapenthé.

ANATHOT.

Qu'est-ce que tu m'as raconté?Je n'entends rien à tels propos;Et seroient droitement bons motsA garir les fievres quartaines, etc., etc.

L'édition imprimée de ce Mystère cite à la marge, comme autorité, quelques extraits de l'arithmétique de Boëce, abrégée par maître Johannes de Muris.

Note 67, Page 301.

Paphnuce, ou plutôt Hrostvitha, expose ici l'opinion des Pythagoriciens sur l'harmonie des sphères célestes. Cette poétique hypothèse, adoptée par Platon, a pénétré dans quelques écrivains ecclésiastiques. Je ne saurais dire si c'est par cette dernière voie qu'elle est parvenue à Hrotsvitha. On la trouve exposée dans une foule d'écrivains. Je ne citerai que Porphyre (*De vit. Pythag.*), Héraclide de Pont (*Allegor. Homeric.*), le pseudo-Aristote (*De cœlo*, lib. II, cap. IX), Cicéron (*Somnium Scipionis*), Chalcidius (*in Platonis Timœum*), Censorinus, saint Basile (Homel. III, *in hexaemeron*), saint Ambroise, (*Lib. Hexaem.*, cap. II), saint Anselme (*De imag. mundi*, lib. I, cap. XXIII).

Note 68, Page 303.

Allusion à ces paroles de saint Paul: «Quæ stulta sunt mundi elegit Deus, ut confundat sapientes.» *Epist. I ad Corinth.*, cap. I, v. 27.

Note 69, Page 305.

C'est là, il faut l'avouer, une assez belle apologie de la science et bien imprévue dans un siècle si généralement accusé de barbarie.

Note 70, Page 307.

Cette réflexion aussi fine qu'heureusement exprimée semble échappée à la plume d'un moraliste moderne.

Note 71, Page 327.

Cette pensée vraiment chrétienne est une nouvelle et bien remarquable censure des fondations, par lesquelles on croyait obtenir le pardon de tous les crimes. Hrotsvitha a déjà fait entendre le même blâme dans *Abraham*. Voyez p. 269 et note 54.

Note 72, Page 327.

Il semble que Virgile soit le guide de Hrotsvitha, comme de Dante. Le souvenir du poëte ne l'abandonne jamais longtemps. Elle s'empresse de revenir à lui, dès qu'elle en trouve l'occasion.

Note 73, Page 349.

La scène qu'on vient de lire, où Paphnuce recommande Thaïs pénitente aux soins de la supérieure d'un couvent de femmes, ne retrace en rien les usages monastiques du IVe siècle. Mais cet entretien nous offre en échange un exemple curieux des formules de pieuse courtoisie, avec lesquelles devaient s'aborder et converser un abbé et une abbesse dans le siècle et dans la patrie des Othons.

Note 74, Page 353.

Il pourra paraître singulier que je traduise *ecce tres mensurni* par *il y a trois ans*; mais, ainsi que j'en ai fait la remarque dans les notes latines, le mot *mensurnus* signifie dans Hrotsvitha, *la révolution complète de douze mois*. Cela est surtout évident dans le présent passage de *Paphnuce*. Un peu plus bas, en effet (p. 354), Hrotsvitha explique *ecce tres mensurni*, par *ante hoc triennium*.

Note 75, Page 357.

En reportant notre pensée sur la scène à laquelle il est fait ici allusion, nous ne pouvons nous empêcher de remarquer que ce mélange de *douces remontrances* et d'énergiques conseils se rapporte avec beaucoup plus de vérité à la conversion de Marie par Abraham. C'est seulement, comme nous le verrons tout à l'heure, en assistant la pécheresse agonisante, que Paphnuce montrera envers elle toute sa tendresse de cœur.

Note 76, Page 359.

Hrotsvitha me paraît s'être plutôt rappelé ici le sens que les paroles de saint Matthieu: «Ubi sunt duo vel tres congregati in nomine meo, ibi sum in medio eorum.» *Evangil.*, cap. XVIII, v. 20.—Il est presque impossible de signaler tous les emprunts que notre auteur fait au Nouveau et à l'Ancien Testament. Par exemple, un peu plus loin (p. 362), on lit: *Si Deus iniquitates observabit, nemo sustinebit.* C'est une allusion au verset 3 du psaume CXXIX: «Si iniquitates observaveris, Domine; Domine, quis sustinebit?»

Note 77, Page 367.

On voit que notre auteur suivait les opinions de saint Augustin sur la grâce.

Note 78, Page 367.

Cette théologie miséricordieuse, qui se retrouve dans toutes les pièces de Hrotsvitha, prouve que la barbarie des mœurs n'avait pas pénétré dans les doctrines.

Voilà une belle et consolante prière, et qui aurait été bien digne d'être prononcée au chevet des agonisantes dans les monastères de femmes.

SAPIENCE.

Note 80, Page 375.

Au lieu du nom d'Hadrien, le manuscrit porte ici le nom de Dioclétien. J'ai pensé qu'il ne fallait voir dans cette variante qu'une faute de copiste, et j'ai rétabli dans l'argument le premier nom qu'on lit dans tout le cours de la pièce. Cependant, cette leçon acquiert un certain intérêt, quand on voit dans la dissertation préliminaire des Bollandistes «qu'on ne sait pas bien si le martyre des trois sœurs Foi, Espérance et Charité a eu lieu à Rome ou à Nicomédie, ni même si cet événement s'est passé du temps d'Hadrien ou sous le règne de Dioclétien.»

Note 81, Page 375.

Les noms significatifs des principaux acteurs de ce drame m'avaient d'abord induit à croire que *Foi, Espérance et Charité, filles de Sapience*, étaient une pièce allégorique du genre de nos anciennes *moralités*, plutôt que la mise en action d'une légende. Je m'étais trompé. Un assez grand nombre d'auteurs grecs et latins ont mentionné l'histoire de cette mère intrépide et de ses trois jeunes filles. Les Bollandistes, à la date du 1er août (*Acta Sanctor.*, August. t. I, p. 16), donnent une notice des écrivains qui ont parlé de ces courageuses héroïnes, et regrettent que, hors leur martyre, on ignore ce qui les concerne. En effet, tous les agiographes, sauf le déclamateur Métaphraste, n'ont accordé qu'un très-petit nombre de lignes à cette histoire. Hrotsvitha a eu rarement moins de secours. Il faut encore remarquer qu'elle a un soin particulier de faire parler chaque personnage suivant le caractère que son nom suppose.

Note 82, Page 377.

C'est le titre que les légendes donnent à Antiochus.

Note 83, Page 383.

N'y a-t-il pas là un souvenir lointain de l'ancienne formule *Caveant consules?*

Note 84, Page 385.

Ce commandement est tiré de saint Marc, chapitre XIII, v. 11, et de saint Luc, chapitre XII, v. 11 et 12.—Il est juste de faire observer que si Hrotsvitha se montre versée dans la lecture d'Horace et de Virgile, elle ne l'est pas moins dans celle de l'Écriture Sainte.

Note 85, Page 389.

Cette circonstance semble prouver que la légende de Sapience ou de Sophie et de ses filles est d'origine hellénique.

Note 86, Page 391.

Hrotsvitha retombe ici dans une de ces digressions pédantesques où elle aime tant à se jeter en écolière émerveillée de son savoir de fraîche date. Ce ne sont pas cette fois des lambeaux de philosophie scolastique, comme dans *Callimaque*, ni une exposition technique de la science musicale, comme dans *Paphnuce*. Nous allons assister, bon gré, mal gré, à une leçon sur la théorie des nombres. Il semble que Hrotsvitha ait eu à cœur de prouver sa compétence dans presque toutes les branches du *trivium* et du *quadrivium*. Elle a, d'ailleurs, laissé percer cette ambition dans la préface de ses comédies, sous une formule modestement orgueilleuse: «Pour que ma négligence, a-t-elle dit, n'anéantisse pas en moi les dons de Dieu, toutes les fois que, par hasard, j'ai pu recueillir quelques fils ou légers débris du vieux manteau de la philosophie, j'ai eu grand soin de les insérer dans le tissu de mon ouvrage (*Épître à certains savants*, p. 13).» Il est impossible de tenir plus exactement ses résolutions. La savante religieuse ne laisse, en effet, échapper aucune occasion de se parer du bonnet doctoral, ou plutôt elle s'en affuble, comme ici, sans même avoir pour excuse la moindre apparence d'occasion.

Note 87, Page 395.

Toute cette théorie des nombres se trouve dans Boëce, qui lui-même l'avait prise ailleurs. Il n'y a pas jusqu'à ces quatre nombres parfaits cités pour exemple, qui ne soient dans Boëce (*Arithm.*, lib. I, cap. 20).—Un jeune mathématicien de Franche-Comté, M. Grillet, me communique sur ce passage la note suivante. «Les nombres parfaits dans l'ordre où l'on vient de les lire (6, 28, 496, 8128) sortent de la formule $2^n (2^{n+1}-1)$ laquelle donne des nombres parfaits, toutes les fois que $(2^{n+1}-1)$ est un nombre premier. On conçoit, d'ailleurs, que les arithméticiens du moyen âge se soient arrêtés à ces quatre nombres, car le plus petit que la formule fournit ensuite est 33,550336, pour n = 12.»

Note 88, Page 397.

Il est nécessaire d'interpréter ici la définition de la dénomination. Quand on dit qu'un nombre est la moitié, le tiers, etc., d'un autre nombre, cela signifie que le premier entre exactement deux fois, trois fois dans le second. Ce sont ces nombres de fois que Hrotsvitha considère, quand elle dit plus haut que la dénomination des parties est pairement paire, paire ou impaire.

Note 89, Page 403.

Encore une sorte de réminiscence mythologique.

Note 90, Page 439.

On voit par la lecture des agiographes que le seul instrument qui eût action sur les martyrs et qui pût leur donner sûrement la mort, c'était l'épée. Tous les Actes nous montrent les saints confesseurs insensibles aux autres supplices.

Note 91, Page 449.

C'est ici une allusion aux paroles de saint Matthieu, plutôt qu'une citation textuelle. Voy. *Evang.*, cap. XIX, v. 29.

Note 92, Page 449.

Ce dénoûment me paraît avoir un frappant caractère de solennité et de grandeur. Cette vieille mère éplorée, cette Hécube calme et chrétienne, qui, après avoir enterré de ses mains ses trois filles offertes au ciel, se retire à l'écart et n'émet qu'un vœu, celui de mourir après une courte et fervente prière, et qui meurt comme elle l'a souhaité, me semble rappeler un autre grand et noble type de maternité courageuse, la vénérable duchesse Oda, qui consacra cinq de ses filles à Dieu, en vit mourir quatre et, ne devançant la dernière que de peu de mois, descendit, en priant, dans la tombe. Hrotsvitha, dans son poëme sur la fondation du monastère de Gandersheim, a rappelé avec émotion la glorieuse vieillesse d'Oda et les tombeaux de la mère et des filles:

Oda nimis felix, nostri spes et dominatrix,Quum decies denos septem quoque vixerat annos,Vitam fine bono consummans transit ad astra,Exspectans spe felici tempus redeundiFlatus, atque resurgendi de pulvere pleniCorporis in tumulo, quod nunc sub tegmine duroJuxta natarum requiescit busta suarum..................................Christina........................Jungitur in lucis patria pacisque perennisEjus germanis......................Quas matri cunctas in cœlo consociatas,Alme Pater, tecum præsta gaudere per ævum.

Je me figure que Hrotsvitha et ses compagnes, en attendant la béatification de leur digne fondatrice, aimaient à la glorifier par anticipation, sous le nom et sous les traits de Sapience.

FIN.

Milton Keynes UK
Ingram Content Group UK Ltd.
UKHW011100080324
439029UK00005B/329